le Guide du **routard**

Directeur de collection et auteur
Philippe GLOAGUEN

Cofondateurs
Philippe GLOAGUEN et Michel DUVAL

Rédacteur en chef
Pierre JOSSE

Rédacteur en chef adjoint
Benoît LUCCHINI

Directrice de la coordination
Florence CHARMETANT

Directeur de routard.com
Yves COUPRIE

Rédaction
Olivier PAGE, Véronique de CHARDON,
Amanda KERAVEL, Isabelle AL SUBAIHI,
Anne-Caroline DUMAS, Carole BORDES,
Bénédicte BAZAILLE, André PONCELET,
Marie BURIN des ROZIERS, Thierry BROUARD,
Géraldine LEMAUF-BEAUVOIS, Anne POINSOT,
Mathilde de BOISGROLLIER, Gavin's CLEMENTE-RUÏZ,
Fabrice de LESTANG et Alain PALLIER

D1448652

2003

2680 Kč

Hachette

Avis aux hôteliers et aux restaurateurs

Les enquêteurs du *Routard* travaillent dans le plus strict anonymat, afin de préserver leur indépendance et l'objectivité des guides. Aucune réduction, aucun avantage quelconque, aucune rétribution n'est jamais demandé en contrepartie. La loi autorise les hôteliers et restaurateurs à porter plainte.

Hors-d'œuvre

Le *GDR*, ce n'est pas comme le bon vin, il vieillit mal. On ne veut pas pousser à la consommation, mais évitez de partir avec une édition ancienne. D'une année sur l'autre, les modifications atteignent et dépassent souvent les 40 %.

Spécial copinage

Le Bistrot d'André : 232, rue Saint-Charles, 75015 Paris. ☎ 01-45-57-89-14. M. : Balard. À l'angle de la rue Leblanc. Fermé le dimanche. L'un des seuls bistrots de l'époque Citroën encore debout, dans ce quartier en pleine évolution. Ici, les recettes d'autrefois sont remises à l'honneur. Une cuisine familiale, telle qu'on l'aime. Des prix d'avant-guerre pour un magret de canard poêlé sauce au miel, rognon de veau aux champignons, poisson du jour... Menu à 10,52 € servi le midi en semaine uniquement. Menu-enfants à 6,86 €. À la carte, compter autour de 21,34 €. Kir offert à tous les amis du *Guide du routard*.

NOUVEAU ! www.routard.com

Tout pour préparer votre voyage en ligne, de A comme argent à Z comme Zanzibar : des fiches pratiques sur 120 destinations (y compris les régions françaises), nos tuyaux perso pour voyager, des cartes et des photos sur chaque pays, des infos météo et santé, la possibilité de réserver en ligne son visa, son vol sec, son séjour, son hébergement ou sa voiture. En prime, *routard mag*, véritable magazine en ligne, propose interviews de voyageurs, reportages, carnets de route, événements culturels, programmes télé, produits nomades, fêtes et infos du monde. Et bien sûr : des concours, des chats, des petites annonces, une boutique de produits voyages...

TABLE DES MATIÈRES

COMMENT Y ALLER?

GÉNÉRALITÉS SUR LA RÉPUBLIQUE TCHÈQUE ET PRAGUE

PRAGUE (PRAHA)

À VOIR

LES ENVIRONS DE PRAGUE

VERS LE NORD

VERS L'EST

VERS LE SUD

VERS L'OUEST

LES GUIDES DU ROUTARD
2003-2004

(dates de parution sur **www.routard.com**)

France

- Alpes
- Alsace, Vosges
- Aquitaine
- **Ardèche, Drôme**
- Auvergne, Limousin
- Banlieues de Paris
- **Bourgogne (fév. 2003)**
- Bretagne Nord
- Bretagne Sud
- Châteaux de la Loire
- Corse
- Côte d'Azur
- **Franche-Comté (mars 2003)**
- Hôtels et restos de France
- Junior à Paris et ses environs
- **Junior en France (nouveauté)**
- Languedoc-Roussillon
- Lyon
- **Marseille (automne 2002)**
- Midi-Pyrénées
- Nord, Pas-de-Calais
- Normandie
- Paris
- Paris à vélo
- Paris balades
- Paris casse-croûte
- Paris exotique
- **Paris la nuit**
- Pays basque (France, Espagne)
- Pays de la Loire
- Poitou-Charentes
- Provence
- Restos et bistrots de Paris
- Le Routard des amoureux à Paris
- Tables et chambres à la campagne
- **Toulouse (janv. 2003)**
- Week-ends autour de Paris

Amériques

- Argentine
- Brésil
- Californie
- Canada Ouest et Ontario
- Chili et île de Pâques
- Cuba
- Equateur
- Etats-Unis, côte Est
- Floride, Louisiane
- Guadeloupe, Saint-Martin, Saint-Barth
- Martinique, Dominique, Sainte-Lucie
- Mexique, Belize, Guatemala
- New York
- Parcs nationaux de l'Ouest américain et Las Vegas
- Pérou, Bolivie
- Québec et Provinces maritimes
- Rép. dominicaine (Saint-Domingue)

Asie

- Birmanie
- Cambodge, Laos
- **Chine (Sud, Pékin, Yunnan)**
- Inde du Nord
- Inde du Sud
- Indonésie
- Israël
- Istanbul
- Jordanie, Syrie
- Malaisie, Singapour
- **Moscou, Saint-Pétersbourg (printemps 2003)**
- Népal, Tibet
- Sri Lanka (Ceylan)
- Thaïlande
- Turquie
- Vietnam

Europe

- Allemagne
- Amsterdam
- Andalousie
- Andorre, Catalogne
- Angleterre, pays de Galles
- Athènes et les îles grecques
- Autriche
- Baléares
- **Barcelone (fév. 2003)**
- Belgique
- **Crète (printemps 2003)**
- **Croatie (nouveauté)**
- Ecosse
- Espagne du Centre
- **Espagne du Nord-Ouest (Galice, Asturies, Cantabrie - nouveauté)**
- Finlande, Islande
- Grèce continentale
- Hongrie, Roumanie, Bulgarie
- Irlande
- Italie du Nord
- Italie du Sud
- Londres
- Norvège, Suède, Danemark
- Pologne, République tchèque, Slovaquie
- Portugal
- Prague
- **Rome (nov. 2002)**
- Sicile
- Suisse
- Toscane, Ombrie
- Venise

Afrique

- Afrique noire
- Egypte
- Ile Maurice, Rodrigues
- Kenya, Tanzanie et Zanzibar
- Madagascar
- Maroc
- Marrakech et ses environs
- Réunion
- Sénégal, Gambie
- Tunisie

et bien sûr...

- **Chiner autour de Paris**
- Le Guide de l'expatrié
- **Le Guide du citoyen**
- Humanitaire
- Internet

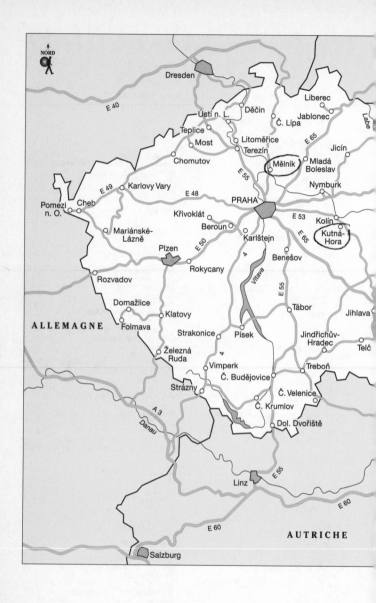

LA RÉPUBLIQUE TCHÈQUE

NOS NOUVEAUTÉS

CHINER AUTOUR DE PARIS (paru)

Chiner n'est pas seulement « le filon » pour traquer l'objet rare, récupérer, détourner, s'équiper et s'habiller pour pas un rond. Chiner, c'est aussi partir à l'aventure chaque week-end, à la découverte de patelins oubliés en traînant dans les vide-greniers hors pistes et en s'attablant dans des épiceries-restos-buvettes et autres lieux pittoresques. La chine est une question de savoir-faire. S'il ne veut pas rentrer bredouille, le chineur doit être initié à toutes les tactiques de traque, surtout dans les vide-greniers citadins et les grandes brocantes. Il doit savoir s'infiltrer dans les réseaux des vide-apparts (un phénomène qui grimpe), identifier les meilleures ventes paroissiales, scolaires, caritatives ou associatives, en court-circuitant les intermédiaires. Il doit, enfin, savoir éviter les pièges des salles des ventes et sélectionner les dépôts-ventes.

LE GUIDE DU CITOYEN (paru)

Acheter un paquet de café issu du commerce équitable. Signer une pétition sur le Net pour l'interdiction des mines antipersonnel. Manifester contre la privatisation du monde. Se tenir au courant des projets municipaux ou encore se présenter aux prochaines élections. Vitrine de l'action citoyenne sous toutes ses formes – politique, économique et associative –, le *Guide du citoyen* fourmille d'actions concrètes à la portée de tous. Pour passer de la déclaration d'intention à la pratique en moins de deux, ce guide donne les coordonnées d'associations militantes, les adresses de magasins éthiques, les endroits où trouver l'information et même le fil rouge du labyrinthe institutionnel. Un outil indispensable pour le citoyen actif à la recherche d'un monde meilleur.

Nous tenons à remercier tout particulièrement François Chauvin, Gérard Bouchu, Grégory Dalex, Michelle Georget, Carole Fouque, Patrick de Panthou, Jean Omnes, Jean-Sébastien Petitdemange et Alexandra Sémon pour leur collaboration régulière.

Et pour cette chouette collection, plein d'amis nous ont aidés :

Caroline Achard
Didier Angelo
Barbara Batard
Astrid Bazaille
José-Marie Bel
Thierry Bessou
Cécile Bigeon
Fabrice Bloch
Cédric Bodet
Philippe Bordet
Nathalie Boyer
Florence Cavé
Raymond Chabaud
Alain Chaplais
Bénédicte Charmetant
Geneviève Clastres
Maud Combier
Sandrine Couprie
Franck David
Agnès Debiage
Fiona Debrabander
Charlotte Degroote
Tovi et Ahmet Diler
Claire Diot
Émilie Droit
Sophie Duval
Christian Echarte
Flora Etter
Hervé Eveillard
Didier Farsy
Flamine Favret
Pierre Fayet
Alain Fisch
Cédric Fisher
Léticia Franiau
Cécile Gauneau
David Giason
Muriel Giraud
Adrien Gloaguen
Olivier Gomez et Sylvain Mazet
Angélique Gosselet
Isabelle Grégoire
Xavier Haudiquet
Claude Hervé-Bazin
Monique Heuguédé
Catherine Hidé

Bernard Hilaire
Bernard Houliat
Lionel Husson
Catherine Jarrige
Lucien Jedwab
François Jouffa
Emmanuel Juste
Florent Lamontagne
Damien Landini
Jacques Lanzmann
Vincent Launstorfer
Grégoire Lechat
Benoît Legault
Raymond et Carine Lehideux
Jean-Claude et Florence Lemoine
Mickaela Lerch
Valérie Loth
Anne-Marie Minvielle
Thomas Mirante
Anne-Marie Montandon
Xavier de Moulins
Jacques Muller
Yves Negro
Alain Nierga et Cécile Fischer
Michel Ogrinz et Emmanuel Goulin
Franck Olivier
Martine Partrat
Jean-Valéry Patin
Odile Paugam et Didier Jehanno
Côme Perpère
Laurence Pinsard
Jean-Luc Rigolet
Thomas Rivallain
Ludovic Sabot
Emmanuel Scheffer
Jean-Luc et Antigone Schilling
Patricia Scott-Dunwoodie
Abel Ségretin
Guillaume Soubrié
Régis Tettamanzi
Christophe Trognon
Christèle Valin-Colin
Isabelle Verfaillie
Charlotte Viart
Isabelle Vivarès
Solange Vivier

Direction : Cécile Boyer-Runge
Contrôle de gestion : Joséphine Veyres
Direction éditoriale : Catherine Marquet
Édition : Catherine Julhe, Peggy Dion, Matthieu Devaux, Stéphane Renard, Nathalie Foucard, Marine Barbier, Magali Vidal, Agnès Fontaine et Carine Girac
Secrétariat : Catherine Maîtrepierre
Préparation-lecture : Élizabeth Guillon
Cartographie : Cyrille Suss
Fabrication : Nathalie Lautout et Audrey Detournay
Direction commerciale : Michel Goujon, Dominique Nouvel, Dana Lichiardopol et Lydie Firmin
Informatique éditoriale : Lionel Barth
Relations presse : Danielle Magne, Martine Levens et Maureen Browne
Régie publicitaire : Florence Brunel
Service publicitaire : Frédérique Larvor

LES QUESTIONS QU'ON SE POSE LE PLUS SOUVENT...

➤ *Quelle est la meilleure période pour y aller ?*

Prague est une ville qui se visite à toute époque de l'année. On a même un faible pour l'hiver où, avec moins de monde et la neige, la ville se pare d'un décor digne des contes de Noël.

➤ *Partir un week-end, n'est-ce pas trop court ?*

Un week-end de 3 jours risque de faire un peu court à moins de prendre l'avion. L'idéal sera d'y passer 3 à 4 jours, histoire de bien s'imprégner de l'atmosphère magique de la capitale tchèque.

➤ *Quel est le meilleur moyen pour circuler à Prague ?*

Prague est une capitale de taille moyenne. Tout peut aisément se découvrir à pied. C'est même la meilleure manière de goûter aux charmes de la ville. Toutefois, le métro, moderne, propre et très bon marché, peut s'avérer le meilleur moyen de parcourir des distances un peu plus importantes. Son réseau est bien doublé par les bus.

➤ *La vie est-elle chère ?*

Pour se loger à Prague, en dehors de la location d'appartements, ce que l'on vous recommande, le niveau de l'hôtellerie s'est aligné sur les prix occidentaux. La grosse économie à réaliser sera celle du budget nourriture où, là, les prix sont alignés sur le pouvoir d'achat local. Les transports sont également bon marché.

➤ *Les Tchèques acceptent-ils l'euro ?*

La monnaie locale est encore la couronne mais, entourée de pays qui fonctionnent avec l'euro, la République tchèque voit très vite la monnaie européenne devenir la deuxième monnaie en circulation. D'autant plus que l'adhésion à l'UE se profile à l'horizon 2005. Mais d'ici là, il vous faudra encore convertir les euros.

➤ *Dans quelle langue va-t-on s'exprimer ?*

Autant vous dire que le tchèque n'est pas une langue facile à lire et à comprendre et que le français y est peu répandu. L'anglais commence à peine à être pratiqué et la communication la plus facile passera par l'allemand, très utilisé. Le russe aussi, du côté des plus âgés, mais parlez-vous le russe ?

➤ *Prague est-elle une destination gastronomique ?*

La cuisine traditionnelle tchèque est copieuse, variée mais pas très raffinée. Les Tchèques n'ont pas eu l'habitude de cultiver l'art de la table. Cela dit, manger dans les tavernes populaires permettra de faire de belles économies. Néanmoins, occidentalisation aidant, on commence à trouver de très bons restos qui se préoccupent d'une carte un peu plus élaborée. L'ennui, c'est qu'alors les prix y seront multipliés par quatre ou cinq.

COMMENT Y ALLER?

EN VOITURE

➤ De *Paris*, prendre l'autoroute de l'Est jusqu'à Metz-Forbach (frontière allemande), puis les autoroutes allemandes, en passant par Heidelberg, Heilbronn, Nürnberg, Waidhaus-Rozvadov (poste frontière de la République tchèque), puis Plzeň et enfin Prague. Soit au total 1 080 km.

ATTENTION : on ne peut circuler sur le réseau autoroutier tchèque sans vignette (voir les rubriques « Avant le départ », paragraphe « Formalités », et « Transports intérieurs » dans les « Généralités sur la République tchèque et Prague »).

EN BUS

Il n'y a pas que l'avion pour voyager. À condition d'y mettre le temps, on peut aussi se déplacer en bus – on ne dit pas « car », qui a des relents de voyage organisé. En effet, le bus est bien moins consommateur d'essence par passager/km que l'avion. Ce système de transport est fort valable à l'intérieur de l'Europe, à condition d'avoir du temps et de ne pas être à cheval sur le confort. Il est évident que les trajets sont longs et les horaires élastiques. On n'en est pas au luxe des *Greyhound* américains, où l'on peut faire sa toilette à bord. Mais, en général, les bus affrétés par les compagnies sont assez confortables : AC, dossier inclinable (exiger des précisions avant le départ). Par contre, dans certains pays, le confort sera plus aléatoire. Mais, en principe, des arrêts toutes les 3 ou 4 h permettent de ne pas arriver avec une barbe de vieillard.

N'oubliez pas qu'avec un trajet de 6 h, en avion on se déplace, en bus on voyage. Et puis, en bus, la destination finale est vraiment attendue, en avion elle vous tombe sur la figure sans crier gare, sans qu'on y soit préparé psychologiquement.

Enfin, c'est un moyen de transport souple : il vient chercher les voyageurs dans leur région, dans leur ville. La prise en charge est totale de bout en bout. C'est aussi un bon moyen pour se faire des compagnons de voyage. Prévoir une couverture ou un duvet pour les nuits fraîches, la thermos à remplir de bouillant ou de glacé entre les étapes (on n'a pas toujours soif à l'heure dite) et aussi de bons bouquins.

▲ CLUB ALLIANCE

– *Paris* : 99, bd Raspail, 75006. ☎ 01-45-48-89-53. Fax : 01-45-49-37-01. M. : Rennes, Saint-Placide ou Notre-Dame-des-Champs. Ouvert du lundi au vendredi de 10 h à 19 h et le samedi de 11 h à 19 h.

Depuis 1976, le spécialiste des week-ends (notamment à Prague) et des ponts de 3 ou 4 jours. Propose aussi des circuits de 1 à 12 jours en Europe. Brochure gratuite sur demande.

▲ EUROLINES

☎ 08-36-69-52-52 (0,46 €/mn). ● www.eurolines.fr ● Vous trouverez également les services d'Eurolines sur ● www.routard.com ● Minitel : 36-15, code EUROLINES (0,34 €/mn). Présent à Paris, Versailles, Avignon, Bordeaux, Calais, Dijon, Lille, Lyon, Marseille, Metz, Montpellier, Nantes, Nîmes, Perpignan, Rennes, Strasbourg, Toulouse et Tours.

Leader européen des voyages en lignes régulières internationales par autocar, Eurolines vous permet de voyager vers plus de 1 500 destinations en

Europe au travers de 28 pays et à partir de 80 points d'embarquement en France.

– *Eurolines Travel* (spécialiste du séjour) : 55, rue Saint-Jacques, 75005 Paris. ☎ 01-43-54-11-99. M. : Maubert-Mutualité. En complément de votre transport, un véritable tour-opérateur intégré qui propose des formules transport et hébergement sur les principales capitales européennes, notamment Prague.

– *Pass Eurolines* : pour un prix fixe valable 15, 30 ou 60 jours, vous voyagez autant que vous le désirez sur le réseau entre 24 villes européennes. Le *Pass Eurolines* est fait sur mesure pour les personnes autonomes qui veulent profiter d'un prix très attractif et désireuses de découvrir l'Europe sous ses coutures.

– *Mini Pass* : ce billet, valable 6 mois, permet de visiter deux métropoles européennes en toute liberté. Le voyage peut s'effectuer dans un sens comme dans un autre.

▲ INTERCARS

– *Paris* : 139 bis, rue de Vaugirard, 75015. ☎ 01-42-19-99-35 ou 36. Fax : 01-42-19-98-24. ● www.intercars.fr ● intercars.paris@wanadoo.fr M. : Falguière. Ouvert du lundi au vendredi de 9 h 30 à 18 h 30 et le samedi de 9 h 30 à 16 h 30.

➤ Assure une liaison à destination de Prague tous les jours. Compter environ 16 h de trajet.

▲ VOYAGES 4A

– *Nancy* : 32, av. du 20ᵉ-Corps, 54000. Renseignements et réservations : ☎ 03-83-37-99-66. Fax : 03-83-37-65-99. ● www.voyages4a.com ● voyages 4a@voyages4a.com ●

L'Europe à tarifs excellents. La curiosité ne doit pas coûter cher. Aussi les Voyages 4A vous font-ils découvrir les grandes villes d'Europe à travers de courts séjours, en autocar et avec hébergement facultatif, de la cité U à l'hôtel 3 étoiles. Au départ de toutes les grandes villes de France, des séjours et circuits avec temps libre sur place, toutes les grandes expositions et les grands concerts, les festivals rock/pop/metal/électro de l'été, les carnavals, des séjours glisse, les grands contests de roller et bien d'autres événements.

Des voyages à thèmes touristique, culturel, historique, économique sont également réalisés pour les CE, associations, lycées, étudiants. Tout le catalogue « individuels » et « groupes » Voyages 4A est disponible sur Internet.

EN TRAIN

➤ Un aller et retour quotidien de jour avec changement à Francfort ; départ de Paris-gare de l'Est à 8 h 54 pour arriver à Francfort à 15 h 06 et à Prague à 23 h 09. Un aller et retour quotidien de nuit avec changement à Francfort ; départ de Paris-gare de l'Est à 17 h 19, arrivée à Francfort à 23 h 20, départ à 23 h 37 et arrivée à Prague à 8 h 14.

Les réductions

– Avec la carte **Inter Rail**, quel que soit votre âge, vous pouvez circuler librement en 2ᵉ classe dans 29 pays d'Europe. Ces pays sont regroupés en 8 zones dont une, la zone D, qui englobe la Pologne, la République tchèque, la Hongrie, la Croatie et la Slovaquie. Vous avez la possibilité de choisir parmi plusieurs formules (*pass* 1 zone pour 22 jours de libre circulation, *pass* 2 zones pour 1 mois de libre circulation...).

faire du ciel le plus bel endroit de la terre

AIR FRANCE

Tarifs Tempo. Envolez-vous à prix légers.
www.airfrance.com

– La formule **Eurodomino** vous permet, quel que soit votre âge, de circuler librement dans un pays d'Europe de 3 à 8 jours, consécutifs ou non, et ce, dans une période de validité d'1 mois. Le *pass* pour la République tchèque (en 2ᵉ classe) coûte 43,14 € pour 3 jours, 63,10 € pour 5 jours et 93,15 € pour 8 jours.

Se renseigner auprès de la SNCF.

Pour vous informer sur ces offres et acheter vos billets

– *Ligne directe :* ☎ 08-92-35-35-35 (0,34 €/mn) tous les jours de 7 h à 22 h. ● www.sncf.fr ● Minitel : 36-15 ou 36-16, code SNCF (0,20 €/mn).

– Dans les gares, les boutiques SNCF et les agences de voyages agréées. Commandez votre billet par téléphone, sur Internet ou par Minitel, la SNCF vous l'envoie gratuitement à domicile. Vous réglez par carte bancaire (pour un montant supérieur à 1,52 €) au moins 4 jours avant le départ (7 jours si vous résidez à l'étranger).

Pour prague salsbourg ?

EN AVION

➤ Air France et ČSA, la compagnie nationale, sont associés sur la ligne Paris-Prague. 8 vols quotidiens, dont un avec escale à Lyon (6 le samedi et le dimanche). Départs de Roissy-Charles-de-Gaulle, aérogare 2, terminal B. Durée de vol : environ 1 h 40.

Ces compagnies proposent toute une gamme de prix attractifs. Pour plus de renseignements :

▲ AIR FRANCE

– *Paris :* 119, av. des Champs-Élysées, 75008. Renseignements et réservations : ☎ 0820-820-820 (de 6 h 30 à 22 h). ● www.airfrance.fr ● Minitel : 36-15, code AF (tarifs, vols en cours, vaccinations, visas). M. : George-V. Et dans toutes les agences de voyages.

Air France propose une gamme de tarifs attractifs sous la marque *Tempo* accessibles à tous : *Tempo 1* (le plus souple), *Tempo 2*, *Tempo 3* et *Tempo 4* (le moins cher). La compagnie propose également le tarif *Tempo Jeunes* (pour les moins de 25 ans). Ces tarifs sont accessibles jusqu'au jour de départ en aller simple ou aller-retour, avec date de retour libre. Il est possible de modifier la réservation ou d'annuler jusqu'au jour de départ sans frais. Pour les moins de 25 ans, la carte de fidélité *Fréquence Jeune* est nominative, gratuite et valable sur l'ensemble des lignes nationales et internationales d'Air France. Cette carte permet d'accumuler des *miles* et de bénéficier ainsi de billets gratuits ; elle apporte également de nombreux avantages ou réductions.

Tous les mercredis dès 0 h, sur Minitel 36-15, code AF (0,20 €/mn) ou sur Internet ● www.airfrance.fr ●, Air France propose les tarifs *Coup de cœur*, une sélection de destinations en France métropolitaine et en Europe à des tarifs très bas pour les 12 jours à venir.

Pour les enchères sur Internet, Air France propose aux clients disposant d'une adresse en France métropolitaine, tous les 15 jours, le jeudi de 12 h à 22 h, quelques 100 billets mis aux enchères. Il s'agit de billets aller-retour, sur les réseaux métropole, moyen-courrier et long-courrier, au départ de France métropolitaine. Air France propose au gagnant un second billet sur un même vol au même tarif.

▲ ČSA

– *Paris :* 32, av. de l'Opéra, 75002. ☎ 01-47-42-18-11. Fax : 01-47-42-32-22. ● csa.ceske.aerolinie@wanadoo.fr ● M. : Pyramides ou Opéra. Ouvert du lundi au vendredi de 9 h à 17 h.

– *En Belgique :* rue du Finistère, 4, Bruxelles 1000. ☎ 02-217-42-85. Fax : 02-219-85-47. ● czech.airlines@pophost.eunet.be ●

➤ Propose 8 vols quotidiens à destination de Prague (6 le dimanche).

LES ORGANISMES DE VOYAGES

– Encore une fois, un billet « charter » ne signifie pas toujours que vous allez voler sur une compagnie charter. Bien souvent, sur des destinations extra-européennes, vous prendrez le vol régulier d'une grande compagnie. En vous adressant à des organismes spécialisés, vous aurez simplement payé moins cher que les ignorants pour le même service.

– Nous ne faisons plus de distinction, comme les années précédentes, entre les organisateurs de « charters », les vols réguliers à prix réduits ou les associations pour étudiants. En effet, les agences dont les noms suivent proposent un peu de tout, pour tous les voyageurs. Ce n'est pas un mal : ça va dans le sens de la démocratisation du voyage.

– Ne pas croire que les vols à tarif réduit sont tous au même prix pour une même destination à une même époque : loin de là. On a déjà vu, dans un même avion partagé par deux organismes, des passagers qui avaient payé 40 % plus cher que les autres... Authentique ! Donc, contactez tous les organismes et jugez vous-même.

– Les organismes cités sont classés par ordre alphabétique, pour éviter les jalousies et les grincements de dents.

En France

▲ AMSLAV TOURISME

– *Paris :* 55, rue Letellier, 75015. ☎ 01-40-59-43-10. Fax : 01-40-59-48-06. ● www.amslav.fr ● amslav@wanadoo.fr ● Ouverture tous les jours de 9 h à 18 h. Après 18 h et samedi, sur rendez-vous. Créateur de voyages en Pologne, République tchèque, Slovaquie et autres pays de l'Est. Cette équipe slave, dynamique et passionnée connaît parfaitement ces destinations et propose une large gamme de produits allant de l'hébergement chez l'habitant à l'hôtel 5 étoiles ainsi que des tarifs aériens négociés, voyages en groupes, forfaits, circuits organisés, voyages à la carte.

▲ ANYWAY.COM

☎ 0-890-890-890 (0,15 €/mn). Fax : 01-53-19-67-10. ● www.anyway.com ● Minitel : 36-15, code ANYWAY (0,34 €/mn). Du lundi au vendredi de 8 h à 20 h et le samedi de 9 h à 19 h.

Anyway.com s'adresse à tous les routards et sélectionne d'excellents prix auprès de 420 compagnies aériennes et l'ensemble des vols charters pour vous garantir des prix toujours plus compétitifs. Pour réserver, Anyway.com offre le choix : Internet et téléphone. La disponibilité des vols est donnée en temps réel, les places réservées sont définitives : cliquez, vous décollez ! Anyway.com, c'est aussi la réservation de plus de 500 séjours et de week-ends pour profiter pleinement de vos RTT ! De plus, Anyway.com a négocié pour vous jusqu'à 50 % de réduction sur des hôtels de 2 à 5 étoiles et la location de voitures partout dans le monde. Voyageant « chic » ou « bon marché », tous les routards profiteront des plus d'Anyway.com : simplicité, service, conseil...

▲ ČEDOK FRANCE

– *Paris* : 32, av. de l'Opéra, 75002. ☎ 01-44-94-87-50. Fax : 01-49-24-99-46. ● www.cedok.fr ● cedok@wanadoo.fr ● M. : Opéra. Ouvert du lundi au vendredi de 10 h à 13 h et de 14 h à 18 h.

Čedok France, tour-opérateur et agence de voyages franco-tchèque. Membre du premier groupe de tourisme pragois Čedok, qui détient également la compagnie aérienne Travel Service. Partenaire de l'Office national tchèque du tourisme et l'un des grands spécialistes de l'Europe Centrale. Čedok France est à l'écoute de tous les souhaits afin de rendre d'autant plus agréable une escapade dans ses attrayantes destinations – Prague et la République Tchèque, Budapest, Varsovie et Cracovie, Dubrovnik, Moscou et Saint-Pétersbourg. Son équipe jeune et sympathique se met à votre disposition pour organiser vos courts et longs séjours, circuits et voyages à la carte en toutes saisons et à l'occasion de tous événements. Réservations à l'agence, par téléphone, fax, e-mail et site web.

▲ DIRECTOURS

– *Paris :* 90, av. des Champs-Élysées, 75008. ☎ 01-45-62-62-62. Fax : 01-40-74-07-01.
– *Lyon :* ☎ 04-72-40-90-40.
– Pour le reste de *la France :* ☎ 0801-637-543 (n° Azur). ● www.direc tours.com ● Minitel : 36-15, code DIRECTOURS.

Spécialiste du voyage individuel à la carte, Directours est un tour-opérateur qui présente la particularité de s'adresser directement au public, en vendant ses voyages exclusivement par téléphone, sans passer par les agences et autres intermédiaires. La démarche est simple : soit on appelle pour demander l'envoi d'une brochure, soit on consulte le site web. On téléphone ensuite au spécialiste de Directours pour avoir des conseils et des détails.

Directours propose une grande variété de destinations : tous les États-Unis à la carte (avec des brochures spéciales New York, Las Vegas, Hawaii), la Thaïlande, Bali et l'Indonésie, Maurice, la Réunion, les Seychelles, Dubaï, Oman, l'Inde, l'Afrique du Sud, les Antilles françaises, la Grèce et ses îles, Malte, Chypre, le Portugal (avec en particulier les *poussadas* en français sur le site web), la Tunisie, le Maroc et l'Australie. Également des week-ends en Europe : Vienne, Prague, Dublin, Budapest et Berlin. Directours vend ses vols secs et ses voitures de location sur le site web.

▲ FUAJ

– *Paris :* centre national, 27, rue Pajol, 75018. ☎ 01-44-89-87-27. Fax : 01-44-89-87-49 ou 10. ● www.fuaj.org ● M. : La Chapelle, Marx-Dormoy ou Gare-du-Nord. Renseignements dans toutes les auberges de jeunesse et les points d'information et de réservation en France.

La FUAJ (Fédération unie des auberges de jeunesse) accueille ses adhérents dans 200 auberges de jeunesse en France. Seule association française membre de l'IYHF *(International Youth Hostel Federation)*, elle est le maillon d'un réseau de 6 000 auberges de jeunesse dans le monde. La FUAJ organise, pour ses adhérents, des activités sportives, culturelles et éducatives. Les adhérents de la FUAJ peuvent obtenir les brochures *Go as you please*, *Activités été* et *Activités hiver*, le *Guide français* pour les hébergements. Les guides internationaux regroupent la liste de toutes les auberges de jeunesse dans le monde. Ils sont disponibles à la vente ou en consultation sur place.

▲ IDÉE NOMADE

– *Aix-en-Provence :* 58, rue des Cordeliers, 13100. ☎ 04-42-99-09-90. Fax : 04-42-99-09-92.

Idée Nomade est un tour-opérateur spécialisé dans les séjours culturels à travers l'Europe. Au programme, les plus belles villes européennes : Amsterdam, Barcelone, Florence, Londres, Prague... ; les parcs à thème (Futuroscope,

Disneyland) ; les grandes manifestations, telles que le carnaval de Venise ; et des journées sportives en France (équitation, ski, rafting, rando...). Leurs voyages touchent une clientèle essentiellement jeune (18-40 ans), mais restent ouverts à tous. Leurs destinations sont variées et s'organisent autour d'une même formule : transport en autocar aller-retour, hébergement en hôtel ou auberge de jeunesse et petits déjeuners. Une fois sur place, chacun est libre d'organiser son séjour comme il le souhaite. Prix très compétitifs. Départs de Marseille et d'Aix et depuis peu de Montpellier, Nîmes, Nice et Toulouse. Idée Nomade est également spécialiste des voyages de groupe depuis sa région.

▲ LASTMINUTE.COM-DEGRIFTOUR.COM

☎ 0892-23-01-01 (0,34 €/mn). ● www.lastminute.com ● www.degriftour. com ● Minitel : 36-15, code DT.
Pour satisfaire une envie soudaine d'évasion, Lastminute.com-Degriftour.com vous propose, de 6 semaines à la veille du départ, des séjours, des billets d'avion, des croisières, des thalassos en France et à l'autre bout du monde.

▲ MSR (MONDIAL SÉJOUR RÉSERVATION)

– *Paris :* 11-13, rue Saint-Yves, 75014. ☎ 01-43-27-61-57. Fax : 01-43-27-50-09. ● msr-mondial@wanadoo.fr ● M. : Alésia.
Agence spécialisée sur l'Europe centrale. Forfaits week-ends (vol aller-retour, hôtel de charme) à Prague, Bratislava, Brno, Budapest, Vienne, Salzbourg et Innsbruck. Possibilités de réservations hôtelières seules, location d'appartements sur certaines destinations, réservations de spectacles et d'excursions collectives ou individuelles.

▲ NEW EAST

– *Grenoble :* 12, rue du Docteur-Mazet, 38000. ☎ 04-76-47-19-18. Fax : 04-76-47-19-14. Disponible dans les agences OTU Voyages.
Une petite agence dynamique qui se charge de vos réservations d'hôtels ou en cité universitaire. Propose également des séjours tout compris, ainsi que plusieurs circuits en Europe centrale. À Prague, transport en car + hébergement ou hôtel seul et à Budapest, plusieurs formules d'hébergement, de la cité U aux hôtels 3 étoiles. Possibilité de départ de province.

▲ NOUVELLES FRONTIÈRES

– *Paris :* 87, bd de Grenelle, 75015. M. : La Motte-Picquet-Grenelle.
– Renseignements et réservations dans toute la France : ☎ 0825-000-825 (0,15 €/mn). ● www.nouvelles-frontieres.fr ● Minitel : 36-15, code NF (à partir de 0,10 €/mn).
Plus de 30 ans d'existence, 2 500 000 clients par an, 250 destinations, une chaîne d'hôtels-clubs et de résidences *Paladien*, une compagnie aérienne, *Corsair*, des filiales spécialisées pour les croisières en voilier, la plongée sous-marine, la location de voitures... Pas étonnant que Nouvelles Frontières soit devenu une référence incontournable, notamment en matière de tarifs. Le fait de réduire au maximum les intermédiaires permet d'offrir des prix « super-serrés ». Un choix illimité de formules vous est proposé, dont des vols sur la compagnie aérienne de Nouvelles Frontières au départ de Paris et de province, en classe Horizon ou Grand Large, et sur toutes les compagnies aériennes régulières, avec une gamme de tarifs selon confort et budget. Sont également proposés toutes sortes de circuits, aventure ou organisés ; des séjours en hôtels, en hôtels-clubs et en résidences, notamment dans les *Paladien*, les hôtels de Nouvelles Frontières avec « vue sur le monde » ; des week-ends, des formules à la carte (vol, nuits d'hôtel, excursions, location de voitures...).

Avant le départ, des permanences d'information sont organisées par des spécialistes qui présentent le pays et répondent aux questions. Les 13 brochures Nouvelles Frontières sont disponibles gratuitement dans les 200 agences du réseau, par Minitel, par téléphone et sur Internet.

▲ OPÉRA DU MONDE

– *Paris* : 7, rue Maître-Albert, 75005. ☎ 01-55-42-60-75. Fax : 01-55-42-60-71. • www.lacollection.com • M. : Maubert-Mutualité.
Spécialiste du voyage culturel autour des grands événements artistiques : créations musicales (opéras, festivals, concerts...), expositions exceptionnelles, etc. Au sommaire de leur brochure : Budapest et ses « Rhapsodies hongroises », Prague, capitale musicale, Berlin « L'opéra du futur », Saint-Pétersbourg et le festival des Nuits Blanches, et bien d'autres manifestations culturelles en Europe et ailleurs.

▲ OTU VOYAGES

Informations : ☎ 0820-817-817. • infovente@otu.fr • N'hésitez pas à consulter leur site • www.otu.fr • pour obtenir adresse, plan d'accès, téléphone et e-mail de l'agence la plus proche de chez vous (29 agences OTU Voyages en France).
OTU Voyages propose tous les voyages jeunes et étudiants à des tarifs spéciaux particulièrement adaptés à vos besoins et à votre budget. Les bons plans, services et réductions partout dans le monde avec la carte d'étudiant internationale ISIC (10 €). Les billets d'avion (Student Air, Air France...), train, bateau, bus, la location de voitures à des tarifs avantageux et souvent exclusifs, pour plus de liberté ! Des circuits-séjours en autocar à travers l'Europe pour savoir ce qui se passe ailleurs et faire la fête ! Des hôtels, des *city trips* pour découvrir le monde. Des séjours détente pour se la couler douce et, pour les plus audacieux, des stages et activités sportives. Des séjours linguistiques, stages et jobs à l'étranger pour des vacances studieuses !

▲ PRAGO-MÉDIA

– *Lussan* : La Bastide-d'Audabiac, 30580. ☎ 04-66-72-70-70. Fax : 04-66-72-70-71. • pragomedia@aol.com • Ouvert du lundi au vendredi de 10 h 30 à 18 h 30.
Sympathique agence spécialisée sur la République tchèque, la Hongrie et la Pologne, créée par une exilée tchèque, Jitka Bedel et sa collaboratrice polonaise. Propose aussi des forfaits avec billet d'avion ou de bus, logement chez l'habitant, location d'appartements, hôtels 2 à 5 étoiles, auberges de jeunesse, billets de spectacles, visites guidées, location de voitures et circuits accompagnés. Organise également des voyages en groupe.

▲ SLAV'TOURS

– *Orléans* : 6, rue Jeanne-d'Arc, 45000. ☎ 02-38-77-07-00. Fax : 02-38-77-18-37. • www.slavtours.com • Ouvert du lundi au vendredi de 9 h à 18 h et le samedi de 9 h à 12 h.
Son directeur est tchèque et connaît parfaitement toutes les ficelles de son pays, ainsi que l'ensemble des pays de l'Europe centrale. L'agence propose des week-ends, des circuits et des séjours sur mesure, ainsi que tous types d'hébergement (hôtels, pensions de famille, chambres d'hôte, location de vacances...), de transports (vols spéciaux, charters, billets des autocars Eurolines...). Aussi des séjours et loisirs multiples : à la neige, au bord des mers Adriatique, Noire, Baltique, croisières sur le Danube, la Volga, la Neva... Programmes et tarifs spéciaux pour les groupes, événements culturels et sportifs. Propositions de séjours combinés entre tous les pays d'Europe centrale dans le réseau des représentants de Slav'Tours à travers la République tchèque, l'Autriche, l'Ukraine, la Pologne, la Roumanie, la Slovénie, la Hongrie, la Russie, les Pays Baltes, la Croatie...).

NOUVEAUTÉ

CROATIE (paru)

Les longues années de purgatoire d'après-guerre font désormais partie du passé. Les touristes commencent à revenir nombreux pour redécouvrir ce petit pays malheureusement méconnu. La Croatie possède le privilège d'offrir un patrimoine architectural d'une richesse époustouflante. Bien sûr, il y a ceux qui le savaient déjà, ceux qui venaient « avant » et reviennent aujourd'hui pour le savourer à nouveau. Et puis ceux qui y viennent pour la première fois et qui découvrent un pays à la situation unique, à cheval entre Orient et Occident, fascinante transition entre Europe du Nord et Méditerranée, carrefour de cultures et d'influences assez exceptionnel ! Illyriens, Celtes, Grecs, Romains, Croates (bien sûr !), Vénitiens, Italiens, Ottomans, Hongrois, Autrichiens, tous y laissèrent leur marque.

Et puis, on découvre une merveilleuse côte, protégée, tenez-vous bien, par près de... 2000 îles et îlots. On a déniché les plages les plus secrètes, ainsi que les chambres chez l'habitant les plus accueillantes ! Côte qui échappa d'ailleurs par miracle au béton et égrène de petits ports oubliés par les bétonneurs. Sans oublier la perle de l'Adriatique, *Dubrovnik*, classée par l'UNESCO au patrimoine mondial de l'Humanité. À l'intérieur, Zagreb ravira aussi par son éclectisme architectural, la richesse de ses musées et de sa vie culturelle. Quant aux amoureux de la nature, ils seront comblés : parcs naturels intacts regorgeant d'une faune surprenante : plus de 400 ours dans les forêts montagneuses, chamois, mouflons, chats sauvages, loups et lynx à profusion, jusqu'aux mangoustes africaines qui se dorent la pilule sur les côtes de l'île de Mljet (et on ne vous parle pas des oiseaux !). Ah, les lacs de Plitvice et leurs 92 chutes !

▲ TRANSTOURS

– *Paris :* 49, av. de l'Opéra. 75002. ☎ 0825-031-031. Fax : 01-53-24-34-69. M. : Opéra.

La plus grande agence sur la Russie et les pays d'Europe centrale allie compétence et longue expérience (plus de 45 ans). Transtours propose trois styles de découverte.

– Les *découvertes et les week-ends à la carte*, en toute liberté. Transtours met à votre disposition tous les éléments pour que vous puissiez organiser votre séjour à votre gré (transports, hôtels, visites) ou selon un itinéraire que vous pourrez effectuer avec un guide et un chauffeur privés. Pour faciliter ces « découvertes à la carte » ou « week-ends à la carte », Transtours vous offre un grand choix d'hôtels en centre-ville et un éventail complet de visites et de spectacles nécessaires pour une réelle approche du pays.

– Les *découvertes organisées*, sous forme d'un circuit, d'un séjour ou d'un week-end, pour vous permettre de découvrir la destination avec un accompagnateur spécialiste du pays, parlant la langue, et de bénéficier d'un voyage en pension complète.

– Les *croisières fluviales* sur le Danube ou en Russie, de Moscou à Saint-Pétersbourg. Une nouvelle façon de découvrir le pays et des régions jusqu'alors moins connues.

▲ VOYAGES WASTEELS (JEUNES SANS FRONTIÈRE)

66 agences en France, 160 en Europe. Pour obtenir l'adresse et le numéro de téléphone de l'agence la plus proche de chez vous, Audiotel : ☎ 08-92-68-22-06 (0,33 €/mn).

Centre d'appels Infos et ventes : ☎ 0825-887-070 (0,15 €/mn).

● www.wasteels.fr ● Minitel : 36-15, code WASTEELS (0,33 €/mn).

Tarifs réduits spécial jeunes et étudiants. En avion : les tarifs jeunes d'Air France mettent à la portée des moins de 25 ans toute la France, l'Europe et le monde aux meilleurs prix. Sur plus de 450 destinations, *Student Air* propose aux étudiants de moins de 30 ans de voyager dans le monde entier sur les lignes régulières des compagnies aériennes à des prix très compétitifs et selon des conditions d'utilisation extra-souples. En train : pour tous les jeunes de moins de 26 ans en France jusqu'à 50 % de réduction, sans oublier les super-tarifs sur Londres en *Eurostar* et sur Bruxelles et Amsterdam en *Thalys*. En bus : des prix canon. Divers : séjours de ski, séjours en Europe (hébergement, visite, surf...), séjours linguistiques et location de voitures à tout petits prix.

▲ VOYAGEURS EN EUROPE

☎ 01-48-86-17-20. Fax : 01-42-86-16-28. Spécialiste de l'Angleterre, l'Allemagne, l'Autriche, le Danemark, l'Écosse, l'Espagne, la Finlande, la Hongrie, l'Islande, la Norvège, les Pays-Bas, le Portugal, la République tchèque, la Russie et la Suède.

– *Paris :* La Cité des Voyageurs, 55, rue Sainte-Anne, 75002. ☎ 01-42-86-16-00. Fax : 01-42-86-17-88. M. : Opéra ou Pyramides. Bureaux ouverts du lundi au samedi de 9 h 30 à 19 h.

– *Fougères :* 19, rue Chateaubriand, 35300. ☎ 02-99-94-21-91. Fax : 02-99-94-53-66.

– *Lyon :* 5, quai Jules-Courmont, 69002. ☎ 04-72-56-94-56. Fax : 04-72-56-94-55.

– *Marseille :* 25, rue Fort-Notre-Dame (angle cours d'Estienne-d'Orves), 13001. ☎ 04-96-17-89-17. Fax : 04-96-17-89-18.

– *Rennes :* 2, rue Jules-Simon, BP 10206, 35102. ☎ 02-99-79-16-16. Fax : 02-99-79-10-00.

– *Saint-Malo :* 17, av. Jean-Jaurès, BP 206, 35409. ☎ 02-99-40-27-27. Fax : 02-99-40-83-61.

– *Toulouse* : 26, rue des Marchands, 31000. ☎ 05-34-31-72-72. Fax : 05-34-31-72-73. M. : Esquirol.

● www.vdm.com ● Un site complet « en individuel sur mesure » avec un contenu très riche et une sélection importante de vols secs.

Premier spécialiste en France du voyage en individuel sur mesure, Voyageurs du Monde a pour objectif de vous aider à construire le voyage dont vous rêvez. Sur les 5 continents, ce sont ainsi quelque 150 pays que vous pourrez découvrir à votre manière.

Tout voyage sérieux nécessite l'intervention d'un spécialiste (ils sont 92 de 30 nationalités différentes). Ils sauront vous guider et vous conseiller à la Cité des Voyageurs Paris, premier espace de France (1 800 m²) entièrement consacré aux voyages et aux voyageurs, lieu unique sur trois étages, réparti par zones géographiques, ainsi que dans les agences régionales. En plus du voyage en individuel sur mesure, Voyageurs du Monde propose un choix toujours plus dense de « vols secs » (avec stocks et prix très compétitifs, notamment sur les long-courriers), une large gamme de circuits accompagnés « civilisations » « découvertes » et « aventures ». Sauf mention spéciale, les prix et les départs de leurs circuits accompagnés sont garantis avec un minimum de 6 à 8 personnes. À la fois tour-opérateur et agence de voyages, Voyageurs du Monde a développé une politique de « vente directe » à ses clients, sans intermédiaire : une stratégie performante qui permet des prix très compétitifs.

En Belgique

▲ CONTINENTS INSOLITES

– *Bruxelles* : rue César-Franck, 44, 1050. ☎ 02-218-24-84. Fax : 02-218-24-88. Ouvert du lundi au vendredi de 10 h à 18 h et le samedi de 10 h à 13 h.

– *En France* : ☎ 03-24-54-63-68 (renvoi automatique et gratuit sur le bureau de Bruxelles).

● www.continentsinsolites.com ● info@insolites.be ●

Continents Insolites, organisateur de voyages lointains sans intermédiaire, regroupe plus de 35 000 sympathisants, dont le point commun est la passion du voyage hors des sentiers battus. Une gamme complète de formules de voyages détaillés est proposée dans leur brochure gratuite sur demande.

– *Circuits taillés sur mesure* : à partir de 2 personnes. Choisissez vos dates et créez l'itinéraire selon vos souhaits (culture, nature, farniente, sport). Fabrication artisanale jour par jour avec l'aide d'un conseiller-voyage spécialisé. Une grande gamme d'hébergements soigneusement sélectionnés : du petit hôtel simple à l'établissement luxueux et de charme.

– *Voyages lointains* : de la grande expédition au circuit accessible à tous. Des circuits à dates fixes dans plus de 60 pays, et ce, en petits groupes francophones de 7 à 12 personnes, élément primordial pour une approche en profondeur des contrées à découvrir. Avant chaque départ, une réunion est organisée. Voyages encadrés par des guides francophones, spécialistes des régions visitées.

De plus, Continents Insolites propose un cycle de diaporamas-conférences à Bruxelles. Ces conférences se déroulent à l'espace Senghor, place Jourdan, Etterbeek 1040 (dates dans leur brochure).

▲ NOUVELLES FRONTIÈRES

– *Bruxelles* (siège) : bd Lemonnier, 2, 1000. ☎ 02-547-44-44. Fax : 02-547-44-99. ● www.nouvellesfrontieres.com ● mailbe@nouvellesfrontieres.be ●

– Également d'autres agences à *Bruxelles, Charleroi, Liège, Mons, Namur, Waterloo, Wavre* et au *Luxembourg*.

30 ans d'existence, 250 destinations, une chaîne d'hôtels-clubs et de résidences *Paladien*, des filiales spécialisées pour les croisières en voilier, la plongée sous-marine, la location de voitures... Pas étonnant que Nouvelles Frontières soit devenu une référence incontournable, notamment en matière de prix. Le fait de réduire au maximum les intermédiaires permet d'offrir des prix « super-serrés ». Un choix illimité de formules vous est proposé.

▲ USIT CONNECTIONS

Telesales : ☎ 02-550-01-00. Fax : 02-514-15-15. ● www.connections.com ●
– *Anvers* : Melkmarkt, 23, 2000. ☎ 03-225-31-61. Fax : 03-226-24-66.
– *Bruxelles* : rue du Midi, 19-21, 1000. ☎ 02-550-01-00. Fax : 02-512-94-47.
– *Bruxelles* : av. A.-Buyl, 78, 1050. ☎ 02-647-06-05. Fax : 02-647-05-64.
– *Bruxelles* : aéroport, Promenade 4ᵉ étage, Zaventem 1930.
– *Gand* : Nederkouter, 120, 9000. ☎ 09-223-90-20. Fax : 09-233-29-13.
– *Liège* : 7, rue Sœurs-de-Hasque, 4000. ☎ 04-223-03-75. Fax : 04-223-08-82.
– *Louvain* : Tiensestraat, 89, 3000. ☎ 016-29-01-50. Fax : 016-29-06-50.
– *Louvain-la-Neuve* : rue des Wallons, 11, 1348. ☎ 010-45-15-57. Fax : 010-45-14-53.
– *Luxembourg* : 70, Grand-Rue, 1660 Luxembourg. ☎ 352-22-99-33. Fax : 352-22-99-13.

Spécialiste du voyage pour les étudiants, les jeunes et les *independent travellers*, Usit Connections est membre du groupe Usit, groupe international formant le réseau des Usit Connections Centres. Le voyageur peut ainsi trouver informations et conseils, aide et assistance (revalidation, routing...) dans plus de 80 centres en Europe et auprès de plus de 500 correspondants dans 65 pays.

Usit Connections propose une gamme complète de produits : des tarifs aériens spécialement négociés pour sa clientèle (licence IATA) et, en exclusivité pour le marché belge, les très avantageux et flexibles billets SATA réservés aux jeunes et étudiants ; les *party flights* ; le bus avec plus de 300 destinations en Europe (un tarif exclusif pour les étudiants) ; toutes les possibilités d'arrangement terrestre (hébergement, location de voitures, *self-drive tours*, circuits accompagnés, vacances sportives, expéditions) principalement en Europe et en Amérique du Nord ; de nombreux services aux voyageurs, comme l'assurance voyage « Protections » ou les cartes internationales de réductions (la carte internationale d'étudiant ISIC et la carte jeune Euro-26).

En Suisse

C'est toujours assez cher de voyager au départ de la Suisse, mais ça s'améliore. Les charters au départ de Genève, Bâle ou Zurich sont de plus en plus fréquents ! Pour obtenir les meilleurs prix, il vous faudra être persévérant et vous munir d'un téléphone. Les billets au départ de Paris ou Lyon ont toujours la cote au hit-parade des meilleurs prix. Les annonces dans les journaux peuvent vous réserver d'agréables surprises, spécialement dans le *24 Heures* et dans *Voyages Magazine*.

Tous les tour-opérateurs sont représentés dans les bonnes agences : Hotelplan, Jumbo, le TCS et les autres peuvent parfois proposer le meilleur prix, ne pas les oublier !

▲ NOUVELLES FRONTIÈRES

– *Genève* : 10, rue Chantepoulet, 1201. ☎ 022-906-80-80. Fax : 022-906-80-90.
– *Lausanne* : 19, bd de Grancy, 1006. ☎ 021-616-88-91. Fax : 021-616-88-01.
(Voir le texte dans la partie « En France »).

▲ STA TRAVEL

– *Bienne :* 23, quai du Bas, 2502. ☎ 032-328-11-11. Fax : 032-328-11-10.
– *Fribourg :* 24, rue de Lausanne, 1701. ☎ 026-322-06-55. Fax : 026-322-06-61.
– *Genève :* 3, rue Vignier, 1205. ☎ 022-329-97-34. Fax : 022-329-50-62.
– *Lausanne :* 20, bd de Grancy, 1006. ☎ 021-617-56-27. Fax : 021-616-50-77.
– *Lausanne :* à l'université, bâtiment BF SH2, 1015. ☎ 021-691-60-53. Fax : 021-691-60-59.
– *Montreux :* 25, av. des Alpes, 1820. ☎ 021-965-10-15. Fax : 021-965-10-19.
– *Nyon :* 17, rue de la Gare, 1260. ☎ 022-990-92-00. Fax : 022-361-68-27.
Agences spécialisées dans les voyages pour jeunes et étudiants. Gros avantage si vous deviez rencontrer un problème : 150 bureaux STA et plus de 700 agents du même groupe répartis dans le monde entier sont là pour vous donner un coup de main *(Travel Help)*.
STA propose des voyages très avantageux : vols secs *(Skybreaker)*, billets Euro Train, hôtels, écoles de langues, voitures de location, etc. Délivre les cartes internationales d'étudiants et les cartes Jeunes Go 25.
STA est membre du fonds de garantie de la branche suisse du voyage ; les montants versés par les clients pour les voyages forfaitaires sont assurés.

Au Québec

Revendus dans toutes les agences de voyages, les voyagistes québécois proposent une large gamme de vacances. Depuis le vol sec jusqu'au circuit guidé en autocar, en passant par les voyages sur mesure, la réservation d'une ou plusieurs nuits d'hôtel, ou la location de voitures, tout est possible. Sans oublier l'économique formule « achat-rachat », qui permet de faire l'acquisition temporaire d'une auto neuve en Europe, en ne payant que pour la durée d'utilisation (en général, minimum 17 jours, maximum 6 mois). Ces grossistes revendent également pour la plupart des cartes de train très avantageuses pour l'Europe, notamment l'*Eurailpass* (accepté dans 17 pays). À signaler aussi les réductions accordées pour les réservations effectuées longtemps à l'avance et les promotions nuits gratuites pour la 3ᵉ, 4ᵉ ou 5ᵉ nuit consécutive.

▲ TOUR MONT ROYAL – NOUVELLES FRONTIÈRES

Les deux voyagistes font brochures communes et proposent une offre complète sur les destinations et les styles de voyages suivants : Europe, destinations soleils d'hiver et d'été, Polynésie française, circuits accompagnés ou en liberté. Au programme, tout ce qu'il faut pour les voyageurs indépendants : location de voitures, cartes de train, bonne sélection d'hôtels et de résidences, excursions à la carte... À signaler l'option achat-rachat Renault ou Peugeot (17 jours minimum, avec prise en France et remise en France ou ailleurs en Europe ; ou encore 17 jours minimum sur la seule péninsule Ibérique) et une nouveauté, le retour de Citroën sur le marché québécois (minimum 23 jours, prise en France, remise en France ou ailleurs en Europe). TMR-NF offrent également le monde au départ de Paris : les forfaits, circuits, croisières et séjours développés par Nouvelles Frontières France sont en effet disponibles sur le marché québécois.

▲ TOURS CHANTECLERC

Tours Chanteclerc publie différents catalogues de voyages : Europe, Amérique, Asie + Pacifique Sud et Soleils de Méditerranée. Il se présente comme l'une des « références sur l'Europe » avec deux brochures : groupes (circuits guidés en français) et individuels. « Mosaïques Europe » s'adresse aux voyageurs indépendants (vacanciers ou gens d'affaires), qui réservent un billet d'avion, un hébergement (dans toute l'Europe), des excursions, une location de voiture. Spécialiste de Paris, le grossiste offre une vaste sélection d'hôtels et d'appartements dans la Ville lumière

▲ VACANCES CANADA

Le voyagiste de la compagnie aérienne est surtout présent sur les destinations « soleil » : Antigua, Barbade, Aruba, Cuba, Jamaïque, Guadeloupe, Sainte-Lucie, Nassau, Mexique (Cancun et Puerto Vallarta), République dominicaine (Punta Cana) et Grand Cayman. Également : programme vol + voiture + hôtel à travers le Canada et les États-Unis, forfait ski dans l'Ouest canadien et sélection de croisières.

▲ VACANCES AIR TRANSAT

Filiale du plus grand groupe de tourisme au Canada, Vacances Air Transat s'affirme comme le premier voyagiste québécois. Ses destinations : États-Unis, Mexique, Caraïbes, Amérique centrale et du sud, Europe. Le transport aérien est assuré par sa compagnie sœur, Air Transat. Pour l'Europe, Vacances Air Transat offre des vols vers Paris, les provinces françaises et les capitales européennes, ainsi qu'une bonne sélection d'hôtels, d'appartements et de B & B (Grande-Bretagne, Irlande, Irlande du nord et France). Sans oublier les cartes de train et location de voitures (simple ou en achat-rachat). À signaler des forfaits intéressants pour Paris et Londres, incluant le vol, l'hôtel et les transferts. Vacances Air Transat est revendu dans toutes les agences du Québec, et notamment dans les réseaux affiliés : Club Voyages, Intervoyages, Voyages en Liberté et Vacances Tourbec.

▲ VACANCES TOURBEC

Pour connaître l'adresse de l'agence Tourbec la plus proche de chez vous (il y en a 26 au Québec), téléphoner au : ☎ 1-800-363-3786.
Vacances Tourbec offre des vols vers l'Europe, l'Asie, l'Afrique ou l'Amérique. Sa spécialité : la formule avion + auto. Vacances Tourbec publie également une petite brochure France, avec chambres d'hôte (formules « terroir » ou « charme »), itinéraires « découvertes », location de bateaux habitables (compagnie *Crown Blue Line*), de chalets et de maisons de charme. Vacances Tourbec suggère aussi des forfaits à la carte et des circuits en autocar pour découvrir le Québec. Vacances Tourbec est membre du groupe Transat A.T. Inc.

GÉNÉRALITÉS SUR LA RÉPUBLIQUE TCHÈQUE ET PRAGUE

CARTE D'IDENTITÉ

- **Superficie :** 78 864 km^2 (soit à peine 15 % de la France).
- **Capitale :** Prague (1,26 million d'habitants).
- **Villes principales :** Brno (400 000 hab.), Ostrava (342 000 hab.) et Plzeň (179 000 hab.).
- **Population :** 10 272 000 habitants. Tchèques (81 %), Moraves (13 %), Slovaques (3 %), autres (3 %), dont près de 75 % urbanisés.
- **Densité :** 130 hab./km^2.
- **Espérance de vie :** 74,3 ans.
- **Taux de fécondité :** 1,18 enfant par femme (un des plus bas du continent).
- **Taux de chômage :** 8,6 %.
- **Formations politiques :** l'ODS (Parti démocratique civique, dirigé par Václav Klaus) ; le CSSD (Parti tchèque social-démocrate de Miloš Zerman) ; le KSCM (Parti communiste de Bohême et de Moravie) ; le KDU (Parti chrétien-démocrate) ; le SPR-RSC (Parti républicain tchécoslovaque) ; l'ODA (Alliance démocratique civique) et l'US (Union de la liberté, parti issu de la scission de l'ODS à la fin 1997).
- **Monnaie :** couronne tchèque (Kcs).
- **Langues :** tchèque (officielle), slovaque, allemand, rom.
- **Régime :** démocratie parlementaire.
- **Président de la République :** Václav Havel.
- **Premier ministre :** Miloš Zerman.
- **Salaire mensuel moyen :** environ 10 500 Kcs (autour de 315 €). +/- 500 $ CA

On a beaucoup parlé de ce petit pays d'Europe centrale au travers de ses hommes célèbres (Kafka, Smetana, Dvořák, Miloš Forman, Kundera...). Paradoxalement, il reste méconnu, même si Prague attire de plus en plus de touristes ! Les petits royaumes de Bohême, de Moravie et de Slovaquie eurent pourtant un destin peu commun. Au fil des siècles, les peuples autochtones, intégrés à l'immense héritage des Habsbourg, luttèrent sans cesse pour leur indépendance et leur liberté, remportant d'éphémères victoires et subissant de cruels revers. Le chiffre 8 symbolise tous les grands espoirs, les occasions manquées et des « enterrements » : *1848*, la révolution qui balaya l'Europe, dont la Bohême et la Slovaquie ; *1918*, l'indépendance à la suite de l'effondrement de l'Empire austro-hongrois ; *1938*, Munich et l'annexion au Reich ; *1948*, le « coup de Prague » ; *1968*, la fin du « Printemps »... Il n'y a que 1989 et la « révolution de velours » pour enrayer la série. C'est donc beaucoup l'histoire, tout comme la littérature et la musique, qui accompagneront votre voyage. Vous rencontrerez des habitants profondément humanistes, jamais résignés, patients à l'excès. Et puis Prague, « capitale magique de l'Europe », comme disait André Breton, vous transportera aux sommets d'une extase romantique, proche de la douleur parfois.

AVANT LE DÉPART

Adresses utiles

En France

⊟ *Office national tchèque du tourisme* (centre culturel tchèque, section tourisme) *:* 18, rue Bonaparte, 75006 Paris. ☎ 01-53-73-00-32. ● crparis@ibm.net ● M. : Odéon ou Saint-Germain-des-Prés. Ouvert du mardi au vendredi de 13 h à 18 h et le samedi de 14 h à 19 h.

■ *Centre culturel tchèque* : 18, rue Bonaparte, 75006 Paris. ☎ 01-53-73-00-32. Fax : 01-43-29-57-67. ● www.centretcheque.org ● M. : Odéon ou Saint-Germain-des-Prés. Ouvert du mardi au vendredi de 13 h à 18 h et le samedi de 14 h à 19 h. Bibliothèque (ouvert le jeudi de 13 h à 20 h et le samedi de 14 h à 19 h), expositions, concerts, théâtre, projections, colloques. Dispense également des cours de tchèque. Excellent accueil.

■ *Ambassade tchèque* : 15, av. Charles-Floquet, 75343 Paris Cedex 07. ☎ 01-40-65-13-00. Fax : 01-47-83-50-78. M. : Dupleix. Sur rendez-vous uniquement.

■ *Consulat tchèque* : 18, rue Bonaparte, 75006 Paris. ☎ 01-44-32-02-00. Fax : 01-44-32-02-12. M. : Odéon ou Saint-Germain-des-Prés. Ouvert du lundi au vendredi de 9 h à 12 h.

– *À Marseille :* 14, chemin de la Bise, 13008. ☎ et fax : 04-91-25-08-15. Ouvert uniquement en juillet, août et jusqu'à mi-septembre. Délivre les laissez-passer pour la République tchèque, mais ce n'est pas un consulat.

■ *Keith Prowse* : 7, rue de Clichy, 75009 Paris (c/o Paris Vision ; point d'information grand public). Réservations : ☎ 01-42-81-88-88. Fax : 01-42-81-88-89. ● www.keithprowse.com ● paris@keithprowse.com ● Agence internationale de spectacles, Keith Prowse est spécialisée dans les billetteries à vocation « divertissements ». Avant votre départ, vous pouvez réserver vos places pour les spectacles musicaux à l'affiche et ceci dans le monde entier (Londres, Broadway, Las Vegas, Prague, Vienne...), obtenir les passeports d'entrée (billets originaux) pour les parcs à thèmes américains et bénéficier ainsi d'offres exceptionnelles qui ne sont pas disponibles à l'entrée (*Walt Disney World Resort*® en Californie, *Universal Studios Escape SM* en Floride et *Hollywood*®, *Sea World*® à Orlando et en Californie, *Busch Gardens*...). De plus, en tant qu'agent officiel agréé, Keith Prowse vous propose d'assister aux rencontres sportives des célèbres ligues américaines Football américain (NFL), Basket (NBA), Hockey (NHL) où que vous soyez aux USA...

■ *Globaltickets* : 7, rue de Clichy, 75009 Paris. Réservation par téléphone et disponibilité en temps réel au : ☎ 01-42-81-88-98. Fax : 01-42-81-88-99. ● www.globaltickets.com ● Du lundi au vendredi de 9 h à 18 h. Globaltickets from Edwards & Edwards est une agence de billetterie internationale basée à Paris, proposant des billets pour les opéras, concerts, ballets, festivals, pièces de théâtre et comédies musicales, billets coupe-file pour les grandes expos permanentes ou temporaires et évé-nements culturels (festivals de Vé-rone, Breguenz, Tattoo d'Edim-burgh...) dans plus de 40 villes et sur les 5 continents. Programmes sur demande.

En Belgique

■ *Bureau du tourisme tchèque :* bd Léopold-II, 262, Koekelberg 1081, Bruxelles. ☎ 02-414-20-40 ou 02-414-05-45. Fax : 02-414-17-37. ● big.europe@skynet.be ●

■ *Ambassade de la République tchèque :* av. Adolphe-Bugl, 154, Bruxelles 1050. ☎ 02-641-89-30. Fax : 02-640-77-94. ● www.mzv.cz-brussels ●

En Suisse

■ *Ambassade de la République tchèque :* 53, Muristrasse, 3006 Berne. ☎ 031-352-36-45. Fax : 031-352-75-02.

Au Canada

■ *Office du tourisme tchèque :* PO Box 198, Exchange Tower, 2 First Canadian Place, Toronto, Ontario, M5X-1A6. ☎ 416-363-99-28. ~~Fax : 416-367-34-92.~~ ● ~~etcanada@primus.~~ ca ●

etacanada @iprimus.ca

■ *Ambassade de la République tchèque :* 541, Sussex Drive, Ottawa, Ontario, K1N-6Z6. ☎ 613-562-38-75.

Formalités

– Pour les Français, les Belges, les Suisses et les Canadiens (visa obliga-toire pour ceux-ci), le *passeport* doit être encore valide au moins 3 mois après l'entrée dans le pays.
– Pour les automobilistes et motocyclistes, se procurer à l'un des postes frontières (ouverts 24 h/24) la *vignette autoroutière* obligatoire sur auto-route et certaines routes à 4 voies. On vous le rappelle en chemin, mais en tchèque... Vignette valable un an : 800 Kcs (27 €) ; pour un mois : 200 Kcs (7 €) ; pour 10 jours : 150 Kcs (5 €). Payable en liquide. À ne surtout pas oublier, car l'amende est corsée !

Carte internationale d'étudiant (carte ISIC)

Elle prouve le statut d'étudiant dans le monde entier et permet de bénéficier de tous les avantages, services, réductions étudiants du monde, soit plus de 25 000 avantages concernant les transports, les hébergements, la culture, les loisirs... C'est la clé de la mobilité étudiante !
La carte ISIC donne aussi accès à des privilèges exclusifs sur le voyage (bil-lets d'avion spéciaux, assurances de voyage, carte de téléphone inter-nationale, location de voitures, navette aéroport...).
– Pour plus d'informations sur la carte ISIC : ☎ 01-49-96-96-49 ou ● www.carteisic.com ●

GÉNÉRALITÉS

Pour l'obtenir en France

Se présenter dans l'une des agences des organismes mentionnés ci-dessous avec :
– une preuve du statut d'étudiant (carte d'étudiant, certificat de scolarité...) ;
– une photo d'identité ;
– 10 € ;
– ou 11 € par correspondance incluant les frais d'envoi des documents d'information sur la carte.

■ **OTU Voyages :** ☎ 0820-817-817. ● www.otu.fr ● pour connaître l'agence la plus proche de chez vous. ■ **Voyages Wasteels :** audiotel :

☎ 08-92-68-22-06 (0,33 €/mn). ● www.wastels.fr ● ■ **Usit Connections :** ☎ 0825-08-25-25. ● www.usitconnections.fr ●

En Belgique

Elle coûte 9 € et s'obtient sur présentation de la carte d'identité, de la carte d'étudiant et d'une photo auprès de :

■ **CJB... l'Autre Voyage :** chaussée d'Ixelles, 216, Bruxelles 1050. ☎ 02-640-97-85. ■ **Usit Connections :** renseignements au ☎ 02-550-01-00.

■ **Université libre de Bruxelles** (service « Voyages ») **:** av. Paul-Héger, 22, C.P. 166, Bruxelles 1000. ☎ 02-650-37-72.

En Suisse

Dans toutes les agences S.T.A. Travel, sur présentation de la carte d'étudiant, d'une photo et de 15 Fs (10 €).

■ **STA Travel :** 3, rue Vignier, 1205 Genève. ☎ 022-329-97-34.

■ **STA Travel :** 20, bd de Grancy, 1006 Lausanne. ☎ 021-617-56-27.

Carte FUAJ internationale des auberges de jeunesse →Salzbourg et Vienne?

Cette carte, valable dans 62 pays, permet de bénéficier des 6 000 auberges de jeunesse du réseau *Hostelling International* réparties dans le monde entier. Les périodes d'ouverture varient selon les pays et les AJ. À noter, la carte des AJ est surtout intéressante en Europe, aux États-Unis, au Canada, au Moyen-Orient et en Extrême-Orient (Japon...).
On conseille de l'acheter en France car elle est moins chère qu'à l'étranger.

Pour adhérer à la FUAJ en France

■ **Fédération unie des auberges de jeunesse (FUAJ) :** 27, rue Pajol, 75018 Paris. ☎ 01-44-89-87-27. Fax : 01-44-89-87-10. ● www.fuaj.org ● M. : La-Chapelle, Marx-Dormoy, ou M.

et RER : Gare-du-Nord (lignes B et D).
– Et dans toutes les auberges de jeunesse, points d'information et de réservation FUAJ en France.

– *Sur place :* présenter une pièce d'identité et 10,70 € pour la carte moins de 26 ans et 15,25 € pour les plus de 26 ans (tarif 2002).

– *Par correspondance :* envoyer une photocopie recto verso d'une pièce d'identité et un chèque correspondant au montant de l'adhésion (ajouter 1,15 € de plus pour les frais d'envoi de la FUAJ). Une autorisation des parents est nécessaire pour les moins de 18 ans. On conseille de l'acheter en France car elle est moins chère qu'à l'étranger.

– La FUAJ propose aussi une ***carte d'adhésion « Famille »***, valable pour les familles de deux adultes ayant un ou plusieurs enfants âgés de moins de 14 ans. 22,90 €. Fournir une copie du livret de famille.

– La carte donne également droit à des réductions sur les transports, les musées et les attractions touristiques de plus de 60 pays mais ces avantages varient d'un pays à l'autre, ce qui n'empêche pas de la présenter à chaque occasion, cela peut toujours marcher.

En Belgique

Son prix varie selon l'âge : entre 3 et 15 ans, 3,50 € ; entre 16 et 25 ans, 9 € ; après 25 ans, 13 €.
Renseignements et inscriptions :

■ *LAJ :* rue de la Sablonnière, 28, Bruxelles 1000. ☎ 02-219-56-76. Fax : 02-219-14-51. • www.laj.be • info@laj.be •
■ *Vlaamse Jeugdherbergcentrale*

(VJH) : Van Stralenstraat, 40, Anvers B 2060. ☎ 03-232-72-18. Fax : 03-231-81-26. • www.vjh.be • info@vjh. be •

– Les résidents flamands qui achètent une carte en Flandre obtiennent 7,50 € de réduction dans les auberges flamandes et 3,70 € en Wallonie. Le même principe existe pour les habitants wallons.

En Suisse

Le prix de la carte dépend de l'âge : 22 Fs (14,31 €) pour les moins de 18 ans, 33 Fs (21,46 €) pour les adultes et 44 Fs (28,62 €) pour une famille avec des enfants de moins de 18 ans.
Renseignements et inscriptions :

■ *Schweizer Jugendherbergen (SJH) :* service des membres des auberges de jeunesse suisses, Schaffhauserstrasse 14, Postfach 161, 8042

Zurich. ☎ 01-360-14-14. Fax : 01-360-14-60. • www.youthhostel.ch • bookingoffice@youthhostel.ch •

Au Canada

Elle coûte 35 $Ca pour un an et 175 $Ca à vie. Gratuit pour les enfants de moins de 18 ans qui accompagnent leurs parents. Pour les juniors voyageant seuls, compter 12 $Ca (8,49 €). Ajouter systématiquement les taxes.

■ *Tourisme Jeunesse :* 4008, Saint-Denis, Montréal, CP 1000, H2W-2M2. ☎ (514) 844-02-87. Fax : (514) 844-52-46.
■ *Canadian Hostelling Association :*

205, Catherine Street, bureau 400, Ottawa, Ontario, Canada, K2P-1C3. ☎ (613) 237-78-84. Fax : (613) 237-78-68. • www.hihostels.ca •

ARGENT, BANQUES, CHANGE

La monnaie tchèque

L'unité monétaire tchèque est la ***koruna tchèque*** (Kcs), divisée en 100 *hellers*. À l'été 2002, 1 Kcs = 0,03 € (1 € = 29,70 Kcs) ; 1 Kcs = 0,05 Fs (1 Fs = 20,30 Kcs) ; 1 Kcs = 0,05 $Ca (1 $Ca = 19 Kcs). La couronne tchèque est convertible, mais attention, les banques qui pratiquent le change à Paris prennent une forte commission. Mieux vaut, par conséquent, écouler sa monnaie avant de quitter la République tchèque.

Le change

La plupart des grandes banques possèdent un bureau de change. Le *Čedok* à Prague l'assure également. Les commissions prélevées par les établissements varient de 1 à... 10 %. Évitez les *Exact Change* et autres *Čekobanka*, dont la commission est élevée. Renseignez-vous bien au préalable.

ATTENTION : les banques, après 1990, ont eu la bonne idée de s'aligner quasiment sur le marché noir, ce qui a rendu cette pratique complètement inutile et même stupide. Refusez donc les sollicitations des nombreux changeurs à la sauvette. Voici, pour ceux qui n'ont pas compris, les coups d'arnaque les plus courants (auxquels de nombreux lecteurs ont eu droit !) :
– vous refiler des vieux billets qui ne sont plus acceptés nulle part. Sur un billet, on doit lire « Korun Českých » et non plus « Československých ».
– Vous donner des zlotys polonais dont vous n'aurez que faire et que vous ne pourrez pas rechanger.
– Le « take the money and run » classique. Ne jamais donner son argent le premier évidemment, on risque de le voir filer sans contrepartie.
– Le plus classique : la fausse alerte des policiers. Alors que vous comptez tranquillement les couronnes, le changeur crie « Police, police, vite donnez-moi votre argent ! ». Le réflexe traditionnel est effectivement de s'exécuter aussitôt, alors que l'on n'a pas fini de compter. Résultat des courses : il manque toujours un ou deux billets importants dans la liasse du changeur. Sachez également que vous pourrez changer vos couronnes avant de repartir. C'est même plutôt conseillé. Elles ne vous serviraient à rien en France et vous seriez contraint de repayer une commission.

Chèques de voyage et cartes de paiement

Les chèques de voyage et les cartes de paiement (*Eurocard MasterCard, Visa, American Express*) restent les moyens les plus sûrs pour éviter bien des désagréments. Certes, les chèques de voyage sont soumis aux mêmes conditions de taxes que les devises, mais ils offrent la sécurité que l'on sait. Pour les cartes de paiement, la situation ne cesse de s'améliorer d'année en année. Aujourd'hui, la plupart des hôtels les acceptent, tout comme les grands magasins et une bonne partie des restaurants dans les villes, et bien évidemment à Prague. De plus, il est possible de retirer directement du liquide dans les distributeurs automatiques de billets de plus en plus nombreux un peu partout.
– La carte ***Eurocard MasterCard*** permet à son détenteur et à sa famille (si elle l'accompagne) de bénéficier de l'assistance médicale rapatriement. En cas de problème, contacter immédiatement le : ☎ 00-33-1-45-16-65-65. En cas de perte ou de vol (24 h/24), composer le : ☎ 00-33-1-45-67-84-84 en France (PCV accepté) pour faire opposition 24 h/24 et tous les jours. À noter que ce numéro est aussi valable pour les cartes *Visa* émises par le *Crédit Agricole* et le *Crédit Mutuel*. ● www.mastercardfrance.com ● Sur Minitel : 36-15 ou 36-16, code EM (0,20 €/mn) pour obtenir toutes les adresses de distributeurs par pays et villes dans le monde entier.

– Pour la carte *Visa*, contacter le numéro communiqué par votre banque.
– Pour la carte **American Express**, téléphoner en cas de pépin au : ☎ 01-47-77-72-00. Numéro accessible 24 h/24, tous les jours. PCV accepté en cas de perte ou de vol.
– Pour toutes les cartes émises par **La Poste**, composer le : ☎ 0825-809-803 (pour les DOM : ☎ 05-55-42-51-76).
– Également un numéro d'appel valable quelle que soit votre carte de paiement : ☎ 0892-705-705 (serveur vocal à 0,34 €/mn).

Problème de liquide ? Les dépannages d'urgence

En cas de besoin urgent d'argent liquide (perte ou vol de billets, chèques de voyage, cartes de paiement), vous pouvez être dépanné en quelques minutes grâce au système **Western Union Money Transfer**. Appeler à Prague le : ☎ (02) 2-24-00-91-73. En cas de nécessité, appelez le : ☎ (00-33) 1-43-54-46-12 à Paris.

ACHATS

La République tchèque est encore loin d'être un eldorado du consumérisme. Pourtant, elle est spécialisée dans le travail de quelques matériaux pour lesquels sa réputation dépasse désormais largement ses frontières.
– *Marionnettes :* à Prague, on en trouve partout. En bois, en plâtre, en terre cuite ou en céramique, elles sont proposées à tous les prix. Il faut dire que l'histoire du théâtre tchèque remonte au XVIIᵉ siècle, fut très importante au XIXᵉ et connaît un renouveau depuis les années 1960. Les marionnettes les plus fameuses représentent des sorcières, des golems ou tout simplement des personnages en costume traditionnel. Le pont Charles est évidemment le lieu favori des jeunes vendeurs artisans. Malgré le côté éminemment touristique du lieu, les prix ne sont pas forcément plus élevés que dans les boutiques. De toute façon, comparez les tarifs. C'est le souvenir facile, typique, pas très cher et souvent de qualité.
– *Jouets en bois :* de nombreuses boutiques se sont spécialisées dans ce genre d'articles. Pas mal faits mais assez chers.
– *Porcelaine :* certains services colorés et pleins d'élégance s'achètent à prix étonnants dans des grandes boutiques de Na Příkopě ou Národní.
– *Cristaux de Bohême :* d'une qualité unique au monde, mais ne vous laissez pas abuser, tous ne sont pas de premier choix. Et même si le cristal est d'une rare pureté, assez souvent le style et les formes des réalisations se révèlent plutôt kitsch, bien qu'un vent de modernisme commence à souffler. Sur Na Příkopě, beaucoup de grandes boutiques, mais n'hésitez pas à pousser la porte des petites échoppes modestes, style bric-à-brac, qui cachent parfois de petites merveilles.
– *Chapeaux et casquettes :* outre des chapeaux féminins qui oscillent entre l'originalité et le kitsch total, vous trouverez des stands de chapkas russes et surtout de casquettes de l'armée russe vendues comme authentiques ; sachez que vous achetez la plupart du temps de bonnes copies. De même, les médailles, qui font fureur, sont en général fausses. Il y avait pas mal de gradés dans l'armée soviétique, mais quand même...

BOISSONS

– *Les bières (pivos) :* considérées par beaucoup comme les meilleures du monde. La qualité des orges produites dans les plaines de Moravie et de l'Elbe, la finesse et la puissance aromatique des houblons de Žatek font référence. Ajoutons à cela une eau généralement pauvre en sels minéraux, apportant de la douceur à la bière.

La célèbre *Pilsener (Prazdrj 12°)* de Plzeň est vendue en Europe sous le nom de *Pilsen Urquell*. Elle a donné son nom à un type de blonde légère, la *Pils*, brassée en fermentation basse. Sa grande concurrente, la *Budweiser*, est fabriquée à Ceské Budejovice. C'est aussi le nom d'une bière américaine élaborée par la plus grande brasserie du monde en volume, Anheuser-Busch. Les deux sociétés sont en conflit quant à l'attribution définitive de la marque. Mais question qualité, entre la tchèque et l'américaine, y'a pas photo ! Citons, par ailleurs, la *Smichov de Staropramen* à Prague, la *Strarobrno*, la *Regent* de Trebon, la *Radegast* d'Ostrava ou la *Velké Popovice*. Sans compter toutes les bières issues de brasseries encore plus locales. Attention, l'indication en degrés fait référence au pourcentage en ferments. Évidemment, plus la bière fermente, plus son degré alcoolique s'élève. Une bière de 5° de fermentation équivaut à 3° d'alcool. 12° de fermentation correspondent à 5° d'alcool. Elles sont donc moins fortes que les bières allemandes ou belges. De plus, elles sont débitées à un prix vraiment attractif : à peine 25 à 30 Kcs (0,85 à 1 €) pour une chope d'un demi-litre ! La bière a une telle importance ici qu'en 1990, un « parti des amis de la bière » se présenta aux élections... juste pour rire.

– Les vins : excellents petits crus de pays, notamment les vins de Bohême (région de Mělník). Le *Bílá Ludmila* est un bon petit vin blanc. En Moravie du Sud, on trouve les meilleurs blancs. Ils sont délicatement fruités, notamment dans le coin de Znojmo et Valdice. Goûtez également un rouge fruité, le *Frankovka*. Quant à la Slovaquie, elle propose les bons crus de la région de Modrá. Autre tradition immuable : la redoutable *Slivovice* (l'alcool de prunes), la liqueur *Borovička* et la liqueur *Becherovka*, faite à base de plantes. Pour terminer, essayez le *Bohemia sekt*, le champagne du pays.

– Pour être dans le coup, goûtez à tout prix le *Beton*, mélange de *Becherovka* et de *Tonic*.

BUDGET

Dire que la République tchèque n'est globalement pas un pays cher est une évidence. Cependant à Prague en particulier, il faut nuancer le propos. On pourra toujours se débrouiller pour se nourrir à bas prix, mais pour le logement, par contre, il faut s'attendre à de fâcheuses surprises. On le dit tout net, les hôtels sont chers par rapport au niveau de vie de la population. Ils affichent des prix similaires à ceux de l'Europe de l'Ouest. Prix majorés pour les touristes étrangers. Voici l'échelle des prix appliqués à nos différentes catégories dans ce guide. Un certain nombre d'hôtels pratiquent des prix de haute saison (de mi-mars à octobre) et de basse saison (de novembre à mi-mars, sauf fêtes de fin d'année). Nous indiquons les prix de haute saison, bien sûr.

Hébergement

▷ **Pas cher :** de 350 à 450 Kcs (11,80 à 15,10 €) par personne. Il s'agit de logement en AJ, écoles transformées en dortoirs, chambres d'étudiants en cité U ou campings.

▷ **Prix modérés :** de 1 200 à 2 300 Kcs (40 à 77 €) pour deux. Petits hôtels ou pensions modestes, souvent situés hors du centre historique. C'est dans cette gamme de prix que se situent généralement les appartements à louer ou les chambres chez l'habitant. Plus on est éloigné du centre, plus le prix est modique.

– **Prix moyens :** de 2 300 à 3 500 Kcs (77 à 118 €) pour deux. Hôtels corrects, proposant des chambres avec douche et toilettes.

– **Plus chic :** de 3 500 à 4 500 Kcs (118 à 151 €) pour deux. Tout confort, avec TV, téléphone, sanitaires. C'est hors de prix mais c'est comme ça. Si le confort est là, la déco par contre peut être parfaitement ringarde ou triste à mourir.

– **Beaucoup plus chic :** au-delà de 5 000 Kcs (168 €) pour deux. La plupart du temps, ce sont des adresses de charme. La réservation est nécessaire.

Nourriture

Dans les *pivnice* ou les *hospoda*, on déjeune d'un goulasch *(guláš)* pour environ 120 Kcs (4 €). Il n'est pas rare que le plat du jour tourne autour de 70 à 90 Kcs (2,10 à 2,30 €). Les *vinárna* peuvent proposer des plats plus élaborés ou des petits menus touristiques entre 250 et 380 Kcs (8,40 et 12,70 €), tandis que les *restaurace* vous offriront un repas complet entre 450 et 850 Kcs (15,10 et 28,60 €), voire plus pour les établissements de luxe qui ont bien vite accordé leurs tarifs au porte-monnaie des touristes étrangers.

On peut donc tabler sur un budget nourriture de 300 Kcs (10 €) par jour en se serrant la ceinture et en ne sortant pas du rituel *guláš-knedlíky*, ou élargir son champ culinaire et compter entre 750 et 1 200 Kcs (25,20 et 40 €) par jour et par personne.

Visites

Aujourd'hui, l'accès à la plupart des monuments est payant. Les prix sont très variables en fonction du lieu et du type de visite. Généralement peu onéreuses, de 30 à 100 Kcs (1 à 3,40 €), certaines entrées risquent pourtant de grever quelque peu votre budget. Les étudiants avec carte internationale, les enfants... bénéficient d'un tarif réduit (en général de 50 %). Parfois, il existe aussi un tarif famille en plus du tarif groupe. Dans les lieux où la visite guidée est obligatoire, il va de soi que les visites qui s'effectuent en langue tchèque sont moins chères que les visites en langues étrangères (allemand, anglais et français – plus rare...).

CLIMAT

La République tchèque possède un climat continental marqué. Au moins, on sait qu'en été il va faire chaud et en hiver plutôt glacial. Octobre et novembre sont les mois les plus pluvieux, mais il pleut tout au long de l'année, même en été, ce qui permet de rafraîchir l'atmosphère. En hiver, les chutes de neige sont parfois assez impressionnantes et, au vu des températures qui peuvent tourner autour de zéro, le blanc se maintient sur de longues périodes, ce qui est beau (surtout lorsque le *smog* ambiant laisse la place à quelques rayons de soleil) mais un peu dangereux. Dès le mois d'avril, les températures redeviennent clémentes, et le soleil permet à la nature de se parer de nuances infinies de vert. Les parcs de la ville se remplissent de fleurs multicolores. Les étés sont chauds et un peu humides.

GÉNÉRALITÉS

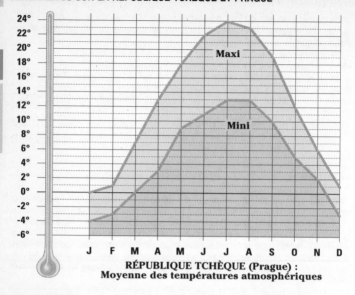

RÉPUBLIQUE TCHÈQUE (Prague) :
Moyenne des températures atmosphériques

CUISINE

Remarques générales

Voici quelques recommandations importantes à avoir en mémoire pour éviter déconvenues et malentendus dans les restaurants. D'abord, comme les hôtels, les restos étaient autrefois, dans leur grande majorité, d'État. Serveurs et maîtres d'hôtel ne manifestaient guère un grand enthousiasme pour la qualité du service. Mais tout cela a bien changé et, aujourd'hui, on vous accueille à la bonne tchéquette. Du « temps des pays de l'Est », comme les restos de très bonne qualité étaient rares, ils étaient vite envahis. La réservation devenait alors indispensable et, par voie de conséquence, obtenir une table était un privilège ! De plus, pour des serveurs mal payés, accorder une table, c'était aussi l'occasion d'arrondir les fins de mois de façon substantielle. L'habitude des grandes tables vides en attente venait en partie aussi de ce qu'elles devaient être disponibles à tout moment pour les bureaucrates du PC ou des institutions locales. Ces manies ont complètement disparu. Mais il arrive encore que l'on rencontre plusieurs cas de figure, surtout l'été :
– la salle est pleine à craquer. C'est une grande brasserie traditionnelle du type *U Sv. Tomáše*. Dans ce genre de resto, il suffit de réserver la veille ou quelques heures avant. Ça évite une attente fastidieuse.
– S'agissant d'un restaurant prestigieux, comme *V. Zátiši* ou *La Provence*, un petit coup de fil est toujours préférable, surtout pendant les gros weekends de printemps.
– La majorité des restos ferment à 22 h (minuit à Prague), mais prennent les commandes jusqu'à 21 h 30. Ne vous étonnez pas que l'on vous demande de régler l'addition avant même que vous ayez terminé votre dessert. Plus l'heure de la fermeture approche, plus le service est expéditif. Heureusement, le reste du temps, le service est plutôt tranquille et vous laisse du temps pour déguster les excellentes bières. Il paraît même que c'est meilleur pour votre estomac ! Attention, dès que votre verre est vide, on vous le remplace : vous n'êtes pas obligé d'accepter. Laissez-y un petit fond pour éviter tout abus.
– Dans la plupart des restaurants, il y a un supplément pour le couvert et le pain, et le service n'est pas compris. L'eau en carafe n'existe pas. On vous

apporte un verre d'eau gazeuse... payant. Si vous voulez de l'eau « sans bulles », précisez *bez bublin.*

Où manger? Où boire un verre?

Voici les différents établissements typiques du pays. Beaucoup se situent en sous-sol ou dans des caves parfois voûtées. Tous servent des repas, même si certains sont plus axés sur le débit de boisson. Ces différences n'ont en fait que peu d'importance pour le touriste, mais on vous donne tout de même quelques indications pour les distinguer. Certains établissements se donnent parfois des noms ne correspondant pas à leur définition d'origine. De quoi y perdre son tchèque !

– *Samoobsluha :* buffet rapide ou self-service. On y mange généralement debout. Très bon marché.

– *Pivnice* ou *hospoda :* brasserie traditionnelle, populaire et simple. On y sert d'excellentes bières (ah, la Velké Popovice 12° !). En général, ouvert de 9 h à 21 h. Possibilité d'y grignoter un ou deux plats chauds (généralement sans génie) à toute heure. C'est l'endroit idéal pour les fauchés. La décoration est en général inexistante, mais l'atmosphère est authentique.

– *Hostinec :* troquet, petite taverne populaire traditionnelle où vous boirez la bière la moins chère. Toujours enfumée et furieusement animée.

– *Vinárna :* bar à vin classique. Peut se révéler le nirvana (délicieuse contrepèterie !) des amateurs de bons petits vins, mais on y trouve également de la bière. C'est le niveau au-dessus de l'*hospoda*, et on a la possibilité de s'y restaurer.

– *Restaurace :* c'est le restaurant classique, où l'on mange plus que l'on boit. Comparable dans l'esprit à nos restos français.

– *Café* ou *kavárna :* un café, ou un salon de thé, où l'on sert des pâtisseries. Le café a été introduit à Prague en 1714 par un Levantin ne connaissant ni la langue ni les coutumes locales. Avec ses sacs de café achetés à Vienne, il fit un tabac. Il ouvrit son premier établissement à l'*Hôtel des Trois Autruches*, puis rapidement un deuxième au *Serpent d'Or*, 18, rue Karlova. Depuis, le café est servi à la turque, mais vous trouverez de l'*espresso* assez facilement. Toutefois, la mode du café américain, insipide et presque incolore, est en train de se développer.

Sachez que certains restaurants n'hésitent pas à afficher des tarifs différents ou à supprimer certains plats « bon marché » sur les menus écrits en langue étrangère (exemple : en allemand). Pour éviter cela, dans le cas où l'on vous donne un menu écrit en une seule langue, demandez-en aussi un en tchèque, afin de comparer. Autre curiosité : le prix au poids (surtout le poisson) ; il vaut donc mieux se méfier des assiettes trop remplies.

Les spécialités culinaires

C'est une cuisine très influencée par ses voisins germaniques et autrichiens. Plutôt consistante (euphémisme !) et pratiquement toujours accompagnée de crème fouettée. Ici, pas question de faire ceinture... Les fêtes religieuses sont l'occasion, comme partout d'ailleurs, de faire bombance plus que de coutume, avec des plats traditionnels. On parle de Noël comme « d'un suicide par le couteau et la fourchette ». Le repas quotidien ne célèbre pas nécessairement la liturgie à la française (entrée, plat, fromage et dessert). Bien souvent, on se contente d'un plat avec accompagnement seul, souvent sans pain. Dans les restaurants, les menus sont bien sûr toujours rédigés en tchèque et, de plus en plus, en allemand et en anglais, et désormais parfois même en français. Pour vous y retrouver dans la jungle des plats, dont, hélas, bien peu vous inspireront étymologiquement, voici ceux que vous rencontrerez le plus souvent, pratiquement toujours accompagnés de *knedlíky* (voir plus loin).

– *Předkrmy (les hors-d'œuvre) :* parmi les entrées froides, vous trouverez le célèbre jambon de Prague *(Pražská šunka),* en fait un jambon blanc parfois farci de crème fouettée au raifort ; des salades classiques de concombres *(okurkový salát)* ou de pommes de terre *(bramborový salát)*. Et aussi des importations diverses, comme les œufs à la russe *(Ruská vejce)*, le salami hongrois *(Uherský salám)*, le jambon cuit *(dušená šunka)*, le caviar ou le saumon fumé. Sans oublier le *husí játra na cibulce*, foie d'oie aux oignons.

– **Polévky (les potages) :** la soupe nationale *(Česká bramborová)* est à base de pommes de terre, champignons et carottes. Autres styles, autres mœurs : la soupe aux tripes *(dršťková)*, la soupe aux choux et au lard *(zelňačka)*, à l'ail ou, plus léger, le consommé de bœuf *(hovězí polévka)*.

– **Česká národní jídla (les plats typiquement tchèques) :** mille et une façons de présenter les aliments panés... Le fromage chaud pané *(smažený sýr)*, l'escalope panée *(smažený řízek)*, les boulettes de viande panées *(smažený karbanátek)*, préparées avec des petits dés de viande, des oignons et une sauce épaisse au paprika classique. Mais encore les champignons ou le chou-fleur panés... À vous de trouver d'autres exemples. Un détail : l'irremplaçable goulasch que vous trouverez dans tous les menus est une spécialité hongroise. Dans toutes les assiettes également, le *svíčková na smetaně*, un rôti de bœuf à la crème, servi avec des airelles. Le mélange sucré-salé reste un peu surprenant, mais pourquoi ne pas dépayser un peu nos papilles ? À part le filet de bœuf, le rôti de porc se décline à toutes les sauces : le *roštěnka se šunkou*, lamelles de bœuf sautées en sauce avec du jambon, ou le fameux *vepřová se zelím*, porc rôti à l'ail et au cumin, accompagné de choucroute. Côté poisson, la carpe est à l'honneur. Réservée traditionnellement au repas de Noël avec une sauce à base de pruneaux, raisin et noix *(kapr na černo)*. Sinon, on la déguste panée, évidemment *(smažený kapr)*. La perche, issue des étangs, se retrouve souvent à la carte des restos du sud de la Bohême.

– Quelques **viandes, gibiers et poissons :** hovězí (bœuf), vepřové (porc), telecí (veau), skopové (mouton), kuře (poulet), husa (oie), kachna (canard), kapr (carpe), pstruh (truite).

– **Knedlíky :** vous ne pouvez passer à côté de cette « spécialité » servie en accompagnement. Préparées à base de farine, œufs, levure et pain rassis, les *knedlíky* (les *knödel* allemands) sont cuites à l'eau puis coupées en rondelles. Assez étouffe-marxistes, elles remplacent le pain en quelque sorte. Là aussi, déclinées avec imagination : les *knedlíky* aux pommes de terre *(bramborové' knedlíky)*, au lard *(špekové' knedlíky)* et même aux fruits *(ovocné knedlíky)*, constituant alors le dessert préféré des têtes blondes tchèques.

– **Bramborák :** galettes de pommes de terre, frites et parfumées à la marjolaine. Du meilleur au pire selon la préparation et l'ancienneté de la friture ! D'autres légumes d'accompagnement : *hrášek* (petits pois), *fazole* (haricots), *špenát* (épinards), *hlávkový salát* (laitue) et *hranolky* (pommes frites).

– **Moučníkys (les desserts) :** les gâteaux ont un lien de parenté avec leurs voisins viennois, à savoir le *sacherdort* (gâteau au chocolat), les *jablkový závin* (strudels) ou les *koláče* (tartes aux fruits et graines de pavot). Sinon, parmi les « originaux », citons les choux à la crème vanille et chantilly *(větrník)*, les sablés à la crème en forme de cercueil, d'où leur nom *(rakvička*, « petits cercueils »), les sablés à la noix de coco avec de la confiture *(kokosky)* et les beignets *(vdolky)*.

DANGERS ET ENQUIQUINEMENTS

Selon les Tchèques en général et les Pragois en particulier, la criminalité a beaucoup augmenté. Sans doute les chiffres montrent-ils un accroissement sensible des agressions, mais il est surtout à mettre sur le compte de la réalité de ces chiffres et de leur nouvelle transparence. Sous le régime communiste, ceux-ci étaient tout simplement fortement minimisés. On peut continuer à affirmer que Prague est une ville aussi sûre que n'importe quelle capitale européenne en proie à l'affluence touristique et aux désagréments qui en résultent (vol à la tire, pickpockets...). Soyez méfiant, donc, mais sans sombrer dans la parano !

On nous a signalé malgré tout un accroissement des vols de voitures, alors prenez des précautions élémentaires pour ne pas revenir en train : ne vous garez pas la nuit dans une rue isolée et mal éclairée, cherchez un parking gardé, et installez un bon anti-vol.

ÉCONOMIE (LA NOUVELLE DONNE)

En 1993, le chef du gouvernement décida de mettre rapidement l'économie tchèque sur les rails de l'économie de marché : abandon des terres peu rentables, introduction massive des investissements étrangers, privatisation de l'industrie avec une quasi-distribution du capital des entreprises au peuple, et surtout création d'une TVA.

Longtemps présentée comme l'enfant modèle de l'ère post-communiste, la République tchèque reconsidère aujourd'hui le bilan de sa transition. Après avoir connu, ces dernières années, de fortes hausses du pouvoir d'achat, une partie de la population craint une dégradation de son niveau de vie. Les salaires moyens et bas sont apparus à la hausse, mais l'inflation gomme ces effets en atteignant 4,6 % de croissance annuelle.

De 5 % en 1995, la croissance est redescendue à -0,5 % en 1999, un résultat plus que médiocre, pour remonter à 3,1 % en 2001. Le chômage suit la pente inverse. Pour la première fois depuis les années 1930, il a franchi la barre des 5 % de la population active, atteignait même 9,6 % en 2000 pour revenir à 8,6 % en 2002. Mais le taux moyen cache de grandes disparités. Dans les anciennes régions minières du nord de la Bohême et en Silésie, le chômage est dramatique (plus de 20 %). Par contre, il est pratiquement inexistant à Prague et dans le secteur tertiaire.

Les prix de l'énergie, de l'alcool, des transports et du logement ont augmenté brutalement début 1998. Le déficit commercial est à -4,8 % du PIB. Même les privatisations tant vantées se sont révélé un trompe-l'œil. Si, officiellement, les trois quarts du PIB proviennent du secteur privé, ce dernier est en fait contrôlé par les grandes banques, qui sont toujours étatisées. Celles-ci se retrouvent à la fois créditrices et débitrices d'entreprises qui perdent quasiment toutes de l'argent, à l'exception de celles passées sous contrôle étranger. Tel est le cas de Škoda, reprise par Volkswagen, qui fait un tabac avec la « Felicia » et l'« Octavia », et qui semble à nouveau sur la voie du succès avec ses derniers modèles, *Flavia, Fabia* et *Supert*. La disparition dans la nature d'importantes sommes d'argent provenant de fonds d'investissements auxquels des milliers de Tchèques avaient confié leurs « coupons de privation » a renforcé le malaise grandissant par rapport aux décideurs politiques. Le président Václav Havel a même fustigé en 2000 l'emprise d'un capitalisme « mafieux » sur la République.

Si les Tchèques ont le moral en berne, il s'agit juste d'une épidémie de velours, du même tissu que la révolution de novembre 1989. On n'est pas ici au pays des grandes effusions. Pour l'heure, les regards se tournent du côté de l'Union européenne. Une adhésion rapide accélérerait le processus de rattrapage. La promesse en avait été faite par le président Chirac et l'ex-chancelier Kohl pour l'an 2000, mais aujourd'hui, même si la République tchèque détient, avec Chypre et la Hongrie, la *pole position* de la course à l'adhésion, il semble plus raisonnable de tabler sur une intégration à l'Union européenne pour 2005.

ÉLECTRICITÉ

220 volts. Prises électriques comme en France.

FÊTES ET JOURS FÉRIÉS

Jours fériés

1er janvier, lundi de Pâques, 1er mai, 8 mai (fête de la Libération de 1945), 5 et 6 juillet (fêtes de Saint-Cyrille et Saint-Méthode, et commémoration de la mort de Jan Hus), 28 septembre (Saint-Venceslas, patron de la Bohême), 28 octobre (fondation de la République), 17 novembre (commémoration de la révolution de Velours), 24, 25 et 26 décembre.

Fêtes

– *2e quinzaine de mai :* Festival international de Musique à Prague (le Printemps de Prague).
– *Juin-juillet :* Festival international de Folklore à Strážnice.
– *Juillet :* Festival international du Film à Karlovy Vary (tous les deux ans, les années paires).
– *Août :* Grand Prix de Moto de Brno.

HÉBERGEMENT

De sérieuses difficultés en perspective pour trouver un logement en pleine période touristique. Malgré d'importants investissements réalisés, on constate un grand déficit de chambres par rapport à la demande. Cette situation, qui est en train d'évoluer, pourrait tout de même durer encore quelque temps.

Des informations sur les possibilités d'hébergement sont aussi disponibles sur le Web : ● www.abaka.com ●

Plusieurs modes de logement :

Auberges de jeunesse

Assez nombreuses, elles couvrent bien le pays. Les AJ les plus intéressantes sont les *juniors hotels*. Des hôtels pratiquement à prix d'AJ. Réservation obligatoire. Dans certaines AJ, possibilité de réserver directement par téléphone. On voit aussi se créer des *hostels* indépendantes pour une clientèle de jeunes, mais il faut reconnaître que la qualité des prestations y est souvent inégale d'une adresse à l'autre.

La branche affiliée aux auberges de jeunesse internationales est gérée par le *KMC* de Prague. Vous pouvez ainsi réserver vos places dans les AJ de cette ville directement de France et dans n'importe quelle AJ du pays. Site Internet en anglais : ● www.travellers.cz ● Auberges de jeunesse et hébergements pas chers.

– Il n'y a pas de limite d'âge pour séjourner en AJ sauf en Bavière (27 ans). Il faut simplement être adhérent.

– La FUAJ (association à but non lucratif, eh oui, ça existe encore !) propose trois guides répertoriant les adresses des AJ : France, Europe et le reste du monde, payants pour les deux derniers.

– La FUAJ offre à ses adhérents la possibilité de réserver depuis la France, grâce à son système IBN *(International Booking Network)*, 6 nuits maximum et jusqu'à 6 mois à l'avance, dans certaines auberges de jeunesse situées en France et à l'étranger (le réseau *Hostelling International* couvre plus de 60 pays). Gros avantage, les AJ étant souvent complètes, votre lit (en dortoir, pas de réservation en chambre individuelle) est réservé à la date souhaitée. Vous réglez en France, plus des frais de réservation (environ 6,15 €). L'intérêt, c'est que tout cela se passe avant le départ, en français, et en euros ! Vous recevrez en échange un reçu de réservation que vous présenterez à l'AJ une fois sur place. Ce service permet aussi d'annuler et d'être remboursé. Le délai d'annulation varie d'une AJ à l'autre (compter 6,15 € pour les frais). IBN est désormais accessible en ligne *via* le site

● www.hostellinginternational.com ● D'un simple clic, il permet d'obtenir toutes les informations utiles sur les auberges reliées au système, de vérifier les disponibilités jusqu'à 6 mois à l'avance, de réserver et de payer en ligne sans frais.

■ *FUAJ :* centre national, 27, rue Pajol, 75018 Paris. ☎ 01-44-89-87-27. Fax : 01-44-89-87-10. ● www.fuaj.org ● M. : La Chapelle, Marx-Dormoy, ou M. et RER : Gare-du-Nord (lignes B et D).
■ *FUAJ :* antenne national, 9, rue de Brantôme, 75003. ☎ 01-48-04- 70-40. Fax : 01-42-77-03-29. M. : Rambuteau, Les-Halles (RER A).
■ *AJ D'Artagnan :* 80, rue Vitruve, 75020 Paris. ☎ 01-40-32-34-56. Fax : 01-40-32-34-55. ● paris.le-dartagnan@fuaj.org ● M. : Porte-de-Bagnolet.

Hôtels

Les hôtels sont classés en 4 catégories (de 1 à 4 étoiles). Ils incluent pour la plupart d'entre eux le petit déjeuner dans leurs prix et disposent d'un restaurant. Ils sont en général bien tenus, même si, pour certains, leur aspect vieillot présage parfois du contraire. Seul problème : les sanitaires ne sont pas toujours aux normes de nos contrées occidentales ! Possibilité de réserver directement par téléphone ou par fax (en anglais).
Pendant longtemps, le Čedok fut l'agence d'État incontournable pour réserver sa chambre, l'immense majorité des hôtels n'acceptant pas de réservation directe. Cela a changé, les hôtels ont retrouvé leur autonomie. Possibilité de réserver directement. Sur place, en dehors des périodes très touristiques, on peut trouver une chambre relativement facilement.
À Prague, l'hôtellerie est plutôt chère (voir la rubrique « Budget »). Les chambres chez l'habitant ou, mieux, la location d'appartements sont de loin les solutions les plus avantageuses ; pour les fauchés, les AJ, les chambres en cité U ou les dortoirs aménagés l'été dans des salles de sport ou des écoles sont disponibles.
Sachez aussi que vous n'obtiendrez pas un service à la hauteur de votre joie de découvrir ce pays. Ça variera du bon au pire. Les employés ayant encore pour la plupart une mentalité de fonctionnaires, la tendance oscillera plutôt entre l'indifférence polie et le je-m'en-foutisme intégral. On n'efface pas en quelques années quarante ans de gestion bureaucratique !
– *Réserver un hôtel en République tchèque :* ● www.hotel.cz ● Site en anglais, en allemand et en français.

Campings

Nombreux puisqu'ils représentèrent longtemps le mode d'hébergement populaire et bon marché par excellence. Il faut cependant noter qu'ils sont sensiblement plus chers qu'en France. Pour la plupart, ils proposent des petits bungalows à louer et même, parfois, des chambres à prix très raisonnables. Mais l'eau chaude est souvent payante. La plupart des campings sont ouverts d'avril à octobre, mais certains n'ouvrent qu'en été. Se renseigner auprès des offices du tourisme et demander la brochure la plus récente pour organiser son programme (à Paris ou à Prague).
Sinon, sachez que les *auto-camps* sont en général des jardins transformés en terrains de camping par des particuliers. Très bon marché mais pas toujours bien équipés...

Chambres chez l'habitant

Elles ont proliféré à une vitesse foudroyante ces dernières années ! C'est la solution idéale pour les routards : prix vraiment intéressants par rapport à l'hôtellerie, grand choix (donc plus de risque de dormir sous les ponts !) et, bien sûr, contact avec les habitants (presque toujours aux petits soins avec leurs hôtes). Tout le monde en propose, étant donnée la manne financière que représentent les devises étrangères. Souvent, des familles louent carrément leur appartement entier, avec cuisine et affaires personnelles, et vont s'installer ailleurs ! Nous vous indiquons des agences tchèques qui vous permettront de réserver de la France ou directement à Prague, sans avoir de surprises... À savoir : elles prennent une commission. Sinon, vous serez souvent sollicité par des particuliers, dans la rue ou ailleurs ! Mais là, nous ne garantissons rien...

■ *Čedok :* 32, av. de l'Opéra, 75002 Paris. ☎ 01-44-94-87-50. Fax : 01-49-24-99-46. ● www.cedok.fr ● Minitel : 36-15, code TCHECO (0,34 €/mn). M. : Opéra ou Pyramides. Ouvert du lundi au vendredi de 10 h à 13 h et de 14 h à 18 h. Agence franco-tchèque, spécialiste des voyages à Prague, en République tchèque et en Europe centrale. Pour plus de détails, se reporter à la rubrique « Comment y aller ? » ou « Adresses utiles à Prague ».

■ *Prago-Média :* Audabiac, 30580 Lussan. ☎ 04-66-72-70-70. Fax : 04-66-72-70-71. ● pragomedia@aol.com ● Ouvert du lundi au vendredi de 9 h 30 à 18 h 30. Sympathique agence créée par une exilée tchèque, Jitka Bédel, qui s'est spécialisée sur la Hongrie, la République tchèque et la Pologne. Spécialité : service sur mesure. Propose les forfaits avec billets d'avion ou de bus, logement chez l'habitant, location d'appartements, hôtels 2 à 5 étoiles de caractère, billets de spectacle et d'hydroglisseur, visites guidées, location de voitures et circuits individuels. Organise également des voyages de groupe.

■ *New East :* 12, rue du Docteur-Mazet, 38000 Grenoble. Numéro national : ☎ 0820-900-606. ☎ 04-76-47-19-18. Fax : 04-76-47-19-14. Ouvert du lundi au vendredi de 9 h à 12 h 30 et de 14 h à 18 h 30. Une petite agence dynamique, qui peut faire vos réservations d'hôtels ou en cité universitaire à Prague. Propose également des séjours tout compris.

■ *Slav'tours :* 6, rue Jeanne-d'Arc, 45000 Orléans. ☎ 02-38-77-07-00. Fax : 02-38-77-18-37. ● www.slavtours.com ● Ouvert du lundi au vendredi de 9 h à 18 h et le samedi de 9 h à 12 h. Son directeur est tchèque et connaît parfaitement toutes les ficelles de son pays. L'agence propose des week-ends, des circuits et des séjours sur mesure, ainsi que tous types d'hébergement (hôtels, pensions de famille, chez l'habitant, gîtes...), de transport et de loisirs (visites d'usines, d'écoles...). Propositions de séjours combinés avec toutes les capitales des pays de l'Est. Slav'tours possède aussi une agence à Prague.

■ *France-Danube :* 4, rue des Ternes, 75017 Paris. ☎ 01-40-55-05-05. Fax : 01-40-55-05-25. ● fd paris@club-internet.fr ● Du lundi au vendredi de 9 h à 18 h. S'occupe d'hébergement en hôtel à Prague à prix intéressants.

Échange d'appartements

Formule de vacances originale. Il s'agit, pour ceux qui possèdent une maison, un appartement ou un studio, d'échanger leur logement avec un adhérent de l'organisme du pays de leur choix. Cette formule offre l'avantage de passer des vacances à l'étranger à moindres frais, et plus spécialement pour les couples ayant des enfants.

■ *Intervac :* 230, bd Voltaire, 75011 Paris. ☎ 01-43-70-21-22. Fax : 01-43-70-73-35. ● www.intervac.com ● M. : Boulets-Montreuil. Depuis 1950, Intervac est un service international d'échange d'appartements, présent dans plus de 50 pays. Adhésion : 95 € par an, comprenant une annonce passée dans leur catalogue (avec photo) et l'envoi d'un de leurs 5 catalogues publiés dans l'année.

Un bureau Intervac est également ouvert à Prague : ☎ 719-616-47. Fax : 786-00-61.

HEURE LOCALE

Pas de décalage horaire, et même changement d'heure entre l'hiver et l'été.

HISTOIRE

D'abord, il y a des Celtes (les Boïens) qui, au début de notre ère, partent vers l'ouest en des lieux plus humides. Ils laissent pourtant leur nom à la province (*Boiohaenum*), qui devient la Bohême. Ils sont remplacés par des tribus germaniques. Les Romains, qui ont fixé le Danube comme frontière, ne montent guère plus au nord. L'absence de Rome se fait d'ailleurs sentir sur l'évolution culturelle du pays, notamment au niveau de l'urbanisation et de l'infrastructure routière. Au VIe siècle, arrivée des Slaves dans la région, qui guerroient contre les Avars et les Francs.

Au IXe siècle, constitution du royaume de *Grande-Moravie*. Christianisation du territoire par les célèbres missionnaires Cyrille et Méthode (inventeurs de l'alphabet cyrillique). Des tribus slaves, les Tchèques, s'installent dans la région de Prague. À partir du Xe siècle, un royaume de Bohême se constitue autour de la dynastie des Przemislides. Règne du prince chrétien Venceslas, assassiné par son frère, le païen Boleslav, en 929. Grand propagateur du catholicisme, Venceslas devient saint patron de la Bohême.

Après deux siècles de domination allemande, le royaume de Bohême réussit à devenir un État relativement indépendant au sein du Saint Empire germanique ; avec Ottokar II, il étend sa souveraineté vers le sud, jusqu'à l'Adriatique. Au XIIIe siècle, le pays connaît même une belle prospérité due en partie à l'exploitation de mines d'argent à Kutná Hora. En 1346, Jean de Luxembourg, époux d'une princesse przemislide et allié aux Français contre les Anglais, meurt à la bataille de Crécy. Son fils, Charles IV, l'un des grands rois de Bohême, est ensuite, par un subtil jeu politique, élu souverain du Saint Empire romain germanique. Grand constructeur aussi, il fait édifier le château de Prague, le pont Charles, de nombreuses églises et la première université de l'Empire. Prague devient la troisième ville d'Occident et le royaume de Bohême culmine au faîte de sa puissance. La langue tchèque est utilisée à sa cour. Après lui, la peste ravage le royaume en 1380 et les juifs subissent des pogroms : le ghetto de Prague est détruit.

La révolution hussite

Au début du XVe siècle, bien avant Luther et Calvin, un mouvement se dessine en Bohême contre la scandaleuse richesse de l'Église et sa corruption. Jan Hus, prédicateur renommé à Prague, s'élève contre les abus de l'Église et la domination allemande. Il est ainsi à l'origine d'un profond mouvement non seulement religieux, mais aussi social et politique. Invité à exposer ses théories au concile de Constance, il est traîtreusement fait prisonnier et, refusant de se rétracter, condamné pour schisme et brûlé vif en 1415. Son exécution provoque un soulèvement national qui ébranle considérablement le royaume et restera par la suite le symbole de l'indépendance des Tchèques vis-à-vis de tous les pouvoirs.

En 1419, *première défenestration de Prague* à l'hôtel de ville, où les Hussites rebelles lancent la mode du lancer des catholiques depuis les étages. Les Hussites les plus fervents vont fonder Tabor. Vingt ans plus tard, la religion hussite est reconnue par le roi et par le concile de Bâle comme une partie autonome de l'Église catholique. Malgré tout, la guerre continue ses ravages, profitant à la noblesse qui s'empare des biens de l'Église. En 1485, catholiques et hussites signent la paix religieuse de Kuttenberg (Kutná

Hora). La Bohême devient un havre de tolérance religieuse à une époque où l'Europe sombre dans l'obscurantisme. De 1471 à 1526, la dynastie polonaise du Jagellon règne sur la Bohême.

Le règne des Habsbourg

Au début du XVIe siècle, la Bohême connaît une grande période de rayonnement artistique et culturel. C'est à la fois l'âge d'or de l'humanisme tchèque et l'émergence du gothique flamboyant.

En 1526, devant le danger turc en Europe centrale, les Habsbourg se voient confier avec Ferdinand Ier, frère de Charles Quint, le trône de Bohême. Ils le conserveront jusqu'en 1918. Prague redevient la capitale du Saint Empire, avant que Vienne, à nouveau, n'en hérite en 1611. Le nouveau souverain entreprend la recatholicisation d'une Bohême à majorité protestante en conviant les jésuites à fonder le Clementinium, et favorise une centralisation, faisant fi des droits et privilèges historiques du peuple tchèque. À partir de 1576, sous le règne de Rodolphe II, le grand collectionneur d'œuvres d'art, Prague voit s'établir de nombreux savants et artistes. En 1611, construction de la première église baroque.

La bataille de la Montagne Blanche

En 1618, le conflit larvé entre les Tchèques et les Habsbourg éclate à l'issue de la *deuxième défenestration de Prague* (des représentants de l'empereur sont jetés par une fenêtre du Château par les représentants des États, et la Bohême protestante se soulève sous le commandement des comtes Thurn et Mansfeld). Ferdinand II, empereur, est déposé de son trône de Bohême et remplacé par un protestant, l'électeur palatin Frédéric V.

C'est le début de la ruineuse guerre de Trente Ans, qui s'étend à toute l'Europe. En 1620, près de Prague, se déroule entre Tchèques et partisans des Habsbourg la bataille décisive dite de la Montagne Blanche. Les Tchèques y sont défaits, et leurs 27 chefs sont exécutés place de la Vieille-Ville, le 21 juin 1621. Leurs biens sont bradés à bas prix aux familles nobles fidèles à la cause impériale.

Cette date est la plus dramatique de toute l'histoire du pays. En effet, les Tchèques y perdent leur élite et leur autonomie. Ils devront ensuite attendre trois siècles pour recouvrer leur indépendance. Les Habsbourg imposent par la force le catholicisme. C'est la *Contre-Réforme*. Contraintes de choisir entre conversion ou exil, des dizaines de milliers de familles émigrent. Les Habsbourg renforcent la germanisation du pays : l'allemand accède au rang de langue officielle à parité avec le tchèque. En 1648, Prague est partiellement pillée par l'armée suédoise. Le franchissement du pont Charles est défendu par les étudiants et les membres de la communauté juive.

L'art baroque triomphe, une colonne mariale est élevée place de la Vieille-Ville pour commémorer la victoire sur les protestants et l'on canonise Jean – un obscur moine du XIVe siècle élevé au rang de martyr pour les besoins de la cause catholique à qui il faut trouver un rival à un autre Jean (Hus). Au cours du XVIIIe siècle, Prague est aussi occupée par les Bavarois et les Français, puis les Prussiens.

Pourtant, Joseph II, monarque éclairé, introduit quelques réformes (entre autres, le rétablissement des droits des non-catholiques et surtout des juifs qui doivent aussi germaniser leur patronyme) et le bannissement des jésuites. Les guerres napoléoniennes affaiblissent l'Autriche (bataille d'Austerlitz-Slavkov en 1804) et rendent de la vigueur aux aspirations de la classe moyenne tchèque qui s'est développée. C'est d'abord, dans la première moitié du XIXe siècle, la bataille pour l'usage de la langue tchèque à présent codifiée, puis le soulèvement de 1848 qui accélère la prise de conscience nationale tchèque. Malgré une fidélité loyale à la dynastie des Habsbourg (même si François-Joseph ne sera jamais couronné roi de Bohême à Prague), l'émergence du panslavisme dans les Balkans accentue le besoin des Tchèques de se distinguer d'une élite intellectuelle qui pratique essentiellement l'allemand. En 1866, l'armée prussienne écrase les Autrichiens à Sadowa (près de Hradec Králové). Deux ans plus tard, on pose la première pierre du Théâtre national, symbole du renouveau tchèque. En 1882, grand rassemblement des *Sokol* (les Faucons), fédération de sociétés gymniques à vocation nationaliste. En 1891, une exposition du Jubilé attire 2,5 millions de visiteurs.

Au tournant du XXᵉ siècle, dopée par la croissance économique et l'industrialisation, Prague assainit le quartier juif et se dote de magnifiques immeubles de style Sécession.

L'indépendance de la République

Dès 1914, les premiers succès russes face aux Autrichiens activent les espoirs d'indépendance des nationalistes tchèques. Un régiment pragois déserte, et des légionnaires tchèques combattent aux côtés des Alliés.

À l'issue de la Première Guerre mondiale, l'empire austro-hongrois est démantelé, le pays est mûr pour constituer un État indépendant. La République est proclamée le 28 octobre, et Tomáš Garrigue Masaryk en est le premier président. Edvard Beneš lui succède en 1935. On abat la colonne mariale de la place de la Vieille-Ville, symbole honni de la domination autrichienne.

La Tchécoslovaquie connaît de 1918 à 1938 vingt ans de démocratie authentique : parlementarisme et droit des minorités. Héritant des trois quarts du potentiel industriel de l'Autriche-Hongrie, le pays bénéficie même d'une prospérité notable qui en fait un membre du club des dix plus grandes puissances industrielles de la planète. Sa faiblesse : plus de 3 millions de citoyens de langue allemande (les *Sudètes*, véritable cheval de Troie du nationalisme allemand) contre à peine 1,9 million de partenaires slovaques, alors que le nationalisme tchèque (largement inspiré par le *hussisme*) constitue l'idéologie officielle.

Le honteux accord de Munich de septembre 1938 entre Chamberlain, Daladier et Hitler, livrant la région des *Sudètes* à l'Allemagne, signe la fin de l'unité et de l'indépendance du pays. Les nazis l'envahissent en mars 1939, instaurant le *protectorat de Bohême-Moravie*. Le potentiel économique du pays, surtout les usines d'armement, intéresse beaucoup le Reich. Beneš retrouve l'exil en compagnie de dizaines de milliers de compatriotes. Un État fasciste allié est mis en place en Slovaquie. Beaucoup de Tchèques et de Slovaques entrent dans la Résistance. Beneš se retrouve à la tête d'un gouvernement en exil à Londres. En 1942, des parachutistes tchèques envoyés par Londres blessent mortellement le SS Reinhard Heydrich, le *Reichsprotector*. Les représailles nazies sont féroces : le village de Lidice est rayé de la carte, et ses habitants mâles massacrés. La communauté juive de Prague perd les trois quarts de ses membres, dont le transit vers les camps d'extermination passe par la forteresse de Terezín.

En avril 1945, toutes les forces de la Résistance établissent le « programme de Košice », plan de reconstruction politique et de gouvernement du pays. Dans le même temps, l'armée américaine libère Plzeň mais sans pousser plus à l'est. Les Soviétiques, quant à eux, entrent à Prague le 9 mai 1945 après le soulèvement de la ville et reçoivent un accueil triomphal.

La IIᵉ République et le « coup de Prague »

De 1945 à 1948, un gouvernement de cohabitation réunissant tous les partis issus de la Résistance prend d'importantes mesures : expulsion de 2,7 millions de germanophones, nationalisation des moyens de production, etc. En 1946, le parti communiste obtient 38 % des voix (et devient le plus important du pays) et le parti social-démocrate 16 %. Une alliance des deux partis gouverne jusqu'au début de l'année 1948, avec Klement Gottwald (secrétaire général du parti communiste) comme Premier ministre.

En février 1948, une crise politique grave éclate à cause de la radicalisation du régime. Dans le but de déstabiliser Gottwald, les douze ministres sociaux-démocrates et leurs alliés démissionnent du gouvernement. Bénéficiant d'une large assise populaire et profitant d'un profond mécontentement, le PC fait descendre massivement ses troupes et les syndicats dans la rue (avec grève générale) pour obtenir leur remplacement par des ministres communistes. Sous la pression, le président Beneš doit accepter. C'est le célèbre *coup de Prague*.

Les élections qui suivent entérinèrent la nouvelle situation. Le fils de Masaryk, ministre des Affaires étrangères, est défenestré (funeste habitude désormais récurrente). Beneš démissionne en juin 1948 (il meurt deux mois après) et Gottwald devient président à son tour. De nouvelles nationalisations et la collectivisation des terres suivent immédiatement.

À signaler que le changement de régime s'est fait à l'issue d'une élection régulière et non pas dans les fourgons de l'Armée Rouge. Contrairement à ce qui s'est passé dans la majorité des autres pays de l'Est, les Russes sont restés en dehors du processus, car ils n'avaient pas de troupes stationnées en Tchécoslovaquie (seulement des « conseillers »). N'empêche que Gottwald prend directement ses ordres chez Staline.

Le « Printemps de Prague »

Bien entendu, c'est, dans un contexte international de guerre froide, un régime stalinien, bureaucratique et liberticide qui se met rapidement en place. Ses horreurs sont trop connues (en particulier les terribles purges suivies des « procès de Prague »), ce serait inutile et trop long de les énumérer ici. Ah si ! une anecdote quand même : ironie de l'histoire, Gottwald meurt en 1953 d'une pneumonie contractée à... l'enterrement de Staline. L'un de ses successeurs, Novotný, pâle bureaucrate complètement incompétent, règne pourtant plus de dix ans. La société civile tchèque est complètement couverte d'une chape de plomb. Des milliers de Tchécoslovaques sont envoyés de force dans les mines d'uranium, minerai vital pour l'expansion du programme nucléaire soviétique...

Dans les années 1960, la nécessité d'introduire des réformes économiques devenant criante, une nouvelle génération de militants du PC provoque la chute de Novotný, le 5 janvier 1968. Il est remplacé par le Slovaque Alexandre Dubček (« inventeur », 20 ans auparavant, selon Gorby en personne, de la *perestroïka* !). Le vieux principe « pas de liberté économique sans liberté politique » se vérifie une fois de plus. Le peuple s'engouffre dans la brèche du *socialisme à visage humain*, et progressivement un vent de liberté balaye le pays. Les gens retrouvent la parole, la censure recule au point de disparaître. Il ne s'agit pas d'une remise en cause globale de la nature socialiste du régime, seulement d'une immense soif de liberté et du plaisir de jouir enfin des droits les plus élémentaires. Ce fut le célèbre *Printemps de Prague*.

Par peur de contagion pour le bloc de l'Est, Leonid Brejnev décide de mettre fin à cette dangereuse expérience. C'est l'intervention armée du 21 août 1968 : 400 000 soldats du pacte de Varsovie (sauf les Roumains) occupent militairement le pays. À Prague, les tankistes russes ébahis sont accueillis au cris de « Popov rentre chez toi ». Dubček et ses ministres sont flanqués, enchaînés dans un avion pour Moscou où on les oblige à signer l'annulation des réformes.

Normalisation, résistance et « révolution de velours »

Dès lors, la grande peur passée, la bureaucratie « normalise » le pays : éviction de Dubček (envoyé biner les potagers), remplacé par Husák (lui-même rescapé des purges de 1952), exclusion de 500 000 membres du Parti, immobilisme économique, répression politique, exil. Miloš Forman, Ivan Passer s'en vont filmer ailleurs, Kundera part écrire en France. Beaucoup d'intellectuels, n'ayant plus les moyens de s'exprimer, font de même. D'autres, chassés de leur administration, de leur faculté ou de leur théâtre, acceptent un travail manuel, le plus souvent disqualifié. Des milliers d'étudiants sont envoyés dans les mines d'uranium. Même Aragon se fend d'une dénonciation de ce qu'il appela un « Biafra de l'esprit ». En janvier 1969, pour protester contre l'occupation soviétique, un étudiant, Jan Palach, s'immole par le feu place Venceslas et devient le symbole de la résistance. Dans sa lettre d'adieu, il écrit : « Il faut que quelqu'un secoue la conscience de la nation », certain que de son geste sacrificiel et désespéré ses compatriotes opprimés tireraient un message d'espoir. La décennie qui suit sera marquée par la grisaille, l'immobilisme et la délation organisée (les archives de la police politique comptabiliseront après 1989 l'existence de 200 000 indicateurs répertoriés).

En 1977, pour protester contre l'arrestation des membres d'un groupe de rock (les Plastic People), un groupe de dissidents, dont Václav Havel, publie la *Charte 77*. Contre vents et marées, ce mouvement dénonce toutes les injustices et lutte pour les libertés de base pendant treize ans, réclamant du pouvoir le respect de ses propres lois, surtout après la signature des accords d'Helsinki en 1985. Des membres de la Charte sont arrêtés ; Václav Havel crée alors le *VONS* (Comité pour la défense des personnes injustement poursuivies). Accusé à son tour, Havel reste en prison plus de quatre ans, et subit par la suite deux autres incarcérations. La dernière début 1989, pour avoir protesté contre la violence de la répression contre une manifestation étudiante commémorant la mort de Jan Palach.

Mais les bouleversements politiques qui ébranlent toute l'Europe de l'Est ne peuvent manquer, bien sûr, d'atteindre la Tchécoslovaquie. De nombreuses manifestations commencent à secouer le pays. L'une d'entre elles, réunissant 30 000 étudiants, le 17 novembre 1989, est réprimée d'une manière particulièrement féroce. Elle sonne le glas de l'ère des bureaucrates et du PC tchécoslovaque. La population, à son tour, descend dans la rue de plus en plus massivement, quasi quotidiennement, à tel point que la place Venceslas ne peut même plus contenir les 250 000 personnes qui s'y pressent. Alors, tout va très vite : création du *Forum civique* autour de Václav Havel, démission en bloc de la direction du PC, retour de Dubček, véritable héros national, à Prague. C'est la *révolution de velours* : un pouvoir complètement paralysé, perdant progressivement ses soutiens, incapable de réagir aux coups de boutoir des manifestations pacifiques face à une population capable de capitaliser à chaque fois le rapport de force, pour faire rebondir le mouvement plus haut encore. Sans affrontement, sans violence, d'où son surnom, désormais historique, de « révolution de velours »...

Václav président !

Et l'impensable arrive. Václav Havel, à peine sorti de prison, traîné dans la boue et injurié peu de temps auparavant, est élu président de la République, le 30 décembre 1989, par ceux-là mêmes qui l'avaient persécuté pendant quinze ans. Dans le même temps, Alexandre Dubček est élu président de l'Assemblée nationale. Pour ces deux hommes, quelle revanche sur l'histoire, quelle magnifique ironie du destin ! Mais Dubček n'aura pas le temps d'en profiter : il meurt deux ans plus tard des suites d'un accident de la route. À cet égard, on peut se demander également quelle leçon tirer de cette extraordinaire période historique. Est-il si osé de mettre en parallèle deux démarches quasi identiques : la résistance de Jan Hus et celle de Václav Havel ? Tous deux se sont montrés intransigeants sur le plan de la morale politique en refusant toute compromission. Jan Hus est allé lui-même défendre ses thèses au concile de Constance en refusant de les renier.

Havel n'a accepté aucune pause dans son combat pour les libertés démo-cratiques. Il ne s'est jamais endormi sur les petites concessions lâchées par le régime. Il s'en est servi pour obtenir plus encore, et surtout pour empêcher que ces acquis fragiles ne trompent l'opinion publique et ne la portent à accepter l'absence de véritables libertés garanties. Ce que le peuple tché-coslovaque reconnaît en Václav Havel, ce n'est pas un quelconque héros positif, sûr de lui et peut-être déjà dominateur, mais plutôt l'homme fragile, blessé, pétri de spiritualité, violemment mû par l'espoir de voir triompher, à terme, la vérité et la morale. Et pour clore ce chapitre en beauté, voici un court extrait de sa pièce L'Interrogatoire : « Il ne faut pas identifier l'espoir aux prévisions : il est une orientation du cœur et de l'esprit, il va au-delà du vécu immédiat et il s'attache à ce qui le dépasse... »

La guerre du trait d'union

Les élections législatives du 8 juin 1990 consacrent le triomphe de Václav Havel et du Forum civique. Avec son homologue en Slovaquie, Public contre la violence, ils récoltent 46 % des voix et la majorité absolue à la Chambre du peuple et à celle des nations. Quant au parti communiste, il recueille 13 % des voix et perd ainsi le pouvoir, après quarante-six ans sans partage. Enfin, notons les 96 % de participation électorale (de quoi faire rêver certaines démocraties occidentales !).

En juillet de la même année, Havel est donc reconduit dans ses fonctions, pour deux ans. Mais l'euphorie de la « période de velours » s'estompe, et le problème slovaque apparaît. Un an après la « révolution de velours », la république de Tchécoslovaquie perd déjà son appellation de « socialiste » ; elle change à nouveau de nom quelques mois après, sous la pression des politiciens de Bratislava : République « fédérative » tchèque et slovaque ? Ironiques, les médias internationaux parlent à l'époque de « guerre du trait d'union », les deux parties ayant eu du mal à se mettre d'accord sur le nou-veau nom de la fédération : tchéco-slovaque (au lieu de tchécoslovaque) ou tchèque et slovaque.

Derrière cette guéguerre grammaticale apparemment ridicule se cachent de profonds malentendus entre les deux peuples. Depuis 74 ans, réunis bon gré, mal gré (par les vainqueurs de la Première Guerre mondiale), ils ont tenté de cohabiter tant bien que mal, mais trop d'éléments les séparent : la langue très proche mais néanmoins différente, l'histoire (royaume de Bohême d'un côté, enclave slovaque en terre hongroise de l'autre), la pra-tique de la religion, plus forte en Slovaquie, la culture (les Slovaques forment un peuple essentiellement rural), les traditions politiques (les Tchèques se sentaient plus proches des communistes pendant la guerre, alors que les Slovaques ont connu la tentation fasciste), etc. Malgré des efforts indé-niables (mais tardifs selon certains), Havel ne réussit pas à enrayer une rup-ture provoquée par les aspirations nationalistes nées après la chute du com-munisme.

Le « divorce de velours »

En mars 1991, le leader nationaliste slovaque Vladimir Mečiar propose un référendum sur l'indépendance de la Slovaquie. Pour riposter, Havel ouvre un bureau présidentiel à Bratislava et promet de s'y rendre régulièrement, histoire de montrer aux Slovaques que les Tchèques ne les méprisent pas. Les deux républiques (rappelons que la Tchécoslovaquie est une fédération depuis 1968 et que, depuis cette date, la Slovaquie est « officiellement » une république, non pas indépendante mais autonome, nuance) tentent de mettre au point un traité censé régir leurs relations. En vain. Les Slovaques se sentent toujours spoliés, voire ignorés, et les Tchèques ne comprennent pas tant de reproches. Finalement, le projet de référendum échoue.

Les élections législatives de juin 1992 provoquent une rupture définitive : en Slovaquie, le mouvement nationaliste de Mečiar est largement vainqueur, alors qu'en Bohême-Moravie le parti du ministre fédéral Václav Klaus arrive en tête. Les deux hommes décident donc de s'entendre pour régler le sort de la Fédération. Le nouveau Parlement, en juillet, ne reconduit pas Václav Havel dans ses fonctions, les députés nationalistes slovaques ayant fait barrage. Quelques jours plus tard, la souveraineté de la Slovaquie est proclamée par le Parlement de Bratislava. Havel démissionne le jour même, fidèle à ses principes : il avait toujours déclaré qu'il ne serait pas le président qui enterrerait la Fédération tchécoslovaque... Il sera réélu un peu plus tard. Cet échec n'est pas sans rappeler celui d'un Gorbatchev n'ayant pu parvenir à sauver l'URSS, mais une situation autrement moins dramatique que celle de l'ex-Yougoslavie.

Le 1er janvier 1993 marque la naissance officielle des deux républiques. Seul un petit village résiste encore et toujours, non pas à l'envahisseur, mais à une partition en bonne et due forme : U Sabotu. Sur la frontière, côté slovaque selon les accords de partition, une trentaine de familles se disputent leur droit à la fierté nationale, sur fond d'intérêts pécuniaires bien entendu (pensions, salaires, coût de la vie... variant selon les deux pays). Une faible majorité de la population a déclaré au ministère de l'Intérieur pragois préférer la Slovaquie, mais une pétition, signée par les partisans tchèques, stipulant que « nul ne peut être forcé de quitter son pays », fut envoyée au Conseil constitutionnel tchèque. Pour en finir (ou pour compliquer tout), un dédommagement de 1,5 million de couronnes (ce qui équivalait alors à environ 45 000 €) a été proposé à tout villageois voulant s'installer ailleurs en République tchèque. Vous avez compris ? Résultat des courses : à cheval entre fierté et jalousie, les gens continuent à se haïr joyeusement.

Le « meilleur élève de la transformation post-communiste » ?

Après neuf ans d'existence, la République tchèque est, parmi les anciens pays communistes, l'un des plus avancés dans les réformes. Mais parfois le miracle économique ressemble à un trompe-l'œil, car si les investisseurs affluent et les usines tournent, les banques et les grandes industries, privatisées sur le tard, donnent lieu à des rachats à bas prix, suivis de démantèlements. Une avancée vers l'économie de marché que les Tchèques paient par un coût social élevé.

En mars 1995, les syndicats réunissent entre 80 000 et 90 000 manifestants pour défendre leurs acquis sociaux. On a bien cru à cette époque que la coalition formée par le Premier ministre Václav Klaus n'en sortirait pas indemne, d'autant que le président Václav Havel ne cachait pas son désaccord avec la politique du gouvernement. Le résultat des élections législatives de juin 1996 n'a fait que confirmer les doutes et la volonté de changement de la part de la population. Si la coalition sortante est arrivée en tête, elle a néanmoins perdu sa majorité au Parlement. La scène politique doit désormais compter avec le parti social-démocrate, devenu un véritable parti d'alternance et la deuxième formation du pays.

L'année 1997 a vu se conclure la déclaration tchéco-allemande, apaisant certaines tensions entre les deux pays. Cependant, la stagnation économique, la dévaluation de la couronne tchèque, les affaires de corruption, les affrontements politiques au sein de la coalition au pouvoir, et les questions de l'intégration dans l'OTAN et à l'Union européenne alourdissent l'atmosphère dans la société tchèque. Ainsi, fin novembre, Havel exige la démission de Václav Klaus, suite à un scandale sur le financement du parti démocratique civique. Le nouveau Premier ministre, Josef Tošovský, forme un nouveau gouvernement, qui conduit les affaires du pays jusqu'aux élections législatives anticipées de juin 1998.

Aux élections présidentielles de janvier 1998, le président sortant Václav Havel a été réélu sans surprise, tant il fait figure d'autorité morale, voire d'arbitre. Ainsi, tous les dimanches depuis 1990, il aborde à la radio les grands thèmes de l'actualité et prône la vérité et l'intégrité en matière de politique. Ses jeans des premiers jours de la démocratie, la trottinette offerte par la joueuse de tennis Martina Navrátilova pour se déplacer plus rapidement dans les couloirs du palais présidentiel, lui ont forgé une image de simplicité. Au bout du compte, son pire ennemi reste sa santé. Depuis son opération d'une perforation intestinale en avril 1998, la République tchèque vit au rythme des bulletins de santé du président. Depuis le 22 juillet 1998, Miloš Zeman a succédé à Josef Tošorský en tant que Premier ministre. En 1999, la République tchèque adhère à l'OTAN, quinze jours avant le début des bombardements sur Belgrade, ce qui fait grincer des dents chez les adversaires du sort réservé aux « frères slaves ».

Dates repères

– **Début de notre ère** : toute l'Europe est peuplée de Celtes. Certains d'entre eux, les Boïens, peuplent ce qui deviendra la Bohême.
– **Ve siècle** : arrivée des Slaves en Bohême-Moravie.
– **VIIe siècle** : la Bohême devient un centre marchand.
– **863** : mission byzantine de Cyrille et Méthode. Les tribus de Bohême se convertissent au christianisme.
– **870** : fondation du château de Prague.
– **867-894** : Bořivoj, premier prince de Bohême, issu de la dynastie des Przemislides.
– **Début du Xe siècle** : fin de l'empire de Grande-Moravie, envahi par les Magyars.
– **929** : mort de Venceslas, duc de Bohême, qui deviendra le saint patron de cette région.
– **1085** : Vratislav, premier roi de Bohême. Il devient grand électeur du Saint Empire romain germanique.
– **XIIIe siècle** : la couronne de Bohême devient héréditaire. Les Tatars envahissent la Moravie et la Slovaquie.
– **1344** : début de la construction de la cathédrale Saint-Guy.
– **1346-1378** : règne de l'empereur Charles IV. Il engage de gros travaux en vue d'embellir et de moderniser la ville de Prague.
– **1348** : fondation de l'université de Prague.
– **1415** : Maître Jan Hus est brûlé vif après avoir présenté ses positions durant le concile de Constance.
– **1419-1437** : guerres hussites.
– **1459-1471** : Georges de Poděbrady, roi hussite, est sur le trône. Suivra le règne de la dynastie des Jagellon, venus de Pologne. C'est la période du gothique flamboyant.
– **1526** : la dynastie des Habsbourg monte sur le trône et n'en redescendra que quatre siècles plus tard.
– **1583** : Rodolphe II, empereur germanique, troisième roi Habsbourg, choisit Prague comme capitale, délaissant Vienne.
– **1618** : première révolte contre les Habsbourg et deuxième défenestration de Prague.
– **1620** : bataille de la Montagne Blanche. Les réformistes sont vaincus et les catholiques, avec Ferdinand de Habsbourg au pouvoir, conservent le pouvoir. Recatholicisation forcée. Un an après, on décapite 27 nobles protestants sur la place de la Vieille-Ville. La « Contre-Réforme » se durcit.
– **1627** : Jan Amos Komenský (Comenius) quitte le pays pour avoir refusé de renier sa foi réformée. Il publiera en 1660, à Amsterdam, *Le Testament à la mère mourante.*

– *XVIIIe siècle :* c'est le grand siècle du baroque.

– *1784 :* Staré Město, Nové Město, Malá Strana, Hradčany sont réunis pour ne faire qu'une seule ville, Prague.

– *Fin XVIIIe siècle :* c'est le réveil national. Une volonté d'émancipation s'exprime de plus en plus.

– *1848 :* le mouvement national révolutionnaire est sévèrement réprimé.

– *1896 :* le ghetto juif est détruit. Prague se modernise.

– *1910-1918 :* l'Art nouveau fleurit, puis un peu le cubisme.

– *1918 :* proclamation de la République. Masaryk en est le premier chef d'État. L'Angleterre et la France sont les alliés « sûrs » de la nouvelle république.

– *1921 :* fondation du Parti communiste tchécoslovaque.

– *1938 :* accords de Munich, Hitler annexe les Sudètes, en majorité allemandes. La France et l'Angleterre lâchent la Tchécoslovaquie en ne réagissant pas.

– *1939-1945 :* domination et occupation de la Bohême-Moravie par les nazis.

– *1945 :* les Américains laissent l'Armée Rouge libérer Prague, celle-ci ayant déjà quelques vues sur la région.

– *Février 1948 :* Coup de Prague ; les communistes arrivent au pouvoir par un jeu politique particulièrement habile.

– *1952 :* début des procès de Prague.

– *1968 :* Printemps de Prague. Le président Dubček « libéralise » le pays et propose un socialisme à visage humain. En août 1968, l'URSS propose ses chars en réponse à cette vague d'humanisation. La reprise en main est sévère.

– *1969 :* immolation de Jan Palach pour protester contre l'invasion soviétique. Le pays se normalise. Émigration, répression, surveillance. La Tchécoslovaquie se fédère et se compose de deux républiques : la Bohême-Moravie et la Slovaquie.

– *1977 :* Václav Havel rédige la Charte 77 et ouvre la porte de la dissidence.

– *1989 :* « révolution de velours » et élection de Václav Havel comme président. Dubček est acclamé aux côtés de Havel.

– *1991 :* retrait des troupes soviétiques de Tchécoslovaquie.

– *1992 :* mort d'Alexandre Dubček.

– *1er janvier 1993 :* partition du pays en République tchèque et République slovaque.

– *1994 :* le Premier ministre, Václav Klaus, met le pays sur les rails de l'économie de marché : privatisations, restitution des biens nationalisés, introduction de la TVA...

– *1995 :* grogne sociale. Le 25 mars, entre 80 000 et 90 000 personnes venues de tout le pays ont manifesté à Prague pour défendre leurs acquis sociaux.

– *Juin 1996 :* les élections législatives font perdre au gouvernement de coalition sa majorité au Parlement. Le président Havel charge Václav Klaus de former un nouveau gouvernement.

– *1997 :* Jacques Chirac soutient la candidature de la République tchèque pour son adhésion à l'Union européenne. Celle-ci pourrait intervenir d'ici l'an 2005.

– *1998 :* réélection de Václav Havel.

– *1999 :* adhésion à l'OTAN, et bombardement de la Serbie quinze jours après.

– *2000-2001 :* crise à la TV tchèque. Le directeur nommé par le pouvoir doit démissionner après une longue grève et d'immenses manifestations.

– *2002 :* Les Tchèques s'inquiètent beaucoup de la santé de Václav Havel.

INFOS EN FRANÇAIS SUR TV5

Présence de TV5

La chaîne TV5 est reçue dans la plupart des hôtels du pays. Pour ceux qui souhaitent s'y installer plus longtemps ou qui voyagent avec leur antenne parabolique, la chaîne est reçue par satellite en réception directe analogique sur Eutelsat II F6 (Hot Bird 1), en réception directe numérique sur Astra 19,2° Est et sur le bouquet UPC Direct en République tchèque.

Principaux rendez-vous en heure locale avec l'info

Les principaux rendez-vous Infos sont toujours à heures rondes où que vous soyez dans le monde mais vous pouvez surfer sur leur site ● www.tv5.org ● pour les programmes détaillés ou l'actu en direct, les rubriques voyages, découvertes...

LANGUE

Chaque pays a sa langue officielle. Les Tchèques parlent le tchèque, et les Slovaques parlent le slovaque. Logique, non ? Bien qu'apparentées, ces deux langues sont toutefois différentes par l'orthographe et le vocabulaire. Info très utile : l'allemand se révèle beaucoup plus efficace que l'anglais, encore très peu pratiqué. Il vaut mieux en connaître quelques rudiments. Quant au français, à quelques rares exceptions près, il est aussi répandu que le javanais.

Si vous ne pratiquez ni l'un ni l'autre, voici quelques indications.

Le tchèque est une langue slave sans aucun rapport avec les langues latines ou anglo-saxonnes. Les mots se déclinent et s'accordent, les consonnes s'accumulent, alors qu'au même moment, de drôles d'accents démultiplient les possibilités de prononciation. Ainsi, Prague se dit Praha, Praze, Prahou, Prahy, selon sa place dans la phrase. Un autre exemple peut-être ? Voici le classique des classiques : « Enfonce ton doigt dans la gorge » se dit « Strč prst skrz krk ». Outre la prononciation, la logique tchèque peut également être un écueil à l'apprentissage de la langue. Ainsi, « Oui » s'écrit « Ano » mais se prononce « Non ». Pour dire « Il est 10 h 45 », on signale à son interlocuteur qu'on a fait les trois quarts du chemin qui nous mène à 11 h. « Il est 10 h 35 » se dit « Dans dix minutes, on aura fait les trois quarts du chemin qui nous mène à 11 h ». Bref, quand on arrive à aligner deux mots en tchèque, ça fait deux fautes.

Tous les mots sans exception sont accentués sur la première syllabe. Pour mieux prononcer, ne pas oublier les quelques règles suivantes : á = a long (aa) ; í et ý = i long (ii) ; ú ou ů = ou long ; ě = ié ; ď ou ť = die ou tie ; c = ts ; č = tch ; s = s long (ss) ; š = ch ; ř = rch ; j = iè ; ž = j.

Conversation générale

Oui	*Ano*
Non	*Ne*
Bonjour	*Dobrý den*
Bonsoir	*Dobrý večer*
Bonne nuit	*Dobru noc*
Au revoir	*Na shledanou*
S'il vous plaît	*Prosm*
Merci	*Děkuji*
De rien	*Neń zač*
Pardon !	*Promiňte !*
Combien ?	*Kolik ?*
Parlez-vous le français ?	*Mluvíte francouzsky ?*
Je ne comprends pas	*Nerozmím*

Inscriptions courantes

Entrée	*Vchod*
Sortie	*Východ*
À gauche	*Vlevo*
À droite	*Vpravo*
Entrée interdite	*Vstup zakázán*
Caisse	*Pokladna*
Défense de fumer	*Kouření zakázáno*
Occupé	*Obsazeno*
Ouvert	*Otevřeno*
Réservé	*Zadáno*
Fermé	*Zavřeno*

Chiffres

Un	*Jeden*
Deux	*Dva*
Trois	*Tři*
Quatre	*Čtyři*
Cinq	*Pět*
Six	*Šest*
Sept	*Sedm*
Huit	*Osm*
Neuf	*Devět*
Dix	*Deset*
Vingt	*Dvacet*
Cent	*Sto*
Deux cents	*Dvěstě*
Trois cents	*Třista*
Quatre cents	*Čtyřista*
Cinq cents	*Pětset*
Mille	*Tisíc*
Dix mille	*Deset tisíc*

Calendrier

Lundi	*Pondělí*
Mardi	*Úterý*
Mercredi	*Středa*
Jeudi	*Čtvrtek*
Vendredi	*Pátek*
Samedi	*Sobota*
Dimanche	*Neděle*
Aujourd'hui	*Dnes*
Demain	*Zítra*
Hier	*Včera*
Janvier	*Leden*
Février	*Únor*
Mars	*Březen*
Avril	*Duben*
Mai	*Květen*
Juin	*Červen*
Juillet	*Červenec*
Août	*Srpen*
Septembre	*Zaři*
Octobre	*Řijen*
Novembre	*Listopad*
Décembre	*Prosinec*

Toponymie

Place	*Náměstí*
Rue	*Ulice*
Avenue	*Třída*
Quai	*Nábřeží*
Jardin, parc	*Zahrada, park*
Église	*Kostel*
Pont	*Most*
Château	*Zámek*
Château fort	*Hrad*
Virage	*Zatáčka*
Déviation	*Objížďka*
Poste de police	*Policie*
Gare	*Nádrăzí*

Au restaurant

Restaurant	*Restaurace*
Petit déjeuner	*Snídaně*
Déjeuner	*Oběd*
Dîner	*Večeře*
Café noir	*Černá káva*
Lait	*Mléko*
Café au lait	*Bílá káva*
Chocolat	*Čokoláda*
Thé	*Čaj*
Bière	*Pivo*
Beurre	*Máslo*
Pain	*Chléb*
Fromage	*Sýr*
Apportez-moi de l'eau minérale	*Přineste mi minerálku*
Une bouteille	*Láhev*
Un verre	*Sklenka*
À votre santé	*Na zdraví*
La carte, s'il vous plaît	*Jídelní lístek, prosím*
L'addition, s'il vous plaît	*Platit, prosím*
Canard	*Kachna*
Gibier	*Zvěřina*
Légumes	*Zelenina*
Œufs	*Vejce*
Petit pain	*Pečivo*
Poissons	*Ryby*
Poulet	*Kuře*
Riz	*Rýže*
Sel	*Sůl*
Sucre	*Cukr*
Viande de bœuf	*Hovězí*
Viande de veau	*Telecí*
Viande fumée	*Uzené*
Volaille	*Drůbež*

À l'hôtel

Une chambre à un lit	*Jednolůžkový pokoj*
Une chambre à deux lits	*Dvoulůžkovy pokoj*
Avec bains	*S koupelnou*
La clé	*Klíče*

Pour un jour	*Na jeden den*
Pour deux jours	*Na dva dny*
Quel numéro de chambre?	*Jaké je číslo mého pokoje?*
Service compris	*Včetně spropitného*
Réveillez-moi à sept heures	*Vzbuďte mne v sedm hodin*
Appelez un taxi	*Objednejte mi taxi*
Je désire téléphoner	*Chtěl bych si zatelefonovat*

GÉNÉRALITÉS

LIVRES DE ROUTE

– **Le Brave Soldat Švejk** (1920-1921), de Jaroslav Hašek; Folio n° 676. Il n'y a pas vraiment d'histoire dans ce roman, qui se présente plutôt comme une chronique de la Première Guerre mondiale vue par les yeux de Švejk, le soldat. La satire de l'armée, de la bureaucratie et de la mesquinerie dépasse ici son objet premier pour devenir universelle. Le roman fut d'ailleurs un temps interdit dans certains pays de l'Est. Notez que cet anar de base sert aujourd'hui d'enseigne à une filiale de *McDonald*, qui vend des plats typiques tchèques version *McDo*.

– **Histoires pragoises** (1875-1926), de Rainer Maria Rilke; Mille et une Nuits n° 235. Ces *Histoires pragoises* d'un poète de langue allemande, originaire de Prague, sont constituées de deux courts récits autobiographiques, *Le Roi Bohush* et *Frère et sœur*. Ces écrits de jeunesse ont un intérêt documentaire et historique, notamment parce qu'ils témoignent de la montée d'un sentiment nationaliste anti-allemand chez les jeunes Tchèques dans l'Empire austro-hongrois de la fin du XIXe siècle.

– **Milena** (1977), de Margarete Buber-Neumann; Points n° 73. C'est au camp de concentration de Ravensbrück que Margarete Buber-Neumann fit la rencontre de celle qui se présenta d'emblée comme « Milena de Prague » et à laquelle elle consacre cette biographie bouleversante. Sans ce livre, l'histoire n'aurait retenu de sa vie qu'une relation profonde et fugace avec un écrivain alors peu connu : Kafka. Lire également le recueil de textes de Milena Jesenská (elle était journaliste), *Vivre*, éd. Lieu commun.

– **Le Procès**, de Franz Kafka; Folio n° 1840. Dans une grande ville (Prague?), l'employé Joseph K. est informé qu'il est accusé de quelque chose. Personne, ni K. ni le lecteur, ne saura jamais de quoi, ni par qui. Tout est dans le mécanisme aveugle, emblématique pour Kafka de notre monde contemporain, qui broie l'individu sous le poids de l'appareil judiciaire ou bureaucratique.

– **Le Livre du rire et de l'oubli**, de Milan Kundera; Folio n° 1831. Un détail révélateur revient dans la plupart des livres de cet exilé tchèque : son pays s'appelle toujours Bohême! La mémoire est l'un des thèmes principaux de ce livre. Étonnant chassé-croisé de tranches de vies et de regards portés sur une société bouleversée par les chars de 1968.

– De Václav Havel, qui fut poète et dramaturge avant de devenir président de la République tchèque, citons **Écrits politiques** (Calmann-Lévy), **L'Aube**, **Interrogatoire à distance** (10-18) et ses pièces de théâtre : **Largo Desolato**, **Audience**, **Vernissage** et **La Grande Roue**.

MÉDIAS

Histoire de mettre quelque chose dans cette rubrique, parce que cela nous étonnerait que vous vous mettiez à lire les journaux tchèques (à part le *Prague Post* en anglais), on vous signale que l'on peut capter Radio France Internationale sur 99,3 FM. Voilà.

PATRIMOINE CULTUREL PRAGOIS

Prague fut fondée au IXe siècle. Ce n'était d'abord qu'un petit quartier marchand à l'emplacement de la Vieille Ville. Puis commença la construction d'un premier château (de style roman) avec, comme seul vestige de l'époque aujourd'hui, la basilique Saint-Georges. Dans la Vieille Ville, les premières maisons en dur étaient romanes. Au XIIIe siècle, on construisit en gothique, le plus souvent sur les anciennes structures romanes. En effet, on dut surélever toute la Vieille Ville, trop fréquemment inondée par les crues de la Vltava, par un remblai de 2 à 3 m de terre. Voilà comment de nombreux rez-de-chaussée devinrent des caves. Cela explique aussi que les traces de style roman dans l'architecture civile soient si peu apparentes et que l'on ne puisse les découvrir (lorsque la façade est soit gothique soit baroque) que dans les entrées de portes cochères (d'anciens premiers étages) ou en allant dîner dans quelques fameux restaurants installés dans des sous-sols. C'est alors qu'apparaissent de très grandes et harmonieuses salles voûtées romanes.

Au XIIIe siècle, fondation du ghetto juif et construction de la synagogue Vieille-Nouvelle. Création également du quartier de Malá Strana sur la colline du château. Au siècle suivant, naissance du quartier de Hradčany au sommet de la colline. Construction de l'hôtel de ville de la Vieille Ville et début des travaux d'édification de la cathédrale Saint-Guy. Le XIVe siècle, sous le règne de Charles IV, connut une extraordinaire floraison architecturale.

Puis apparition du style Renaissance. Avec le gothique, ce style fut largement supplanté par le style baroque arrivé dans les fourgons de la Contre-Réforme au XVIIe siècle. En effet, la victoire du catholicisme provoqua l'avènement du baroque jésuite, français, italien et allemand, assez étonnante « punition architecturale » pour un peuple protestant trop rebelle. Le baroque de la dynastie des Habsbourg (qui allait régner pendant plusieurs siècles) fut donc un art imposé contre le gothique tchèque. Ce qui explique d'ailleurs aujourd'hui la merveilleuse homogénéité du quartier de Malá Strana, entièrement « converti » au baroque.

Les styles architecturaux qui succédèrent au baroque, classicisme et Empire modifièrent très peu le visage de Prague. Par contre, on trouve plus d'exemples de la période dite « historiciste », couvrant la deuxième partie du XIXe siècle et un peu au-delà. Ce style mélangea allégrement toutes les tendances qui le précédèrent et parvint à créer un genre éclectique vraiment original (*cf.* la rue de Paris). Enfin, le profond désir d'un art national typique aboutit aux belles dérives de l'Art nouveau. Le cubisme trouva à Prague les rares cas d'application en Europe. Pour finir, les monstres architecturaux de la période stalinienne et husakienne ne méritent guère d'attention.

Il faut cependant saluer les gros efforts déployés depuis 1970 pour restaurer les plus beaux monuments de la ville. Hélas, cette entreprise salutaire engendra un nouveau style dominant, terreur des photographes, l'« échafaudagisme ». La ville se couvrit de tubes et de planches qui vinrent emprisonner églises et prestigieux bâtiments civils. Et l'ardeur bureaucratique aidant, pendant de nombreuses années, rouille, mousses et végétations diverses témoignèrent de la pérennité de ce style. Aujourd'hui, tout cela est bien fini, et les plus beaux monuments ont été superbement restaurés.

Du point de vue architectural, Prague se révèle un chef-d'œuvre absolu, une cité unique en Europe. Nulle part ailleurs on ne retrouve autant de coins campagnards (voire sauvages), de telles avalanches merveilleusement désordonnées de toits, de tels pieds de nez à l'uniformité et à l'ennui. C'est un festival de lignes brisées, décrochements, saillies, etc. Les architectes s'adaptèrent savamment au terrain accidenté, accentuant même parfois le côté ludique de cet urbanisme imposé par la configuration des lieux. Ajoutez à cela les myriades de façades et frontons aux formes multiples et richement sculptés. Et puis la ville se révèle un véritable gruyère. C'est une ville de « passages ». De nombreux porches s'ouvrent sur des enfilades de cours menant à d'autres porches, s'ouvrant sur d'autres rues. Les Pragois connaissent bien ces raccourcis, ces traboules locales, qui ajoutent encore au mystère de la ville et qui permirent à nombre de résistants de toutes époques d'échapper aux soldats des Habsbourg puis plus tard aux nazis. Ne dit-on pas qu'on pourrait traverser Prague en évitant quasiment toutes les rues ? Nos lecteurs aventureux, randonneurs urbains impénitents, seront vraiment à la noce !

Prague, une ville à arpenter, plus que toute autre, suivant sa propre inspiration.

GÉNÉRALITÉS

Éclairage sur les différents styles architecturaux

Visiter Prague nez au vent et prendre un cours d'architecture en plein air, que demander de plus ? Rare ville d'Europe qui témoigne de toutes les périodes de l'architecture, Prague invite à la découverte permanente. Elle a bénéficié des influences romanes et germaniques, oscillé entre protestantisme rigoureux et Contre-Réforme baroque et accueilli les avant-gardes occidentales (Art nouveau, cubisme) autant que celles de Moscou (constructivisme). À chaque strate successive, l'architecte tchèque réinterprète les genres et ajoute une tonalité originale « made in Bohême ». Pour comprendre cet audacieux collage de styles architecturaux, il suffit d'observer certains bâtiments. Les racines sont romanes, la galerie au rez-de-chaussée gothique, les étages Renaissance, les frontons baroques ou rococo, les fenêtres de style classique, et, en dernier lieu, la façade décorée d'ornements Art nouveau.

– **Roman (du IXe siècle au milieu du XIIIe siècle) :** à Prague comme ailleurs, l'art roman est un pot-pourri d'influences diverses. Introduit en Bohême au XIe siècle, sous la dynastie des Przemislides, il est à la mode byzantine à la rotonde Sainte-Croix et tradition rhénane à la basilique Saint-Georges ou au château. Ses règles sont connues : arcades et voûtes rondes, clochers carrés, tympans et chapiteaux sculptés, fresques omniprésentes... Le tout massif, trapu, calqué sur les besoins de la liturgie et, pour tout dire, fonctionnel... Le style roman dans la maison est également omniprésent autour de la place de la Vieille-Ville mais... enfoui sous terre. En effet, les rez-de-chaussée romans ont été recouverts par un remblai au XIIIe siècle pour rehausser la Vieille Ville et éviter les crues catastrophiques de la Vltava.

– **Gothique (du XIIIe siècle au XVe siècle) :** la voûte sur croisée d'ogives est sa marque de fabrique. Des raffinements de structure permettent d'élancer la voûte, d'allonger les fenêtres, de décomposer les vitrages en alvéoles innombrables... Libéré, le gothique (par exemple, dans la cathédrale Saint-Guy) imite la forêt : clochetons arborescents, colonnades-futaies, voûtes à nervures du château... L'architecte Benedikt Ried portera à son paroxysme ces possibilités de nervuration des voûtes en réseau ou en étoile, en particulier dans la salle Vladislas et dans l'escalier des Cavaliers du vieux Palais royal. La multiplication des ouvertures, l'amplitude retrouvée de l'espace ne cesse d'alléger l'édifice. À la fin du XVe siècle, le gothique flamboyant pousse au maximum cette effervescence et annonce le baroque avant la lettre.

– **Renaissance (XVIe-XVIIe siècles) :** Prague possède son propre style Renaissance. Il marie curieusement les pignons chantournés des pays du Nord au maniérisme de l'Italie néo-antique. Gimmicks d'usage : les sgraffites (fresques grattées sur fond noir ou bistre) à motifs figuratifs (maison « À la Minute », place de la Vieille-Ville) ou géométriques, les faux bossages « en pointes de diamant » au palais Schwarzenberg.

– *Baroque (du XVIIe siècle au XIXe siècle)* : le style baroque est la revanche de la Contre-Réforme, incarnée par la très catholique dynastie Habsbourg. Baroque jésuite, français, italien ou allemand, c'est le style imposé, l'anti-protestantisme. D'origine romaine avec la façade tripartite et le plan centré, l'influence des architectes Dientzenhofer accentue l'ondulation des parois et l'enchevêtrement des espaces. L'église Saint-Nicolas, place de Malá-Strana, est une merveille du genre. Les églises manifestent un grand souci de promotion religieuse : portiques intimidants, amples plafonds en trompe l'œil, porches triomphaux... Sur les statues et les peintures, les saints se contorsionnent dans des postures théâtrales. Les maîtres-autels ruissellent de personnages dorés. On exploite les courbes sensuelles, les accroche-cœurs espiègles, les bulbes joufflus. Au XVIIIe siècle, le baroque s'exaspérera pour imiter les fantaisies les plus tarabiscotées de la nature : c'est le style rococo, ou rocaille.

– *Classicisme, Empire et historicisme (du XVIIIe siècle au XXe siècle)* : le classicisme marque le retour de balancier après les extravagances du baroque. Retenue, sévérité et économie d'effets en sont les conséquences. Le style Empire (début XIXe siècle) est peu représenté à Prague, à part les réalisations du Viennois Georg Fisher. Ensuite, les parodies historicisantes s'emparent de Prague : néo-roman, néo-gothique, néo-Renaissance, néo-baroque... Les monuments, par exemple le Théâtre national ou le Musée national, résultant de l'utilisation d'éléments historiques, renforçaient le sentiment d'identité nationale très en vogue à l'époque. Le holà sera mis au début du XXe siècle avec une redéfinition du rôle de l'espace et une recherche sur les matériaux.

– *Art nouveau, Jugendstil et Sécession (1894-1910)* : sous le terme Art nouveau vont se regrouper différents mouvements européens qui voient le jour à la fin du XIXe siècle, Modern Style en Angleterre, Jugendstil en Allemagne, Sécession en Autriche, Art nouveau en France, etc. Une même aspiration les unit : rejeter l'héritage historique et académique, exprimer un nouvel art de vivre de l'époque en renouvelant le langage décoratif. L'Art nouveau, ici simplement appelé « Secese », va remodeler le visage de Prague, empruntant au Jugendstil un goût pour les lignes courbes du végétal et au genre viennois une stylisation plus épurée. De sinueux décors arborescents qui mêlent verrières, mosaïques, ferronneries et céramiques ornent, en particulier, les façades de la Maison municipale (Republiky nám), de l'hôtel *Europa* (Václavské nám) ou de l'hôtel *Central* (rue Hybernská). L'ornementation, qui est le fruit d'artistes d'horizons divers (peintres, sculpteurs ou artisans d'art), constitue un manifeste à l'art de la vie, du décor et de la beauté.

– *Cubisme, constructivisme, fonctionnalisme (XXe siècle)* : Prague est la seule ville où des réalisations architecturales cubistes se concrétisèrent. Sur les théories du cubisme pictural, on arrive à un éclatement de la forme, à une décomposition de la façade en multiples facettes inclinées et saillantes. Quelques exemples : la maison « À la Vierge noire », rue Celetná (on peut la visiter), ou à Vyšehrad, la maison de l'architecte Chochol (quai Rašínovo), ainsi qu'un immeuble à l'angle des rues Neklanova et Přemyslova. Pendant l'entre-deux-guerres, sous l'influence de deux mouvements, l'accent est mis sur la fonction utilitaire de l'architecture à laquelle doit se soumettre la forme. À l'Est, le constructivisme russe se veut être un instrument révolutionnaire. À l'Ouest, le fonctionnalisme de Le Corbusier prône le volume élémentaire, standardisable, aux surfaces dépourvues d'ornementation non fonctionnelle. Et aboutit à un style quelque peu indigeste...

Aujourd'hui, la tendance est au dialogue entre architecture nouvelle et ancienne, avec un regain d'intérêt pour le « génie du lieu » si particulier à Prague.

Prague : ville d'accueil pour les écrivains, artistes et musiciens

Prague, ville au grand pouvoir de séduction et à l'hospitalité légendaire, se devait d'attirer artistes et intellectuels. Le premier d'entre eux, Mozart, y fut véritablement reconnu (beaucoup plus qu'en Autriche) et y vécut ses plus beaux jours. *Don Giovanni* fut d'ailleurs créé à Prague. Beethoven y reçut également un chaleureux accueil. Chateaubriand, qui y séjourna en 1833, laissa dans les *Mémoires d'outre-tombe* de fort belles pages que lui avait inspirées la ville : « En chemin vers le château, je gravis des rues silencieuses, sombres, sans réverbère... À mesure que je grimpais, je découvrais la ville en dessous, les enchaînements de l'histoire, le sort des hommes, la destruction des empires se présentaient à ma mémoire en s'identifiant aux souvenirs de ma propre destinée. Après avoir exploré des ruines mortes, j'étais appelé au spectacle des ruines vivantes... » À la même époque, Chopin et Liszt séduisirent les Pragois. Berlioz, lui, les conquit. C'est d'ailleurs dans leur ville qu'il composa plusieurs morceaux de la *Damnation de Faust*. Puis, dans la deuxième partie du XIXe siècle, Prague produisit deux immenses génies : Smetana et Dvořák, tout en continuant d'accueillir avec enthousiasme Saint-Saëns et Tchaïkovski. Beaucoup de musiciens, souvent mal compris dans leur propre pays, reconnurent devoir à Prague de grands moments de bonheur. Mahler, bien sûr, est indissociable de Prague puisqu'il y fit ses études avant d'aller au conservatoire de Vienne. Mais c'est en Bohême qu'il commença véritablement sa carrière musicale. À partir de 1903, on y joua ses symphonies les plus importantes. La même année, Grieg y reçut un accueil triomphal. À la même époque, Guillaume Apollinaire fut, lui aussi, subjugué par la capitale de la Bohême qui lui inspira son enthousiaste *Passant de Prague*. D'emblée, l'œuvre de Rodin fut comprise et aimée des Pragois. Le génie du sculpteur ne pouvait qu'entrer en symbiose avec l'extraordinaire baroque tchèque. Enfin, il faut citer Leoš Janáček qui, bien que né en Moravie et ayant vécu à Brno, composa souvent à Prague où il a été fort estimé. Plus près de nous, l'illustrateur, cinéaste et marionnettiste Jiří Trnka laissa une œuvre superbe, très poétique, à l'image de la cité aux cent tours et clochers.

Quant à Kafka, il mérite bien un chapitre spécial (voir également plus bas, la rubrique « Personnages »).

C'est kafkaïen tout ça !

Et un chapitre spécial pour le plus illustre des Pragois, Franz Kafka. Né à Prague en 1883, mort en 1924 de la tuberculose près de Vienne, Kafka concentre toutes les contradictions de la ville et de son époque : juif en milieu majoritairement chrétien, intellectuel dans une famille qui ne l'est pas, écrivant en allemand au moment de la montée des aspirations nationales tchèques, travaillant dans une compagnie d'assurances qui l'empêche de s'épanouir... Carrière, santé, mariage, la mouise le suit partout. Ses œuvres ? Il brûle ses premiers brouillons, les jugeant trop ampoulés. Mais il ne pouvait s'empêcher d'écrire, comme pour expier sa « faute », sa « plaie dont celle des poumons n'est que le symbole ». Bonjour l'angoisse ! Elle ne le quittera plus. Tous les ingrédients sont réunis pour réaliser une œuvre sombre, pessimiste, inachevée !

Kafka entretenait avec Prague un rapport passionné, amour et haine mêlés. Il écrivit : « Prague ne nous lâchera jamais, cette petite mère a des griffes ! » Pour Kafka, le monde moderne n'inspire que l'angoisse, la perspective d'une vie sans issue. Ses héros ne comprennent ni les raisons ni les responsables de leur oppression. Ce sont des prisonniers, et ce n'est pas un hasard s'ils portent des noms qui sonnent comme des matricules : l'arpenteur K. dans

Le Château, Joseph K. dans *Le Procès*... Comment ne pas voir, dans le condamné innocent du *Procès*, une préfiguration du destin que les nazis réserveront aux juifs ?

Pendant la guerre, l'occupant ne s'y trompa pas : il saccagea son domicile, détruisit lettres et documents, puis expédia les trois sœurs de Kafka en camp de concentration... Il s'en fallut de peu que l'œuvre de Kafka disparaisse à jamais, puisqu'il avait ordonné à son ami Max Brod, écrivain lui aussi, de brûler tous ses manuscrits. Brod commit là une infidélité historique puisqu'il permit la publication posthume de la majeure partie de l'œuvre de son ami et le succès de l'adjectif *kafkaïen* !

PERSONNAGES

– **Mathias d'Arras** (mort en 1352) : au-dessus du buste de Mathias d'Arras situé dans le triforium de la cathédrale Saint-Guy, on peut lire en latin : « Mathias, né à Arras, ville de France, premier bâtisseur de cette cathédrale, fut appelé par Charles IV lors de son séjour en Avignon pour construire cette cathédrale. Il commença en 1344 et dirigea les travaux jusqu'à sa mort en 1352. » En effet, ce grand bâtisseur, recommandé auprès de Charles IV par le pape Clément VI, fit les plans de cette audacieuse construction. Il eut le temps de poser les fondations et d'ériger la cathédrale jusqu'à hauteur des voûtes. Puis la suite du travail fut réalisée par Petr Parléř.

– **Edvard Beneš** (1884-1948) : l'homme des grandes heures, bonnes ou mauvaises. Lors de la Première Guerre mondiale, Edvard Beneš rejoint celui qui sera le premier président de la Tchécoslovaquie indépendante, Masaryk. De Suisse, ils envoient même une brigade livrer bataille aux Austro-Hongrois. À la naissance du pays, Beneš prend les Affaires étrangères. Inscrit au parti socialiste national (rien à voir avec les nazis, mais plutôt proche des radicaux-socialistes français), il succède à Masaryk en 1935, dans une conjoncture difficile. Hitler s'enhardissant, les Allemands des Sudètes s'agitent. Beneš appelle les Tchèques et les Slovaques. Rien n'y fait. Le 28 septembre, Hitler lance un ultimatum. Le 29, les accords de Munich sont signés (sans Beneš) : ils livrent au Reich une portion de terre tchèque. Quand la guerre éclate, Edvard Beneš fuit à Paris, puis à Londres, constituer un gouvernement en exil. Reconnu par les pays occidentaux, il amadoue Moscou en admettant un communiste en son sein. Ce ne sera que le premier. À la Libération, Beneš doit former un gouvernement d'union nationale avec tous les grands partis, dont l'homme de Moscou, Klement Gottwald. Sur vingt-cinq ministres, huit sont communistes. Ils le feront savoir en 1948, lors du « coup de Prague ». Évincé, Beneš meurt peu après...

– **Tycho Brahé** (1546-1601) : avant que Galilée n'invente la lunette (en 1609), on observait le ciel comme on pouvait. Le Danois Tycho Brahé s'y essaie dans les années 1570. Super œil de lynx, il débusque une supernova dans la constellation de Cassiopée. Il a 26 ans. À la mort du roi de Danemark, son protecteur, Brahé rejoint à Prague la cour de Rodolphe II de Habsbourg. Il continue de plonger le nez dans les étoiles. À la fin, son catalogue en recense huit cents. Reste à ordonner tout cela en système et là, Tycho Brahé fait le mauvais choix. Il abandonne la cosmologie de Copernic (la Terre tourne autour du Soleil) pour une variante du système de Ptolémée (l'Univers tourne autour de la Terre), plus conforme à la Bible. Son successeur à la cour de Prague, le protestant Johannes Kepler, sera plus clairvoyant. Tout en se fiant aveuglément aux observations de Brahé, il rétablit l'héliocentrisme.

– **Karel Čapek** (1890-1938) : écrivain, journaliste, dramaturge, il est l'un des intellectuels en vogue de l'entre-deux-guerres. Son amitié et ses contacts réguliers avec le président Masaryk lui ont donné le rôle d'écrivain officiel du Château. Il est le célèbre créateur du mot « robot » (du mot tchèque *robota* signifiant « corvée ») qui apparaît dans la pièce de théâtre *R.U.R.* Sur une île, un savant extravagant met au point des golems modernes, machines bien huilées qui remplacent, sans émotion aucune, le travail de l'homme. Évidemment, quand la mécanique s'emballe, les robots prennent le pouvoir et c'est le cauchemar. Cette pièce, très avant-gardiste, se voulait être un avertissement à la société technique autant qu'une déclaration de haine envers toute forme de collectivisme ou de réforme fanatique. Nul doute que cette version remaniée du Golem de Prague en fait toujours frissonner plus d'un. Avec l'invasion allemande, Čapek passe pour un visionnaire.

– *Charles IV* (1346-1378) *:* appelé « père de la Patrie » tchèque, tant son œuvre politique, économique et culturelle fut grande. Monarque sage et éclairé, d'une grande culture, polyglotte, il est roi de Bohême (1357) et empereur de Rome. Bien qu'empereur, il s'attacha tout particulièrement à la Bohême. Baptisé Venceslas, fils de Jean de Luxembourg et d'Eliška Přemyslovna, princesse héritière de la famille royale des Přemyslides, il fut élevé à la cour de Charles IV le Bel à Paris, et c'est en son honneur qu'il prit le nom de Charles, délaissant celui de Venceslas. Bâtisseur de nombreux monuments (la cathédrale Saint-Guy, le pont Charles, le Palais royal, Karlštejn), il fut également mécène des arts et des sciences. Parmi ses innovations en agriculture et pisciculture, rappelons qu'il est le premier à introduire la vigne en Bohême. Il fonde par ailleurs l'université et décide de la construction du quartier Nové Město. Personnage très pieux, il se marie quatre fois, avec toujours de bonnes alliances stratégiques ! Sa dernière femme, Élisabeth de Poméranie, était capable, selon les dires, de briser les épées à la force du poignet. Costaude, la reine ! Charles IV reste l'une des figures maîtresses de l'histoire du pays et de Prague.

– *Josef Chochol* (1880-1956) *:* après une formation dans la mouvance Art nouveau à Vienne, il devient l'un des représentants du cubisme tchèque. Auteur de plusieurs bâtiments cubistes dont les plus importants se trouvent à Podolí Vyšehrad. Les immeubles sont composés de facettes et d'arêtes, à l'image des cristaux ou des minéraux. Au bout de la rue Celetná, on peut admirer la maison cubiste « À la Vierge noire », l'œuvre d'un autre architecte cubiste, Josef Gočár. Dans les années 1920, Chochol se tourne vers le constructivisme russe mais sans réalisation concrète.

– *Christoph et Kilian Ignaz Dientzenhofer* (1655-1722 et 1689-1751) *:* tel père, tel fils ! Cela pourrait être la devise de cette illustre famille d'architectes d'origine bavaroise. Le père, Christoph, s'installe à Prague et débute la construction de l'église Saint-Nicolas à Malá Strana. Le fils, Kilian Ignaz, achève certaines des œuvres de son père et ne tarde pas à le surpasser en qualité. Il porte le style baroque à son sommet en lui donnant sa marque personnelle. Véritable stakhanoviste de la réalisation architecturale, il parsème Prague et les environs d'églises, de palais ou de couvents. Entre autres, la façade de Notre-Dame-de-Lorette, l'église Saint-Jean-Népomucène, l'église Saint-Nicolas de la Vieille-Ville, le palais Sylva-Tarrouca, etc.

– *Alexandre Dubček* (1912-1992) *:* le Slovaque Alexandre Dubček gagne son auréole printanière le 5 janvier 1968, en prenant la tête du Parti communiste tchécoslovaque. Dans le prolongement de la déstalinisation, les intellectuels cherchent à libéraliser « leur » socialisme, en arguant de la spécificité nationale. Cette volonté de réforme secoue l'appareil du Parti, jusqu'au comité central. Dubček sera l'homme des réformes. Le vent de liberté a mis la rue sous pression. Faute d'arriver à diriger le mouvement, Alexandre Dubček s'efforce de l'accompagner. En quelques mois, la censure est abolie, la liberté d'expression se pratique au vu de tous. Le Congrès de septembre doit même rétablir le multipartisme. Tout cela, bien entendu, avec les meilleures protestations d'amitié pour le grand frère soviétique. On connaît la suite. Alerté par Erich Honecker sur les risques de contagion, Brejnev ordonne (à son corps défendant, dira-t-on) l'intervention des troupes du Pacte de Varsovie. Moins de deux ans plus tard, Dubček est évincé. Il disparaît pendant vingt ans de la vie politique. Sa réhabilitation attendra la

« révolution de velours ». En 1989, Václav Havel le fait acclamer sur la place Venceslas. Invité à chapeauter le premier gouvernement de l'après-communisme, Dubček se récuse. Il s'éteindra quelques mois plus tard.

– **Antonín Dvořák** (1841-1904) : pom-pom-pom... La *Symphonie du Nouveau Monde* est l'un des morceaux de bravoure du répertoire pompier. D'autres font grand cas de ce « chef-d'œuvre visionnaire », où Dvořák déroule à l'envi les grands espaces peuplés de sauvages inquiétants et de gigantesques forêts... De ce romantisme échevelé, les Américains eux-mêmes n'en revenaient pas. À New York, Antonín Dvořák fut professeur au Conservatoire national de musique et, de 1892 à 1895, il dirigea l'orchestre de cette institution. Pour le reste, ce brillant chef d'orchestre fut dans son jeune âge un compositeur résolument tchèque, comme en témoignent ses fameuses *Danses slaves*. Il enseigna au conservatoire de Prague. En plus d'être l'auteur d'autres symphonies, un *Requiem* et l'estimable *Concerto pour violoncelle et orchestre en si mineur*, Dvořák reste avant tout l'homme du fameux oratorio *Stabat Mater*.

– **Miloš Forman** (né en 1932) : s'il était né en 1932, Kafka aurait sûrement tourné *Vol au-dessus d'un nid de coucou*... Comme lui, Miloš Forman est à la fois tchèque et juif. Comme lui, sa famille connaîtra les camps. Formé par le maître du théâtre pragois, Alfred Radok, il pratique dès ses débuts l'improvisation contrôlée, le cinéma-vérité en quelque sorte, et se passionne pour les conflits de générations. Après *L'As de Pique*, c'est *Hair*, puis *Les Amours d'une blonde*. En 1969, Miloš Forman quitte la Tchécoslovaquie « normalisée » pour les États-Unis. Avec *Taking off*, il va brocarder la moyenne bourgeoisie américaine, empêtrée dans son incompréhension. *Vol au-dessus d'un nid de coucou* (1975) reste son film culte : la rébellion d'un « outlaw » dans un goulag psychiatrique. En 1984, il renoue avec la Tchécoslovaquie pour un grand succès commercial : *Amadeus*. En 1989, c'est *Valmont*, le libertin du célèbre roman des *Liaisons dangereuses*, qu'il met en scène. Ses deux derniers films sont des biographies : *Larry Flint* (1996), racontant la vie d'un magnat de la presse porno et *Man on the Moon* (1999), retraçant la vie d'Andy Kaufman, humoriste américain.

– **Le Golem** : immortalisé par Gustav Meyrink, le Golem est l'esprit du ghetto de Prague. La Kabbale, dont la tradition, dit-on, date du Paradis, parle du pouvoir magique des lettres hébraïques. Ses initiés sont capables, tout comme Dieu, de créer un homme avec de l'argile. S'ils lui fourrent dans la bouche la lettre qui signifie « Vie » (le *chem*), la créature s'animera pour les servir. Qu'on l'ôte, et le Golem redevient *golem* (littéralement « argile »). C'est ainsi qu'à Prague un vieux rabbin s'était fabriqué un serviteur. Un jour, il oublia d'enlever la lettre : le Golem s'enfuit dans les ruelles du ghetto et se mit à terroriser la population. Mais le rabbin parvint à retirer le *chem* et le colosse revint à son état de statue d'argile.

– **Klement Gottwald** (1896-1953) : le rival victorieux de Beneš est un exemple pour tous les communistes. D'abord, c'est un ouvrier. Il a 25 ans lorsqu'il adhère au Parti communiste tchécoslovaque. Huit ans plus tard (en 1929), il en devient le secrétaire général. La guerre, il la passera où il se doit : en Union soviétique. Dire qu'il revient dans les fourgons de l'Armée Rouge serait un peu excessif... En fait, les Tchécoslovaques sont ravis d'être débarrassés d'Hitler. Même s'ils ne sont pas tous devenus communistes (38 % quand même !), la cote de Staline est au plus haut. Klement Gottwald devient président du Conseil. Mais Beneš, lui, est président tout court. Ce libéral de gauche est un obstacle à la révolution. Et pas seulement lui : les ministres non-communistes apprécient peu les mesures de Gottwald. En février 1948, ils démissionnent en bloc. Ravi de l'aubaine, Gottwald exige de Beneš qu'il nomme d'autres ministres communistes pour compléter le cabinet. Et pour appuyer la chose, il fait descendre les syndicats dans la rue. Beneš cède. Les nouvelles élections auront lieu sur liste unique. Le temps de devenir le premier président communiste de la Tchécoslovaquie, Gottwald meurt en 1953.

– *Jaroslav Hašek* (1883-1923) : vous n'avez pas lu *Le Brave Soldat Švejk* ? Alors vous ne connaissez pas les Tchèques. À Prague, tout le monde vous le dira, bien que Hašek ne soit pas toujours indulgent avec ses compatriotes. Écrivain et humoriste, soldat sur le front russe pendant la guerre 1914-1918, il mène une vie de bohème... mais également riche d'œuvres littéraires. Le personnage légendaire du *Brave Soldat Švejk*, naïf et roublard, est un véritable don Quichotte tchèque. À lire absolument pour sa version satirique du comportement tchèque.

– *Václav Havel* (né en 1936) : bien des présidents ont coiffé la casquette de l'homme de lettres. Mais Václav Havel reste, avec Senghor et Pompidou, le seul exemple d'homme ayant effectué le trajet inverse. Platon et Diderot auraient applaudi, eux qui rêvaient d'un souverain philosophe. De fait, Václav Havel est une autorité morale. Écrivain et dramaturge, dissident avant l'heure, non-conformiste par nature, bourgeois par naissance, il incarna et incarne encore la révolte de tout un peuple, souvent avec humour et cynisme. Après avoir mené la « révolution de velours », il légitime la République tchèque. Étrange parcours que celui de cet homme hanté par l'absurde. Les communistes le traitaient de « fils de bourgeois » : le père et le grand-père Havel étaient de riches entrepreneurs. Ses pièces, même la plus connue, *Garden-party*, seront interdites dans son propre pays après 1968.

En 1977, dans le désert intellectuel laissé par la « normalisation », Václav Havel participe à la création de la Charte 77. Très vite, cette organisation de défense des dissidents subit les foudres du pouvoir. Havel fait de la prison en 1977, puis en 1979. En janvier 1989, on l'arrête à nouveau : il vient de déposer des fleurs à la mémoire de Jan Palach. Dix mois plus tard, les badges « I love Havel » sont sur tous les revers de veste. On scande son nom sur la place Venceslas. Il s'en excuse : « Je préfère être celui qui fait les rois plutôt que le roi. » Peine perdue : la foule pragoise l'a choisi. Le 24 novembre, il fait ovationner Dubček. Le 30 décembre 1989, enfin, il est élu président de la République par une assemblée d'ex-communistes déboussolés. Son mouvement, le Forum civique, gagne haut la main les élections. Après le divorce tchécoslovaque de 1993, Havel a été réélu président, mais cette fois de justesse : l'homme qui incarna « l'autre Tchécoslovaquie » a vu sa popularité s'éroder. Si sa « figure historique » continue de rassurer l'étranger, c'est le Premier ministre (Václav Klaus jusqu'en 1997, Josef Tošovský ensuite et maintenant Miloš Zerman), qui tient les rênes du pouvoir. Václav Havel a été réélu président en janvier 1998. En 2002, sa santé est quelque peu chancelante.

– *Bohumil Hrabal* (1914-1997) : cet amoureux de Prague et de ses tavernes apporte une voix originale dans la littérature tchèque. Son style imagé et empreint d'humour pour décrire sa vision des Pragois le fait ressembler à un Rabelais slave ou un Buckowsky de l'Est. Habitué de la brasserie *Au Tigre d'Or*, il écrit : « Je me disais comme toujours que si les dieux m'aimaient, je crèverais devant un verre de bière. » Derrière le personnage bourru se cache l'homme écorché qui clame son indignation lors des heurts en 1989 entre étudiants et policiers. Parmi ses œuvres, longtemps censurées, traduites en français : *Une trop bruyante solitude* (1983), *Vends maison où je ne veux plus vivre* (1989), *Lettres à Doubenka* (1991).

– *Jan Hus* (1371-1415) : les huiles du clergé n'ont pas toujours été de petits saints. Au Moyen Âge, des milliers de prédicateurs ont dénoncé ces turpitudes : question audimat, ça pouvait rapporter gros ! Mais ça pouvait aussi coûter très cher. C'est que Jan Hus, recteur de l'université de Prague, n'était pas n'importe qui. Héritier de John Wycliffe, un théologien d'Oxford violemment anti-papiste, il brocarde le stupre des évêques et veut réformer l'Église. Plus grave, il dénonce la mainmise allemande sur le clergé de Bohême. Son ardeur transforme la chapelle de Bethléem, à Prague, en foyer patriote. L'empereur Sigismond s'en offusque : allemand, il cherche à s'emparer de la

Bohême. En 1414, ce triste sire réunit un concile à Constance. Après avoir émis quelques décrets peu orthodoxes, la pieuse assemblée se donne bonne conscience en condamnant Maître Jan Hus. Malgré son sauf-conduit, on livre l'homme au bûcher. C'est le premier martyr de la cause tchèque. Ce ne sera pas le dernier. Dans toute la Bohême, des armées se forment spontanément. Les hussites écraseront les troupes impériales jusqu'en 1436, date à laquelle un nouveau concile leur reconnaît le droit de communier sous deux espèces (pain et vin).

– *Franz Kafka* (1883-1924) : « Kafka était Prague, et Prague était Kafka », a-t-on pu écrire. Né en 1883, fils de Hermann Kafka, quincaillier dans la Vieille Ville, cet enfant chétif est élevé par des gouvernantes qui le tourmentent et le culpabilisent. Il mourra en 1924 de tuberculose près de Vienne. Kafka entretint avec Prague des rapports pour le moins tourmentés, comme l'explique plus haut la partie « C'est kafkaïen tout ça ! » qui lui est consacrée dans la rubrique « Patrimoine culturel pragois ».

– *Václav Klaus* (né en 1941) : ancien Premier ministre « de droite », Václav Klaus se veut un politicien. Si Václav Havel incarnait le romantisme charismatique de l'après-communisme, l'austère Václav Klaus, lui, est un homme d'État à l'occidentale, parfaitement approprié à un pays qui rêve de l'Union européenne. Autoritaire, travailleur et fonceur, ce quinquagénaire aux lunettes cerclées d'or maîtrise sa communication. Il parle clairement, porte des costumes croisés de bonne coupe, choisit lui-même ses cravates. Très représentatif des nouveaux « yuppies » tchèques, il incarne le passage à la prospérité. Václav Klaus est un technocrate qui a traversé le communisme sans s'engager ni se compromettre. À peine si, en 1970, il fut chassé de l'Institut d'économie de l'Académie des sciences. Dès 1986, Klaus, qui avait voyagé aux États-Unis, se met à l'étude de l'économie de marché. C'est sans la moindre expérience qu'il entrera en politique, dans l'ébullition de la « révolution de velours ». Au sein du premier gouvernement post-communiste, Václav Klaus fait prévaloir sa conception (radicale) de la réforme économique. Après avoir lutté contre la gauche en tant que membre du Forum civique, il crée son propre mouvement (ODS) sur le modèle du parti conservateur britannique. De droite, résolument. Et quand vient le divorce avec la Slovaquie, son gouvernement ultra-libéral peut afficher un excellent bilan. La privatisation des entreprises d'État, autre succès, ne fit que consolider sa position.

– *Milan Kundera* (né en 1929) : né à Brno, écrivain tchèque naturalisé français. Fils d'un pianiste célèbre, il est exclu du parti communiste à l'âge de 20 ans et doit attendre 1957 pour publier ses premiers recueils de poèmes, *L'Homme, vaste jardin* et *Monologues*. L'humour de son théâtre (*Les Propriétaires des clés*, 1962 ; *Jacques et son maître*, 1971), de ses romans (*La Plaisanterie*, 1967 ; *La Valse aux adieux*, 1976 ; *Le Livre du rire et de l'oubli*, 1979) et de ses nouvelles (*Risibles Amours*, 1970) l'impose comme l'une des consciences les plus lucides de la littérature contemporaine et l'analyste de la désagrégation de la vieille Europe (*L'Insoutenable Légèreté de l'Être*, 1984 ; *L'Immortalité*, 1990). Exilé en France depuis 1975, professeur à l'université de Rennes, il a obtenu la nationalité française en 1981.

– *Josef Mánes* (1820-1871) : à ses débuts, le peintre Mánes ne cherchait qu'à réaliser des paysages romantiques en plein air. Mais très vite il participe à la mode « Renaissance nationale ». Ce mouvement culturel nationaliste de la fin du XIXe siècle visait à contrecarrer la pression allemande des Habsbourg et à affirmer l'identité tchèque. Du coup, ses tableaux prennent une tonalité « patriotique » : villages et habitants de Bohême, scènes historiques et mythologiques. Mánes est l'auteur du calendrier peint sur l'horloge de l'hôtel de ville, intitulé *Le Cycle de douze idylles sur la vie du paysan tchèque*.

– *Tomáš Garrigue Masaryk* (1850-1937) : affectueusement surnommé « TGM », il naît en Moravie dans une famille très modeste. Devenu professeur de philosophie à l'université Charles, c'est un homme politique pragmatique, social-démocrate, au Parlement de Vienne. Pendant la Première Guerre mondiale, il émigre en France où il fonde le Conseil national tchèque. En octobre 1918, il proclame à Washington l'indépendance et, dans la foulée, le 14 novembre, devient le premier président de la République tchécoslovaque. Jusqu'à sa mort en 1937, il met en place une démocratie progressive qui restera bientôt le seul exemple en Europe centrale. Les communistes, après 1948, se chargeront de détruire le mythe Masaryk en censurant toute référence à ce président trop « bourgeois ». Cependant, dès 1968 les portraits du président libéral refleurissent aux fenêtres des maisons tchèques comme symbole d'une démocratie réussie.

– **Jean-Baptiste Mathey** (1630-1695) : peintre et architecte d'origine française, il introduit en Bohême le style baroque romain. Formé à Rome où il rencontre Nicolas Poussin, il est appelé à Prague en 1675. Là, il réalise la majorité de son œuvre. Plusieurs palais, dont la villa Sternberk (ou château Troja), composée sur le modèle d'une villa Renaissance romaine, agrémentée d'un escalier baroque en son centre. Il introduit la mode de la coupole de forme ovoïde à l'église Saint-François-Séraphin (Křížovnické náměstí), ce qui lui donne un air de parenté avec Saint-Pierre de Rome.

– **Gustav Meyrink** (1868-1932) : inconnu au Larousse ! Quant à Prague, Gustav Meyrink, fils d'un baron allemand et d'une actrice israélite, n'y habita que dix-sept ans. Né à Vienne, banquier à Prague, puis écrivain, errant de Hambourg à Montreux et chassé de partout, il reste l'un des fruits les plus exotiques de la déliquescence viennoise. Pourtant, Prague est bien l'héroïne du trouble roman qui le fit connaître : Le Golem. Ses autres livres (Le Visage vert, L'Ange à la fenêtre d'Occident...) seront de la même veine, celle de la gnose et de l'occultisme. Son domaine privilégié : le supranaturel et la métaphysique. Présumé « voyant », fasciné par l'au-delà, cet homme de santé fragile n'a pas son pareil (si ce n'est Lovecraft, peut-être) pour décrire les frayeurs paniques déchaînées par l'irruption de l'irrationnel. Ce qui n'empêche pas l'ironie mordante... Fasciné par la Kabbale, il mourra bouddhiste. D'une façon bien digne de lui. Le 4 décembre 1932, il salue les siens, puis se retire dans sa chambre. Il s'assoit devant sa fenêtre, torse nu malgré le froid. Il avait annoncé qu'il mourrait à l'aube, en fixant le soleil levant...

– **Alfons Mucha** (1860-1939) : le délicat promoteur du style nouille qui marqua le début du XXᵉ siècle était un Morave passé par Munich. Paris l'éveille à lui-même et le met à la mode. Touche-à-tout de génie, Mucha dessina des bijoux, des robes, de l'argenterie, des meubles, des sculptures. Sans cesser d'être avant tout l'un des premiers illustrateurs du temps. Au travers de couvertures de magazines (le plus souvent de mode), d'affiches de théâtre (Sarah Bernhardt l'adorait) ou de salons artistiques, de décorations étranges et raffinées (magasin Fouquet) et de commandes les plus diverses (papier à cigarettes Job, fresques du pavillon de la Bosnie-Herzégovine...), Alfons Mucha est l'un de ceux qui élaborent l'Art nouveau. Ses grosses femmes auréolées de tiges florales vont symboliser l'époque.

– **Jan Palach** (1949-1969) : le 16 janvier 1969, lorsqu'il fut clair que les chars soviétiques avaient « normalisé » Prague, cet étudiant s'immola par le feu. Jan Palach reste vivant dans le cœur de tous les Pragois.

– **Petr Parléř** (1330-1399) : la famille Parléř, originaire de Souabe en Allemagne, « produisit » d'excellents maîtres maçons pendant près d'un siècle et demi ! Parmi eux, Petr, le plus célèbre, introduit à Prague le style gothique tardif en architecture et innove également dans le domaine de la sculpture. Avec un nom aussi prédestiné, « Pierre Parlante », pas étonnant qu'il fit des chefs-d'œuvre ! Appelé par Charles IV, à l'âge de 23 ans, il reprend les travaux de la cathédrale Saint-Guy et modifie les plans de Mathias d'Arras en édifiant une grande tour à côté de la chapelle Saint-Venceslas. Il travaille à cette cathédrale jusqu'à sa mort mais exerce aussi son talent à la construction du pont Charles.

– **Václav Vavřinec Reiner** (1689-1743) : peintre et sculpteur baroque, auteur de peintures d'autel, de fresques et de toiles monumentales. Influencé par Rubens et Brandi, ainsi que par la peinture vénitienne. Ses œuvres décorent de nombreuses églises de Prague (Saint-Jacques, Saint-François, Notre-Dame-de-Lorette et Saint-Gilles). Parmi ses meilleures créations, citons *Le Combat des Atlantes* dans l'escalier du palais Černín et les fresques dans le palais Valdštejn.

– **Rodolphe II** (1576-1612) : couronné roi de Bohême et de Hongrie, puis empereur allemand, il fut le seul monarque de la dynastie des Habsbourg à choisir Prague comme capitale de l'empire. Féru d'astrologie, d'alchimie et d'art, il est peu préoccupé par les affaires politiques du royaume et encore moins par la menace turque. Il introduit au château de Prague de nombreux savants et artistes (Kepler, Tycho Brahé, Arcimboldo), mais aussi beaucoup de charlatans. Son rêve ? Fabriquer de l'or et découvrir l'Œuvre au noir. C'est sous son règne que Prague acquit le magnétisme et la magie qui nous envoûtent encore aujourd'hui. Bon nombre de légendes et d'histoires à dormir debout virent le jour à cette époque. Ses descendants le disaient fou, mais Rodolphe, malgré les pressions familiales, resta au pouvoir jusqu'à sa mort en 1612.

– **Jan Saudek :** souvent confondu avec Josef Sudek. L'autre grand photographe de Prague (toujours vivant, lui) sonde fiévreusement les cœurs et les corps. Beaucoup de grosses dondons mises à nu (« Le sexe, dit-il, est l'énergie la plus puissante ») dans un esprit d'onirisme désuet, riche de nuances, mais toujours traversé par une ironie cinglante.

– **Antonín Slavíček** (1870-1910) : peintre du XIXᵉ siècle, Slavíček traîne son désespoir dans les rues de Prague. Il en revient avec des toiles impressionnistes célébrant la ville aux cent clochers. *La Place de la Vieille-Ville*, *Prague vue de Letná* ou les études de la cathédrale Saint-Guy sont autant de fragiles évocations de lieux mille fois arpentés. Artiste déchiré, il reste l'un des grands peintres de Prague. On peut admirer ses toiles à la Galerie nationale, au couvent Sainte-Agnès.

– **Bedřich Smetana** (1824-1884) : au même titre que les *Quatre Saisons* de Vivaldi ou la *Symphonie pastorale* de Beethoven, la *Vltava* (autrement dit, la Moldau), fait partie des incontournables du mélomane en herbe. Il s'agit du morceau de bravoure d'un cycle de poèmes symphoniques composé par Smetana au XIXᵉ siècle, sous le titre *Ma Patrie*. En somme, Bedřich Smetana a mis la Bohême en musique. Hélas, les autres compositions de cet ardent patriote, adulé par les siens, n'ont guère franchi les frontières. Qui se souvient, ici, de son opéra *Les Brandebourgeois en Bohême*, de son opérette *La Fiancée vendue* ou même de son opéra comique *Les Deux Veuves* ? Reste leur intérêt historique. Smetana, par ailleurs excellent pianiste, fut le barde du romantisme tchèque.

– **Josef Sudek** (1896-1976) : revenu manchot de la guerre de 1914-1918, Josef Sudek fonde en 1924 la Société photographique tchèque. Sa voie : l'émotion. « Je voudrais raconter la vie des objets, représenter du mystérieux, faire voir la septième face du dé. » Établi dans une petite maison en bois du vieux Prague, il photographie longuement ses fenêtres. L'empreinte des saisons dans les jardins. Des natures mortes plus que vivantes. Jusqu'à sa mort, en 1976, le plus pragois des photographes restera inclassable.

– **Saint Venceslas** (Václav, mort en 929) : c'est celui dont la statue équestre ferme la place du même nom (Václavské Náměstí) et qui possède une si belle chapelle-tombeau dans la cathédrale Saint-Guy. Quatrième souverain tchèque de la dynastie přemyslide, homme réputé cultivé et sage, chrétien de surcroît, l'histoire lui a forgé une réputation de défenseur du droit et de l'indépendance de son pays. Il fut assassiné en 929 par son frère Boleslav, dont on dit qu'il aurait été irrité par son esprit conciliant envers la Saxe et la Bavière qui reluquaient déjà vers le royaume de Bohême. Instinctivement, c'est au pied de sa statue que se rassemble la population en cas de coups durs.

POURBOIRE

Pratique assez rare qui se développe avec le tourisme. On arrondit naturellement la somme de la note du restaurant ou celle du taxi (quand celui-ci ne vous a pas arnaqué). La coutume veut qu'au moment de régler la note on dise au serveur ce qu'il convient qu'il conserve comme pourboire plutôt que de le lui laisser sur la table après qu'il a rendu la monnaie.

POSTE

– *Les bureaux de poste* s'appellent *Pošta* et sont facilement repérables grâce à leur enseigne orange et bleu. Ils sont ouverts généralement du lundi au vendredi de 8 h à 18 h et le samedi matin.

– Quant aux *boîtes aux lettres* que vous trouvez un peu partout dans la ville, difficile de vous tromper : elles sont orange vif. Quoique depuis quelque temps, on voit fleurir de nouvelles boîtes, de couleur bleue.

– *Les timbres* sont vendus dans les *tabák*, les kiosques à journaux et bien évidemment dans les postes. Sachez qu'il vous en coûtera 9 Kcs pour une carte postale et pour une lettre.

– *Délais :* le courrier fonctionne régulièrement ; comptez en moyenne 5 à 6 jours à destination de l'Europe.

– Vous pouvez vous faire adresser des lettres en *poste restante :* pour cela, allez les retirer à la poste principale sur Jindřišská, muni de votre passeport.

SITES INTERNET

● *www.routard.com* ● Tout pour préparer votre périple, des fiches pratiques, des cartes, des infos météo et santé, la possibilité de réserver vos prestations en ligne. Sans oublier *routard mag*, véritable magazine avec, entre autres, ses carnets de route et ses infos du monde pour mieux vous informer avant votre départ.

● *www.pragueiguide.com* ● En anglais. Une présentation très ludique. Bourré d'infos pratiques. À conseiller pour les noctambules pour sa rubrique « cafés et bars » très fournie.

● *www.visitczechia.cz* ● Un véritable portail pour tous les francophones s'intéressant à la Tchéquie, désirant y voyager ou y travailler. On y trouve même les taux de change officiels.

● *www.visitczech.cz* ● Site officiel de l'office du tourisme (en anglais et en allemand). Formalités, santé, hébergement, transports, banques et autres infos pratiques.

● *www.consulfrance-prague.org* ● C'est le site du consulat français. Vous y trouverez toutes les adresses utiles concernant les ambassades, les formalités, la vie pratique et un lien avec tous les sites Internet en République tchèque ; pratique... à condition de savoir parler la langue, et ça, c'est pas gagné.

● *www.pis.cz* ● En français. Un site très complet sur la capitale tchèque. Normal, car c'est le site officiel du service d'information de Prague.

● *www.hrad.cz* ● En anglais. Site de la présidence tchèque. Vous saurez tout sur Václav Havel... et le château de Prague. Plans en couleur, historiques, photos, ainsi que le calendrier des manifestations culturelles ; bref, c'est comme si vous y étiez.

● *www.aots.com* ● En français. Site de l'Association des originaires des pays tchèques. Initiation aux danses folkloriques, aux chants, stages de langue. Possibilité d'acheter en ligne des objets artisanaux traditionnels.

● *www.zamky-hrady.cz* ● En anglais. L'ensemble des châteaux et des demeures historiques de la République tchèque.

● *www.romove.cz* ● En anglais. Un site sur les Roms ; leur culture, leur histoire, les personnalités roms. Un site qui ne vous laissera pas indifférent à la cause tsigane.

TÉLÉPHONE

– *France → République tchèque* (0,44 €/mn en tarif normal du lundi au vendredi de 8 h à 19 h ; 0,35 €/mn en tarif réduit) *:* 00-420 et le code de la ville. *Prague :* 2. *Plzeň :* 19. *Bratislava :* 7. *Brno :* 5. *Košice :* 95.
– *République tchèque → France :* 00-33, puis le numéro de votre correspondant sans le 0 initial.
Il y a de plus en plus de téléphones à carte. À Prague, il y en a autant qu'à Paris. Très pratique. On achète les télécartes à la poste ou dans les petits kiosques de rues. Du coup, il vaut mieux éviter les cabines à pièces, dont le fonctionnement est très aléatoire.
– Le préfixe 2 pour Prague est désormais inclus dans les numéros de téléphone de la ville.

TRANSPORTS INTÉRIEURS

– *Les transports en commun urbains* sont généralement nombreux et fréquents. Le coût du ticket est de 12 Kcs (0,40 €) et il existe diverses possibilités d'abonnement quotidien ou hebdomadaire (voir la rubrique « Transports » à Prague). Attention, pour les gros bagages et les vélos, il vous faudra acheter un ticket supplémentaire (en général, demi-tarif).

Conduite automobile, auto-stop, vélo...

– *Le réseau routier* est incroyablement dense et de mieux en mieux entretenu. Bonne signalisation routière, sauf, parfois, pour sortir des grandes villes. L'autoroute Prague-Brno-Bratislava est superbe...
– *La vitesse* est limitée à 90 km/h sur route, à 50 km/h dans les agglomérations et à 130 km/h sur autoroute. Attention tout de même, certaines autoroutes sont limitées à 110 km/h.
– N'oubliez pas d'acheter la *vignette autoroutière*, obligatoire depuis 1995. En vente à la frontière au prix de 800 Kcs (27 €) pour un an, 200 Kcs (7 €) pour un mois ou 100 Kcs (3,4 €) pour 10 jours. Et dans certaines stations-service (voir « Avant le départ », « Formalités »). Attention, car il est obligatoire de payer en liquide et il n'y a pas de distributeur d'argent au poste frontalier.
– Tout comme chez nous, pas de problème de *carburant*. Vous trouverez du gazole *(nafta)*, de l'essence avec ou sans plomb et même du GPL. Les prix sont libres mais compter environ 25 Kcs (0,80 €) pour le litre de gazole et jusqu'à 35 Kcs (1,20 €) pour l'essence sans plomb 98 *(Natural plus)*.
– *Les conducteurs* sont dans l'ensemble prudents, fort peu hargneux et pas fous du volant du tout.
– Loi très rigoureuse concernant l'*alcool* au volant. Il est interdit de boire, même de la bière, si l'on conduit. Parfois, contrôle à la sortie de certaines boîtes et alcootest. Grosse amende à payer immédiatement.
– Pour garer votre voiture, n'utilisez pas les *parkings* « réservés ». Ils le sont pour les Tchèques, et vous risquez de vous retrouver (au mieux) avec un sabot, ou (au pire) à la fourrière. En fait, il est interdit de garer la voiture dans *Praha 1* (centre-ville), même hors « parkings réservés », sauf dans les parkings souterrains moyennant 300 Kcs (10 €) par jour. Il vaut mieux utiliser les parkings « privés/gardés » ou bien trouver une chambre chez l'habitant à l'extérieur de la ville, dont le jardin pourra vous servir de garage.
– Enfin, nous vous conseillons d'acheter les *cartes routières* Eurocarte. Elles sont très complètes, et les points de vue « remarquables » sont

indiqués en vert, et valent généralement le coup d'œil. Il existe des cartes précises et détaillées des environs de Prague. Malheureusement, aucune d'entre elles ne couvre toute la périphérie.

– *Auto-stop* assez facile. Ce fut même longtemps un sport national (avec concours de stop parfois). Seul problème : les Škoda sont déjà fort petites et les familles tchèques souvent très nombreuses. Commencer de bonne heure le matin pour bénéficier des travailleurs qui vont à leur boulot ou des gens qui voyagent pour leur job.

– On trouve encore peu de location de *vélos*. On vous indique néanmoins quelques adresses. Sinon, apporter le sien.

PRAGUE (PRAHA)

Pour se repérer, voir le plan général de la ville et le zoom centre en fin de guide.

> « Prague, cette pierre précieuse enchâssée
> dans la couronne de la Terre... »
>
> Goethe.

La cité aux cent clochers (et encore, on ne compte pas les tours poivrières, tourelles et autres échauguettes) est tout simplement l'une des plus belles villes du monde et, en tout cas, l'une des merveilles d'Europe (avec Paris, Venise et Rome, c'est tout dire). Elle échappa par miracle aux grandes destructions des deux dernières guerres, et il y eut bien moins de monstrueuses saignées urbaines que dans les autres capitales européennes.

Résultat : l'une des rares capitales que l'on peut entièrement arpenter à pied, où l'utilisation de la voiture est superflue et où le trafic, à part quelques exceptions, n'est jamais meurtrier. D'où une sérénité totale pour admirer, le nez en l'air, tous les styles qui façonnèrent la ville : roman, gothique, Renaissance, baroque, Art nouveau et cubisme (le tout saupoudré de folies hybrides de toute époque). En outre, l'absence de pub et de néons oppressants met encore plus en valeur balcons fous, porches délirants, nobles fenêtres, jardins secrets et ruelles romantiques.

Car Prague se révèle la ville des romantiques et des amoureux. La nuit, l'éclairage parcimonieux de vieux réverbères favorise tous les tremblements de terre sentimentaux, les mots les plus beaux, les joies esthétiques les plus fortes... Prague, le « rêve de pierre », le paradis des flâneurs qu'aimèrent passionnément Goethe, Chateaubriand, Rilke, Camus, Claudel, Apollinaire, Nerval, Paul Morand, et jusqu'aux surréalistes Eluard et Breton. Prague, qui sut accueillir si chaleureusement Mozart, saura vous ajouter à sa liste infinie d'admirateurs à vie...

Revers de la médaille, depuis l'ouverture totale du pays, Prague est devenue LA ville à visiter. Les longs week-ends de printemps et les deux mois d'été, la ville est littéralement envahie. Mais rassurez-vous, tout le monde va au même endroit au même moment. Même mi-août, à l'aube, le pont Charles sera pour vous seul.

Arrivée à l'aéroport

Bienvenue à Prague. À côté des tapis roulants pour les bagages, plusieurs petits bureaux proposent du change ou une réservation de logement (de toutes catégories). Ouvert à partir de 7 h ou 8 h et jusqu'à 20 h ou 22 h. On retrouvera donc en particulier *AVE* et *Welcome* (voir « Où dormir ? ») ou *ČSA Airtours* (voir « Adresses et infos utiles »).

Une fois passée la douane, on se retrouve dans le grand hall. C'est là que se trouvent notamment les agences de location de voitures. Pratique : l'agence *Čedok* vend des télécartes et des abonnements de 3 ou 7 jours pour les transports en commun pragois.

Pour tous renseignements en non-stop sur les départs et arrivées d'avion : ☎ 2-20-11-41-11.

Change

– **Banques :** plusieurs banques dans le hall de l'aéroport. Aux dernières nouvelles, la banque CSOB pratiquait le taux de commission le plus bas. Ouvert 24 h/24. De manière générale, il y a toujours une ou plusieurs banques ouvertes à l'arrivée ou au départ de chaque vol.
– **Distributeurs d'argent :** dans le grand hall d'arrivée vers la gauche. Prennent la carte *Visa*, l'*Eurocard MasterCard* et l'*American Express*. Ne pas trop compter dessus tout de même, ils sont parfois en panne ou vides.

PRAGUE

Pour rejoindre le centre-ville

➢ **Navettes ČEDAZ :** ☎ 2-20-11-42-86 ou 96. Navette privée qui part du terminus toutes les 30 mn de 5 h à 21 h 30. À destination du métro Náměsti Republiky (ligne B) – le billet coûte 90 Kcs (3 €) – ou de la station de métro Dejvická (ligne A) – le billet coûte 60 Kcs (2 €). Attention, seul le tarif le plus cher est affiché dans l'aéroport. Durée du trajet : environ 20 à 30 mn. Plus cher que le bus nº 119 Č mais bien plus pratique et rapide.
➢ **Bus nº 119 Č :** le prendre jusqu'au terminus. On achète son billet au distributeur jaune ou auprès du kiosque à journaux dans le hall de l'aéroport (et non dans le bus). Descendre à l'arrêt Dejvická puis prendre le métro pour le centre. Dejvická est le début de la ligne A. Fonctionne de 5 h à 23 h 30. Prix modique.
➢ **Taxis :** franchement, il vaut mieux prendre le bus. Bien lire, plus loin, notre partie « Taxis » dans la rubrique « Transports ». Néanmoins, il existe aujourd'hui un tarif officiel entre l'aéroport et la ville, mais est-il bien respecté ? Il vous faut compter autour de 650 Kcs (22 €).

Adresses et infos utiles

Services officiels

Pour toutes les informations générales sur Prague. Vous pouvez joindre les divers *offices du tourisme de la ville de Prague* (PIS) par téléphone en composant le : ☎ 2-187, ou le : ☎ 2-54-44-44. Mais aussi en vous rendant dans l'un de leurs bureaux. Ils pourront vous aider à trouver un cyber-café, une agence de location de vélos, un hébergement, une place de concert ou plus simplement un plan de la ville.

🔢 **Office du tourisme de la ville de Prague** (PIS ; plan général, D3) **:** Na Příkopě 20, Prague 1. ☎ 2-24-22-60-97. ● www.pragueinfo.cz ● Site en français. Les pages officielles du Service d'information de Prague : services, numéros de téléphone utiles et formalités de douane. Ouvert du lundi au vendredi de 9 h à 18 h (19 h en été), le samedi de 9 h à 15 h (17 h en été) et le dimanche en été, de 9 h à 17 h. Fermé le dimanche en hiver. Bon accueil. Délivre des infos générales sur la ville, un plan de la ville, ainsi qu'un bon petit fascicule en français intitulé *Guide officiel de la capitale Prague* (payant). On y trouve toutes les infos sur les transports, les salles de concerts, les services d'urgences... Pratique et bien fait. Vend également un fascicule, *Cultural Events*, en anglais et en allemand, qui recense les principaux événements artistiques. Vente de forfaits de 1 à 15 jours pour les transports métro-bus-tram. Pour ceux qui sont en voiture, demander la carte *Parking à*

Prague, très utile. Propose aussi un service de réservation de places de spectacles.

🛈 **Autre office du tourisme** *(PIS; zoom centre) :* Staroměstské náměstí 1 (hôtel de ville), place de la Vieille-Ville, Prague 1. ☎ 2-24-48-20-18 et 2-24-48-25-62 pour le service de guides. Ouvert du lundi au vendredi de 9 h à 18 h (19 h en été) et les samedi et dimanche de 9 h à 17 h (18 h en été). Offre les mêmes services que le précédent, à savoir infos générales, ventes de forfaits pour les transports en commun et aussi vente de places de spectacles. C'est le seul bureau qui possède un service de guides ouvert tous les jours de 9 h à 17 h.

🛈 **Autre office du tourisme** *(PIS; plan général, E3) :* Hlavní nádraži, Prague 2. Ouvert du lundi au vendredi de 9 h à 18 h (19 h en été), le samedi de 9 h à 15 h (16 h en été) et le dimanche en été, de 9 h à 16 h. Fermé le dimanche en hiver. Bien pratique pour ceux qui voyagent en train, car il se trouve dans le hall de la gare centrale.

🛈 **Autre office du tourisme** *(PIS plan général, C3) :* tour du pont Charles, côté Malá Strana, Prague 1. ☎ 2-53-60-10. Au rez-de-chaussée de la tour. Ouvert d'avril à octobre tous les jours de 10 h à 19 h. C'est le seul bureau officiel du PIS dans Malá Strana.

🛈 **Office du tourisme de la République tchèque** *(zoom centre) :* Staroměstské nám. 6, Prague 1. ☎ 2-24-81-04-12 ou 2-24-86-15-88. Fax : 2-24-86-15-87. ● www.visitczech.cz ● Sur la place centrale de Prague. Ils vous délivreront les informations générales sur la République tchèque hors Prague.

🛈 **Čedok** *(zoom centre, D3, 9) :* Na Příkopě 18, Prague 1. ☎ 2-24-19-71-11. Fax : 2-24-22-23-00. ● www.cedok.cz ● incoming@cedok.cz ● Ouvert du lundi au vendredi de 8 h 30 à 18 h et le samedi de 9 h à 13 h ; ouvert le dimanche matin lors des grands week-ends. Fermé les jours fériés. Très utile pour les infos générales, et notamment pour les horaires de trains. Fait aussi bureau de change mais seulement pour le

cash. Čedok était autrefois l'agence officielle du pays, aujourd'hui elle propose toute une gamme de services touristiques. Elle possède toujours de très nombreuses agences en République tchèque et aussi un bureau à Paris (voir « Généralités sur la République tchèque » ou « Comment y aller ? »). Vend la **Prague Card** à 560 Kcs (18,80 €) ou 460 Kcs (15,50 €) pour les enfants et les étudiants, qui permet pendant 3 jours de circuler librement sur les transports en commun de la ville et de bénéficier de l'entrée gratuite dans 40 musées et monuments historiques. Intéressant si vous avez une boulimie de musées, parce que côté transports, c'est tellement bon marché...

✉ **Postes :** Jindřišská 14 *(plan général, E3).* Rue donnant sur la place Václavské. Poste restante. Ouvert de 7 h à 20 h, même le dimanche. Allez-y au moins pour admirer son superbe plafond. Autre poste avec service 24 h/24 : Hybernská 13, Prague 1. ☎ 2-24-22-58-45. Autre poste : à l'angle de Kaprova et Žatecká *(zoom centre).* Ouvert du lundi au vendredi de 8 h à 19 h.

■ **Institut français** *(plan général, D4, 5) :* Štěpánská 35. ☎ 2-22-23-29-97. Fax : 2-22-23-05-79. ● www.ifp.cz ● Ouvert du lundi au vendredi de 10 h à 18 h et le samedi de 10 h à 19 h. Fermé un mois pendant les vacances d'été. Cet institut, rouvert depuis 1990, est plutôt animé pendant l'année scolaire. Des cours de langue française y sont donnés. Il existe également une splendide bibliothèque-médiathèque (fermée le lundi), dont le catalogue est disponible sur le Web. L'institut publie tous les 3 mois un journal bilingue, *Štěpánská 35.* On y trouve en fait le programme des festivités proposées par l'institut : concerts, théâtre, danse, expositions et cinéma. À 19 h, entrée gratuite pour voir des films français. Le *café* de l'Institut français est un lieu de rencontre pour les étudiants pragois et français. Tendance intello, donc. Le public a libre accès au salon de lecture où l'on trouve une bonne et éclectique sélection de la presse française, dont les grands quotidiens nationaux, en lecture libre et gratuite (sur place, cela va sans dire).

■ *Ministère de la Culture* (plan général, C3) : Maltézské nám. 1, Malá Strana, Prague 1. ☎ 2-57-08-51-11. Fax : 2-24-31-81-55. Dans un bel édifice situé dans le quartier des ambassades. Pour obtenir le programme des manifestations, rencontres...

■ *Consulat de France* (plan général, C3, 6) : Nosticova 10, Malá Strana, Prague 1. ☎ 2-57-53-27-56. Juste derrière l'ambassade. Ouvert du lundi au vendredi de 8 h 45 à 12 h 15. En cas de difficultés financières, le consulat peut vous indiquer la meilleure solution pour que des proches puissent vous faire parvenir de l'argent ou encore, en cas de problèmes, vous assister juridiquement.

■ *Ambassade de France* (plan général, C3, 6) : Velkopřevorské nám. 2, Prague 1. ☎ 2-57-53-27-56. Dans le quartier de Malá Strana, de l'autre côté du pont Charles. Ouvert du lundi au vendredi de 9 h à 12 h 15.

■ *Ambassade de Belgique* : Valdštejnská 6, Malá Strana, Prague 1. ☎ 2-57-32-03-89. Ouvert du lundi au vendredi de 9 h à 12 h et de 14 h à 17 h.

■ *Ambassade de Suisse* : Pevnostní 7, Střešovice, Prague 6. ☎ 2-24-31-12-28. Ouvert du lundi au vendredi de 9 h à 12 h.

■ *Ambassade du Canada* : Mickjewiczova 6, Hradčany, Prague 6. ☎ 2-72-10-18-00. Ouvert du lundi au vendredi de 9 h à 12 h et de 14 h à 16 h.

■ *Ambassade de Pologne* : Valdštejnská 8, Prague 1. ☎ 2-57-53-03-88. Dans le quartier de Malá Strana. Ouvert du lundi au vendredi de 9 h à 13 h.

■ *Ambassade de Hongrie* : Badeniho 1, Prague 1. ☎ 2-33-32-44-54. Ouvert du lundi au mercredi de 9 h à 12 h.

■ *Ambassade de Roumanie* : Nerudova 5, Prague 1. ☎ 2-57-32-04-94. À Malá Strana. Ouvert du lundi au vendredi de 9 h à 13 h.

■ *Ambassade de Bulgarie* : Krakovská 6, Nové Město, Prague 1. ☎ 2-22-21-12-60. Ouvert de 9 h à 11 h. Fermé le mercredi et le week-end.

Infos sur la ville

– *The Prague Post* : hebdomadaire en anglais très pratique et bourré d'infos de dernière minute. Plein d'articles culturels. Possibilité de lire aussi *The Prague Post* sur le Web : ● www.praguepost.cz ●

– *Pragnosis* : bimensuel en anglais. En quelque sorte, le frère jumeau du *Prague Post*.

– *Prager Zeitung* : un peu le même genre que le précédent, mais en allemand.

Change

■ *Points de change* : partout dans le centre, des *Points de Change*, des *Change Exact* ou *Change Points* ont été installés. Généralement ouverts tous les jours et tard le soir, certains 24 h/24. De manière générale, il convient de soigneusement les éviter. Allez-y uniquement si vous êtes vraiment à sec et que vous ne pouvez attendre l'ouverture des banques le lendemain matin. Leur commission oscille entre 5 et 10 %. De plus, il y a souvent une commission minimum élevée, dont on ne vous informe évidemment pas. Ajoutons pour finir les « erreurs » de calcul ou les « oublis » fâcheux.

■ *Banques* : c'est encore le moyen le plus simple, le plus sûr et le moins cher de changer de l'argent ou des chèques de voyage. En voici quelques-unes qui pratiquent un taux de change très bas :

– *Československá Obchodní Banka A.S. (zoom centre)* : dans la Vieille Ville, Na Příkopě 14, Prague 1.

☎ 2-24-11-11-11. Dans Nové Město, Anglická 20, Prague 2. ☎ 2-61-35-11-11.
– *Komerční Banka (zoom centre)* : Na Příkopě 33, Prague 1. ☎ 2-23-02-11-11. Ouvert normalement du lundi au vendredi de 8 h à 18 h 30.
– *Živnostenská Banka (zoom centre)* : Na Příkopě 20, Prague 1. ☎ 2-24-12-11-11. On peut y retirer de l'argent avec la carte *Visa* ou la *MasterCard*. Ouvert du lundi au vendredi de 8 h à 21 h. Taux de change intéressant.
– Nombreuses banques sur Na Příkopě et Václavské náměstí.
– *American Express (plan général, E3)* : Václavské nám. 56, Prague 1. ☎ 2-24-21-99-92. À l'angle de Ve Smečkách. Le change est ouvert de 9 h à 19 h. Un distributeur automatique de billets se trouve à l'ex-térieur. Fait aussi agence de voyages, vente de billets d'avion et réservation d'hôtels. Ouvert du lundi au vendredi de 9 h à 18 h et le samedi jusqu'à 14 h.
– *Distributeurs d'argent acceptant la carte Eurocard MasterCard* : dans le centre, sur Celetná 20, Na Příkopě 3-5 ; sur Republiky náměstí 8 ; à Staroměstské náměstí 24 ; dans Karlova 20 et sur Mostecka 24. Enfin, dans l'hôtel *Atrium*, Pobřežni 1, mais on ne va peut-être pas y aller que pour ça !
– *Banques françaises* : attention, ce ne sont que des bureaux. N'allez donc les voir qu'en cas de vrai pépin. *BNP Dresdner Bank CR* : Vítězná 1, Prague 5. ☎ 2-57-00-61-11. *Crédit Lyonnais* : Ovocný trh, Prague 1. ☎ 2-22-07-61-11.

Perte de cartes de paiement

■ *Visa* : ☎ 2-24-12-53-53.
■ *Eurocard MasterCard* : ☎ 2-61-35-46-50.
■ *American Express* : ☎ 2-22-80-01-11.

Urgences

■ *Police* : ☎ 158.
■ *Pompiers* : ☎ 150.
■ *Ambulances* : ☎ 2-37-33-33.
■ *Urgence médicale* : ☎ 155.
■ *Pharmacies ouvertes 24 h/24* : Štefánikova 6, Prague 5. ☎ 2-57-32-09-18 ou 2-24-51-11-12. Une autre Belgická 37, Prague 2. ☎ 2-22-51-97-31 ; une autre encore Anny Drabékové 534, Prague 4. ☎ 2-791-27-43. Et dans le centre, une pharmacie ouverte tous les jours : Václavské nám. 64, Prague 1. ☎ 2-22-21-24-23.
■ *Hôpital d'urgence (Nemocnice ; plan général, D3)* : Palackého 5, Prague 1. ☎ 2-24-94-91-81.
■ *Hôpital pour étrangers (Nemocnice Na homolce)* : Roentgenova 2, Prague 5. ☎ 2-57-27-11-11. On y parle l'anglais et l'allemand.
■ *Objets trouvés* : Karoliny Světlé 5. ☎ 2-24-23-50-85.

Compagnies aériennes

■ *Air France (plan général, E3-4, 4)* : Václavské náměstí 57, Prague 1. ☎ 2-21-66-26-79. Fax : 2-24-22-12-03. M. : Muzeum (lignes A et B). Ouvert du lundi au vendredi de 9 h à 17 h.
■ *ČSA (Compagnie nationale tchèque ; plan général, E3)* : V. Cel-nici 5, Prague 1. ☎ 2-20-10-43-10 ou 232-43-05 et 2-24-81-10-15 pour les réclamations. ● www.csa.cz ● M. : Náměsti Republiky (ligne B). Ouvert du lundi au vendredi de 7 h à 18 h et le samedi de 7 h 30 à 15 h. ČSA possède aussi un bureau à l'aéroport. ☎ 2-20-11-37-43.

Librairies, journaux, radio et cinéma

■ **Kanzelsberger Jan** (plan général, D-E3) : Václavské náměstí 42, Prague 1. ☎ 2-24-21-73-35. Ouvert tous les jours de 9 h à 19 h. Vaste librairie avec un grand choix de bouquins sur tout. Cartes, beaux livres, guides, livres d'art...

■ **Academia Nakladatelství ČSAV** (plan général, D-E3) : Václavské náměstí 34, Prague 1. Nombreux beaux livres sur Prague dans toutes les langues, cartes...

■ **Journaux et magazines français :** on en trouve dans tous les kiosques du centre-ville. Sur Václavské náměstí et Na Příkopě.

■ **Radio :** pour entendre la version tchèque d'*Europe 2*, branchez-vous sur 88.2. Une autre radio branchée, *Kiss*, sur 98 FM.

■ **Cinémas :** énormément de films exclusivement américains ! La programmation se trouve dans les journaux en anglais, *The Prague Post* ou *Prognosis*. Quelques adresses dans le centre :
– *Cinéma Broadway* : Na Příkopě 31, Prague 1. ☎ 2-21-61-32-78. M. : Nám. Republiky (ligne B).
– *Světozor* : Vodičkova 39, Prague 1. ☎ 2-24-94-75-66. M. : Můstek (lignes A et B).
– *Lucerna Multikino* : Vodičkova 36, Prague 1. ☎ 2-24-21-69-73. M. : Můstek (lignes A et B).
Et, bien sûr, des films français gratuits, à partir de septembre, à 19 h à l'Institut français (voir « Services officiels »).

PRAGUE

Téléphone

La ville est très bien équipée en cabines publiques. Pour la plupart, elles sont à carte, comme en France. On les trouve à la poste ainsi que dans presque tous les kiosques à journaux, à partir de 175 Kcs (5,90 €). Les revendeurs pratiquent le prix qu'ils veulent, surtout en fin de semaine ou tard le soir. Attention, certaines numérotations sont en cours de changement. Tous les numéros devraient à terme comporter 8 chiffres, mais on utilise encore aujourd'hui des numéros à 6 et 7 chiffres. Les téléphones portables ont une numérotation à 10 chiffres, qui commence souvent par 06.

S'orienter

Dans beaucoup de grandes villes, trouver une adresse n'est pas toujours facile pour le routard qui débarque.
– Comme la plupart des capitales, Prague est composée de plusieurs **arrondissements**, 10 au total (voir *plan général*). Difficile pour le novice de trouver une logique dans ce découpage, mais en gros les 1er et 2e arrondissements forment le centre historique. Les arrondissements 4, 5 et 6 forment les parties sud et est de la ville, les 8, 9 et 10 les zones nord et ouest. Quant aux 3e et 7e arrondissements, ils complètent le centre-ville.
– **Les rues** sont en général bien identifiées, à chaque carrefour le nom est indiqué sur l'un des angles grâce à une plaque émaillée de couleur rouge. Attention, quelquefois une rue ou avenue peut prendre divers noms. Vous remarquerez, par exemple, sur le plan général que l'avenue Žitná et l'avenue Anglická sont en réalité un seul et même axe ; il en est de même pour Ječná et Resslova. La numérotation est similaire au système français, d'un côté les numéros pairs, de l'autre les numéros impairs. Par contre, pas de suite dans le face-à-face, donc vous pouvez trouver face aux nos 66 et 68 les nos 33 et 35.
– **Sur les places** (*náměstí*, souvent abrégé *nám.*), le nom est indiqué de la même manière que pour les rues ; la numérotation, quant à elle, se suit sans tenir compte du pair ou de l'impair. On trouvera par exemple le 63, puis le 64, puis le 65...

PRAGUE

Il ne vous reste plus maintenant qu'à lire une adresse, elle a souvent la structure suivante : le nom de la rue ou de la place et le numéro, le nom du quartier, l'arrondissement.

Transports

Les transports en commun sont vraiment très bon marché.
– Il y a deux sortes de *tickets :* l'un est valable un quart d'heure et pour 4 stations sans possibilité de correspondance, il coûte 8 Kcs (0,30 €). L'autre est valable 1 h avec possibilité d'une correspondance, il coûte 12 Kcs (0,40 €). À noter, pour ceux qui pensent pouvoir la rentabiliser, qu'il existe une carte d'abonnement transport urbain à 70 Kcs (2,35 €) pour la journée, 200 Kcs (7 €) pour 3 jours, 250 Kcs (8,40 €) pour une semaine et 280 Kcs (9,40 €) pour 15 jours.
– ATTENTION, pour les gros bagages et les vélos, vous devez acheter un ticket supplémentaire à 6 Kcs (0,20 €). Par contre, réductions pour les moins de 20 ans, et les enfants de moins de 6 ans voyagent gratuitement.
– Vous pouvez obtenir des *informations* sur les transports en commun pragois en consultant le site Internet (en anglais et en allemand) : ● www. dppraha.cz ●

Métro

3 lignes seulement (A, B et C) mais rapides, pratiques et très bon marché. N'hésitez pas à utiliser le métro. On l'adopte bien vite. Tout à fait inutile de frauder (contrôles fréquents et amendes, et les contrôleurs en civil qui n'ont qu'un petit badge au creux de la main ne sont pas particulièrement rigolos). Fonctionne de 5 h à minuit. On composte soi-même. Achats des tickets aux distributeurs automatiques ou aux guichets situés dans la station. Le système d'utilisation est extrêmement simple à comprendre.

Funiculaire

Une seule ligne sur la colline de Petřín. Très pratique, surtout à la montée. Fonctionne tous les jours de 9 h 15 à 20 h 45, avec une fréquence de 10 mn en été et de 15 mn en hiver.

Tramways et bus

Très nombreux et pratiques. Fonctionnent de 4 h 30 à minuit. Les trams, notamment, vous emmèneront partout à cadences fréquentes. Achat des tickets dans des distributeurs à la plupart des arrêts et par carnets de 5 dans les petites boutiques de tabac et journaux. On composte soi-même. Quelques trams de nuit qui ont des numéros commençant par 5, ainsi que des bus de nuit dont les numéros vont de 501 à 512. Les lignes (bus et tram) sont reproduites sur les plans officiels de la ville.

Taxis

Le mot « anarchie » résume bien la situation des taxis à Prague. Nous avons modestement établi une statistique : environ un taxi sur trois met son compteur spontanément. À peu près un sur deux est aimable comme un chauffeur de taxi... parisien. Il vous faudra demander au chauffeur de mettre son compteur dès que vous montez dans la voiture. S'il refuse, pas de problème, vous descendez. Le chauffeur râlera peut-être, mais c'est lui qui est en faute et il le sait. Toutefois, ne croyez pas que, si le chauffeur, plein de bonne volonté, met son compteur immédiatement, cela soit un signe favorable de son honnêteté. Le taximètre peut être trafiqué. Officiellement, la prise en charge est de 30 Kcs (1 €) et le tarif au kilomètre de 17 Kcs (0,60 €), mais tous les taxis ne semblent pas le savoir, (en effet, les tarifs ont été libéralisés). Face à ce tableau idyllique, il vous reste à suivre le conseil du maire de Prague : « Évitez de prendre les taxis dans la capitale. » Belle publicité du 1er magistrat de la ville. Autre solution, essayez de négocier les tarifs et faites jouer la concurrence aux stations.

Afin de lutter contre les « arnaques aux touristes », le directeur de la compagnie de taxis *Profi* de Prague a lancé un mini-guide à l'intention des touristes en visite dans la ville de Kafka ; le *Prague Post*, « *Taxi Service in Prague* », rédigé en quatre langues, offrant aux touristes le « mode d'usage » en vigueur des taxis pragois. Il leur évitera aussi de se faire arnaquer par des taxis non reconnus par la profession. La brochure est disponible dans les centres d'informations touristiques et dans tous les hôtels de la République tchèque.

Mais il faut avoir du temps à perdre, dans une ville où les transports en commun sont performants.

Minibus

Un bon compromis pour ceux qui sont chargés. Prix forfaitaire pour toutes destinations : 360 Kcs (12 €) de 1 à 4 personnes et 600 Kcs (20 €) de 5 à 8 personnes. Arrangez-vous pour être nombreux.

Vélo

Et pourquoi ne pas utiliser la petite reine pour circuler dans Prague ? Malgré les voies de tram et les pavés dans la Vieille Ville, c'est pratique et sympa. Location de vélos :

■ ***ABC Sport :*** Šumavská, Prague 2. ☎ 2-24-25-61-21 M. : Náměsti Míru (ligne A).
■ ***Landa Spol SRO :*** Terronská 57, Prague 6. ☎ 2-24-25-53-77.
■ ***Milan Poskosil :*** Za Humny 4, Prague 6. ☎ 2-302-32-88.
– À la belle saison, des jeunes louent parfois des VTT sur la place de la Vieille-Ville, devant le n° 16 U Radnice.

Voiture

Il est ridicule et inutile de circuler dans le centre de Prague en voiture. Ici, tout se visite à pied. Vouloir explorer la cité de cette manière, c'est comme traverser le désert en patins à roulettes. On en voit encore avec leurs petits « F » à l'arrière qui tournoient désespérément pour tenter de se garer « au plus près ». Sinon, la circulation à Prague est relativement fluide pour une capitale. Il faut savoir que le stationnement dans Prague 1 est entièrement réservé aux habitants de ce district, sauf quelques exceptions que nous indiquons plus loin. Il faut donc avoir une autorisation, sinon votre véhicule sera envoyé à la fourrière. Le meilleur moyen est finalement de se garer un peu à l'extérieur du centre, et de prendre les transports en commun. L'office du tourisme délivre une carte, *Parking à Prague*, donnant toutes les indications en français. Pour vous, deux types de parkings sont intéressants : ceux qui sont les plus proches du centre, à durée limitée, et ceux un peu plus excentrés, où l'on peut rester longtemps.

■ ***Parkings :***
– *Parkings autorisés proches du centre :* gare Wilson (Wilsonovo nádraží) sur Wilsonova ; sur L. Svobody nábř. (sur les quais de la Vltava) ; sur Na Františku (c'est le même boulevard que le précédent mais un peu plus à gauche) ;

Republiky náměstí (en plein centre) et sur Těšnov (près de l'hôtel *Opera*). Un autre encore près du métro Florenc (lignes B et C).
– *Autres parkings :* sur Náplavka (dans Staré Město), sur Malostranské náměstí (grande place de Malá Strana) et sur Karlovo náměstí (place Karlovo). Dans ces derniers, on peut stationner plus longtemps.
– *Parkings en sous-sol :* sous Republiky náměstí, ainsi que sous le grand magasin *Kotva*.

■ *Garages :*
– *Renault :* Ďáblická 2, Prague 8. ☎ 2-88-73-83 ; ou Pobřežni 3, Prague 8. ☎ 2-22-12-83-05.
– *Citroën :* Holešovice, Osadni 10, Prague 7. ☎ 2-80-04-01.
– *Peugeot :* Veleslavínská 17, Prague 8. ☎ 2-316-65-51. Ou Kloknerova 9, Prague 4. ☎ 2-71-91-31-98.
– *Dépannage :* ☎ 123 ou 154 (numéros d'urgence).

Transport fluvial

Il y a des vedettes qui parcourent la Vltava du centre et qui la remontent jusqu'à Vyšehrad...

■ *Evropská Vodni Doprava (EVD ; plan général, D2, 7) :* Čechův most, Prague 1. ☎ 2-23-10-208 ou 2-23-11-915. Fax : 2-23-10-426. ● www. evd.cz ● Le port est situé au niveau de Čechův most, côté sud. Diverses possibilités sont proposées : des promenades d'1 h avec un départ prévu toutes les heures de 10 h à 18 h, une balade de 2 h avec départ à 15 h, et enfin des croisières avec repas en musique pour le déjeuner, départ à 12 h (durée : 2 h) ; pour le dîner, départ à 19 h (durée : 3 h). Pour faire la fête les pieds dans l'eau, ajoutons à cela de mai à septembre, de 20 h à 1 h les mercredi, vendredi et samedi, une croisière spéciale danse-musique.
■ *Prague Passenger Shipping (PPS ; plan général, C4, 8) :* Rašínovo nábřeží, port central, Prague 2. ☎ 2-29-38-03, 2-29-38-09 ou 2-90-00-08-22. Fax : 2-24-91-38-62. ● www.paro plavba.cz ● M. : Náměstí Karlovo (ligne B). Le port est situé entre les ponts Palackího et Jiráskův. Des panneaux indiquent l'embarcadère. Une brochure est éditée et disponible à l'office du tourisme. Découvrez les joies du bateau-mouche sur la Vltava, du château de Hradčany au rocher de Vyšehrad. D'octobre à mars, un départ par jour les samedi et dimanche pour 2 h de croisière ; en avril de 10 h à 18 h et de mai à septembre de 10 h à 20 h, une balade d'1 h avec un départ toutes les heures environ ; circuit de 2 h avec 3 départs par jour de mai à août et 2 départs le reste de l'année. Il faut au moins dix à vingt passagers pour que le départ ait lieu : faites venir vos amis. Pour les gourmands, un circuit gastronomique est proposé d'avril à octobre à l'heure du dîner ; départ tous les jours à 19 h (durée : 3 h). Au cours de cette balade, vous prendrez l'apéro à hauteur du pont Charles, le plat de résistance en admirant le château et le dessert en face de Vyšehrad. Possibilité de naviguer hors de Prague vers Troja, Karlštejn, Mělník... Et si le cœur vous en dit, vous pourrez même louer un bateau et l'équipage avec. Bon vent !
■ *Location de barques et pédalos :* au pied du pont Legií, côté Nové Město et au pied du pont Charles, côté *Café Lávka* (voir « Où boire un verre ? »).

Calèches

Pour retrouver l'ambiance du *Mozart* de Miloš Forman. On les prend sur la place de la Vieille-Ville. En circuit touristique ou comme un taxi, c'est au choix. À faire au moins une fois. Assez cher.

Prague Rétro

À tous les kiosques « crème » des organisateurs d'excursion, possibilité de réserver un tour en voiture décapotable 1930 : 800 Kcs (27 €) pour 2 et 1 300 Kcs (44 €) pour 4. Follement smart !

Où dormir ?

Pour les informations d'ordre général, se reporter au chapitre « Hébergement » dans les « Généralités ».

Par Internet aussi, vous pouvez obtenir des informations sur les possibilités d'hébergement à Prague. Les sites proposent la plupart du temps en anglais, par exemple : • www.abaka.com • (Beaucoup d'appartements) Nul doute que, pour quelques années encore, le meilleur moyen de bien se loger à prix raisonnables restera la location d'un appartement ou le logement chez l'habitant. Bien sûr, si vous restez quelques nuits à Prague en amoureux, vous préférerez certainement dormir à l'hôtel, mais sachez que les tarifs dans le centre de la ville sont assez élevés, du fait du coût prohibitif des loyers. Mais vous économiserez largement sur le budget restauration. À vous de faire votre choix après avoir jeté un coup d'œil sur notre petite échelle de prix dans la rubrique « Budget ».

Du Canada
0-11-420-2

Réservations de logement

■ **Konvex** *(plan général, D4, 10)* : V. Smečkách 29, Prague 1. ☎ 96-32-60-82. Fax : 96-32-60-81. • www. konvex.cz • Site en français. Dans la rue donnant sur la place Venceslas (Václavské nám.). Ouvert du lundi au vendredi de 9 h à 12 h 30 et de 13 h 30 à 18 h. À notre avis, l'adresse la plus sympa à Prague. Agence créée par une jeune équipe dynamique et compétente. Vous pouvez vous adresser à notre ami Michal, qui, ainsi que toute son équipe, parle parfaitement le français. Propose des chambres chez l'habitant en plein centre-ville, la location d'appartements et des chambres en cités universitaires. Nouveaux appartements avec terrasse et parking souterrain. Un bon rapport qualité-service-prix. Fait aussi les réservations pour l'hébergement des groupes avec ou sans programme. Et si besoin, l'équipe vous trouvera un guide francophone ou s'occupera de votre location de voiture.

■ **Čedok** *(plan général, D3, 9)* : Na Příkopě 18, Prague 1. ☎ 2-24-19-71-11. Fax : 2-24-22-23-00. • www. cedok.cz • Čedok était autrefois l'agence officielle du pays. Ouvert du lundi au vendredi de 8 h 30 à 18 h et le samedi de 9 h à 13 h ; ouvert le dimanche matin pour les grands week-ends. Fermé les jours fériés. Voir « Adresses et infos utiles ». Cette agence possède aussi un bureau en France, se reporter au chapitre « Comment y aller ? ». Elle propose toute une gamme de services et d'informations touristiques. Pour l'hébergement, des formules hôtels, pensions, dortoirs, location d'appartements. L'été, pas mal de place dans des dortoirs. Pour avoir un hébergement, il faut se déplacer à l'agence, où l'on traitera votre demande (premier arrivé, premier servi).

■ **AVE** *(plan général, E3, 12)* : dans la gare centrale Hlavní nádraží, Wilsonova 8, Prague 2. ☎ 2-24-22-32-26 ou 2-35-21. Fax : 2-24-22-34-63 ou 07-83. • www.ave.anet.cz • À l'extrême droite de la gare, quand on est face aux quais. Ouvert tous les jours de 6 h à 23 h. Nombreux autres bureaux à Prague, en particulier à l'aéroport et au château (Pohořelec 9 et 18), ou dans la Vieille Ville (Staroměstské nám. 2). Cette agence déjà ancienne (la plus importante de la ville) propose un éventail très large de logements, du dortoir à l'hôtel 5 étoiles. L'idéal est de leur soumettre vos souhaits, et vous trouverez sûrement chaussure à votre pied. Prix dégressifs en fonction de la durée du séjour.

■ **KMC Travel Service** (zoom centre, 13) : Karoliny Světlé 30, Prague 1. ☎ 2-24-23-06-33. Fax : 2-855-00-13. ● www.kmc.cz ● Site en anglais. Ouvert du lundi au vendredi de 9 h à 12 h et de 14 h 30 à 17 h (15 h 30 le vendredi). C'est l'organisme national pour la jeunesse, correspondant des auberges de jeunesse. Il communique les adresses des AJ et les moyens de s'y rendre. À Prague même, plusieurs adresses permanentes : Praha hôtel Beta, Roškotova 1225. ☎ 2-241-44-52-52. Prague 4 (métro Budějovicka, ligne C) ; hôtel Standart, Prague 7 (métro Vltavská ou Nádraži Holešovice, ligne C) ; hostel Klub Habitat (voir plus bas). Possibilité de réserver par le réseau de la FUAJ (voir la rubrique « Hébergement » dans les « Généralités »). Les AJ d'été, ouvertes en juillet-août pour la plupart, sont le plus souvent dans des collèges ou universités et changent de lieu chaque année.

■ **Top Tour** (zoom centre, 14) : Rybná 3, Prague 1. ☎ 2-232-10-77 ou 2-231-40-69. Fax : 2-24-81-14-00. ● topia@sererpha.czcom.cz ● M. : Náměstí Republiky (ligne B). Ouvert de 9 h à 20 h en saison et de 10 h à 17 h hors saison. Propose des chambres et des appartements à la location. La réservation n'est pas indispensable. Une adresse de dépannage en cas de problème. Autre adresse : Revolučni 24. ☎ 2-232-06-09. Correspondant à Paris : ☎ 01-49-28-91-22. Fax : 01-44-75-32-39.

■ **IPAS** (zoom centre, 11) : Panská 8, Prague 1. ☎ 2-24-23-23-73 ou 2-24-22-21-86. Fax : 2-24-21-50-78. ● www.ipas.cz ● Ouvert du lundi au vendredi de 9 h à 21 h. Accueil sympa. Propose un large choix d'hébergement pour votre séjour dans la capitale tchèque.

CAMPINGS

Large choix, plutôt à l'ouest de la ville. Situés pour la plupart le long d'un axe routier, ils sont assez bruyants. Pour plus d'informations : ● www.camp.cz ● Voici les plus proches du centre :

⋏ **Kemp Džbán :** Nad Lávkou 5, Prague 6. ☎ 2-36-85-51-11, 12 ou 13. Fax : 2-36-13-65. À 4 km à l'ouest. En voiture, prendre la route de Chomutov jusqu'au quartier Vokovice, puis suivre les panneaux d'indications jusqu'au site. Tram n° 20 ou 26 de la station de métro Dejvická (ligne A). Seule la zone réservée aux tentes est ouverte toute l'année. Il vous en coûtera 110 Kcs (3,70 €) par personne si vous avez une tente ; sinon, possibilité de louer des chambres doubles pour 560 Kcs (18,80 €) ou des bungalows pour 4 personnes à 900 Kcs (30,20 €). Situé en bordure de forêt et près d'un lac, le camping le plus calme des environs, avec courts de tennis, mini-golf, sauna. Sanitaires assez propres. Ambiance très jeune, chants et guitare. Pas d'emplacements ombragés mais de la place pour s'ébattre.

⋏ **Autocamp Trojská :** Trojská 157, Prague 7. ☎ 2-83-85-04-87. Fax : 2-854-29-45. À côté du zoo, à 3 km au nord. Tram n° 5 de Republiky náměstí, arrêt Trojská. De l'arrêt du tram, 1re route à gauche en montant. Ouvert toute l'année. Pour une tente, compter 100 Kcs (3,40 €) par personne ; possibilité de louer des petits bungalows à 470 Kcs (15,80 €) ou des chambres à partir de 700 Kcs (23,50 €). Un tout petit camping aménagé dans un jardin privé, bien entretenu et ombragé. Fréquenté par des familles en caravane. Restaurant ouvert de 8 h à 22 h.

⋏ **Sokol Troja :** Trojská, Prague 7. ☎ 2-688-11-77 ou 2-854-29-08. Tram n° 5, arrêt Trojská. Ouvert d'avril à octobre. À quelques dizaines de mètres de Autocamp Trojská et pour des prix similaires. Plus grand que les campings de la même rue mais beaucoup moins agréable. À consommer avec modération. Possède aussi un restaurant.

⛺ ***Sport Camp Motol :*** Nad Hliníkem 2, Prague 5. ☎ 2-51-21-30-80. Fax : 2-51-21-50-84. Tram n° 9 depuis le métro Anděl (ligne B). Des bungalows pour 2 personnes à 430 Kcs (14,40 €) et pour 4 personnes à 660 Kcs (22,10 €) ; en tente, 90 Kcs (3 €), plus 140 Kcs (4,70 €) par personne, et les automobilistes ajouteront 100 Kcs (3,40 €) pour le véhicule. En venant de Prague, sur Plzeňská, prendre le chemin indiqué à gauche. Si vous êtes à pied, la grimpette est un peu raide mais au moins vous vous éloignez du bruit quand vous êtes sur la colline... Emplacements assez grands pour une tente. Bungalows un peu tristounets. À côté, tennis et mini-golf.

⛺ ***Caravan Camp :*** Plzeňská 215, Prague 5. ☎ 2-52-47-14. À 5 km à l'ouest de la ville, sur la route de Plzeň. Tram n° 9 du métro Anděl (ligne B). Ouvert d'avril à octobre. Non, non, ne vous fiez pas à son nom. Il n'est pas réservé qu'aux caravanes. En tente, comptez 90 Kcs (3 €), plus 140 Kcs (4,70 €) par personne, et si vous êtes en voiture, ajoutez 100 Kcs (3,40 €). Bien tenu mais assez bruyant. Préférez les emplacements du haut, plus calmes et ombragés. Petit restaurant à côté de la réception. Plus rudimentaire que le précédent, mais plus proche des transports en commun.

⛺ ***Triocamp Dolní Chabry :*** Ústecká Ulice, Prague 8. ☎ et fax : 2-688-11-80. • triocamp.praha@telecom.cz • À Dolní Chabry, à 10 km au nord de Prague. Prendre la route 608 en direction de Teplice. Sortir à Zdiby et revenir sur ses pas pour tourner à droite dès l'indication « Triocamp ». Sinon, prendre le tram n° 5, 12, 14 ou 17 jusqu'à Ke Stírce puis le bus n° 162 jusqu'à Medenecká (30 mn de trajet). Bungalows pour 2 personnes à 775 Kcs (26 €) et pour 4 personnes à 1 330 Kcs (45 €) ; belles chambres doubles à 1 100 Kcs (37 €), chambres pour 4 personnes à 1 900 Kcs (64 €) ; les campeurs devront compter 140 Kcs (4,70 €) par personne, plus 120 Kcs (4 €) pour la tente, et les automobilistes ajouteront 120 Kcs (4 €). Loin du centre de Prague, il vaut mieux avoir une voiture... mais quel plaisir de planter sa tente sous un cerisier ! Accueil gentil (on y parle un peu le français).

DORTOIRS, AUBERGES DE JEUNESSE ET GYMNASES, NON LOIN DU CENTRE

Ouverts uniquement en été (essentiellement en juillet et août), ces établissements sont en fait des écoles, des facs, des centres sportifs qui, une fois les élèves, les étudiants ou les sportifs au loin pour l'été, organisent les espaces en grands dortoirs. Dans certaines facs, on dispose de chambres d'étudiants à 2 lits, dans d'autres lieux, ce sont des matelas posés sur le sol. Un truc important : la localisation. Préférez d'emblée les hébergements proches du centre ou facilement accessibles par les transports en commun. Si vous passez par un organisme qui s'occupe de réserver pour vous, faites-vous bien décrire les moyens d'accéder à votre logement et l'heure limite des transports pour y aller. Bien souvent, cette donnée primordiale est passée sous silence. Si possible, essayez de voir le lieu sur photo, ça donne une idée, bien que la réalité soit généralement assez différente.

🏠 ***Domov mládeže Penzion*** *(plan général, F4,* ***30****)* ***:*** Dykova 20, Prague 10. ☎ et fax : 2-25-06-88 ou 2-25-14-29. • jana.dyrssmidova@telecom.cz • M. : Jiřího z Poděbrad (ligne A). À l'est du centre. Réception ouverte 24 h/24 (avec un panneau d'affichage pour plein d'infos utiles). Réservation par téléphone possible et conseillée. Chambres doubles à 800 Kcs (27 €), petit déjeuner compris ; un peu moins cher en dortoir. Situé dans le quartier résidentiel de Vinohrady, qui possède un charme très londonien avec beaucoup d'arbres et de façades victoriennes, c'est vraiment l'un des meilleurs rapports qualité-prix qu'on connaisse. 80 lits en tout, de la chambre double au dortoir de 6 personnes. Simple, propre, accueillant, presque familial. Pas de couvre-feu. Sanitaires corrects, dans le couloir. Une bonne adresse routarde et agréable, loin des sordides cités U. Un peu plus cher, tout en restant très bon marché. Possibilité de parking gratuit. Le même réseau offre aussi des hébergements dans Prague 2 : *Amadeus*, Slavojova 108/8, ☎ 2-692-73-21 (45 lits) et *Máchova*, Máchova 11, ☎ 2-25-41-89 (58 lits).

▲ **Hostel Klub Habitat** (*plan général, D4, 31*) : Na Zderaze 10, Prague 2. ☎ 2-24-92-17-06. ● hostel@iol.cz ● Nuit à 400 Kcs (13,40 €) par personne, petit déjeuner compris ; réduction avec la carte des AJ. Réception ouverte tous les jours 24 h/24. Il ne faut pas être affolé par la rue un peu crasseuse. Cette maison plutôt sympa propose une bonne trentaine de lits dans des chambres pour 3, 4 ou 7 personnes. Quelques-unes ont des douches. L'ensemble paraît plutôt bien tenu, même si le confort est un peu spartiate. Prix vraiment intéressants. En plus, vous ferez une bonne action en venant dormir ici. Les bénéfices générés par cet hôtel permettent de faire fonctionner une association qui s'occupe d'enfants défavorisés. Grâce à vous, beaucoup d'entre eux peuvent partir en vacances à la montagne l'hiver. Des vacances financées par des vacances : une belle idée, non ?

▲ **Traveller's Hostel** (*zoom centre, 32*) : Dlouhá 33. ☎ 2-24-82-66-62. Fax : 2-24-82-66-63. ● www.travellers.cz ● AJ indépendante à côté du *Club Roxy*. Lits en dortoirs à 350 Kcs (11,70 €) et 550 Kcs (18,40 €) en chambre double, petit déjeuner et location de draps comprise ; moins cher à partir de 5 nuits. Pas de couvre-feu. Petite caution pour les clefs. Douches gratuites, bar, laverie et accès Internet. Accès un peu glauque, mais bonne ambiance et propreté acceptable.

▲ **Kolej AMU** (*Académie de musique ; plan général, D2, 33*) : Hradebni 7, Prague 1. ☎ 2-231-49-25. En plein centre. Ouvert du 15 juin au 15 septembre. Il est vraiment conseillé de réserver à l'avance. Des chambres pour 2 ou 3 personnes au prix de 400 Kcs (13,40 €) par personne, sans petit déjeuner mais la cuisine est à votre disposition. Encore un centre estudiantin qui se transforme en hébergement pour touristes en été. Alan Parker aurait pu y tourner *Fame*, tant l'ambiance dans l'année semble inspirée de cette célèbre comédie musicale. Quoi de plus normal dans une académie de musique ! L'été, les 150 chambres sont désertées. Confort simple et bâtiment relativement bien tenu. Quelquefois des chambres libres également pendant l'année.

▲ **Universitas Tour** (*plan général, E3, 34*) : Opletalova 38, Prague 1. ☎ 2-26-04-26 ou 2-24-21-17-73. Fax : 2-24-21-22-90. M. : Nádraží Hlavní (ligne C) ou Nám. Republiky (ligne B). Trams n°s 5, 9 et 26. À deux pas des gares. Du 1er juillet au 15 septembre en général. Accueil ouvert de 8 h à 17 h. Logement en dortoir à 300 Kcs (10 €) par personne ; chambres doubles à 800 Kcs (27 €). Environ 300 lits en chambres ou petits dortoirs, avec petit déjeuner, dans une sorte de cité U qui possède l'énorme avantage d'être proche du centre à pied (environ 15 mn). Sanitaires dans le couloir. Peuvent également proposer d'autres hébergements dans d'autres lieux.

▲ **ČTj Sokol Karlin** (*Ubytovna ; plan général, F2, 35*) : Malého 1, Prague 8. ☎ 2-24-81-74-74. À 10 mn du métro Florenc (lignes B et C) ou tram n° 8. Ouvert de 18 h à 8 h ; attribution des chambres de 18 h à 23 h et de 7 h à 8 h ; on accepte toutefois les bagages à la réception dans la journée. Fermé du 1er janvier au 1er mars. Chambres doubles à 700 Kcs (23,50 €) sans petit déjeuner. Voici l'adresse la moins chère non loin du centre, pour budgets super-riquiqui. De la chambre double aux dortoirs de 6 lits. On peut aussi choisir de dormir sur des matelas au sol dans le gymnase. Sans confort et à proximité de la ligne de chemin de fer, mais on dort pour un prix dérisoire. Une adresse de routard pur et dur ! Petit inconvénient, si vous rentrez après 23 h, il faut payer un modeste supplément pour le portier.

🏠 **Olet Youth Hostel** *(plan général, E4, 36)* **:** Míru Náměstí 12, Prague 2. ☎ 2-25-07-34. ● xblao03 @vse.cz ● M. : Náměstí Míru (ligne A) et tram n° 4 ou 22. À deux stations du centre, dans un quartier très calme, à découvrir. Un bon compromis, donc. Ouvert pendant l'été. Pour 240 Kcs (8 €) par personne, des dortoirs de 10 lits avec matelas pneumatiques ou, pour les quasi-fauchés, matelas à même le sol. 5 douches seulement au rez-de-chaussée. Pour les routards peu regardants en ce qui concerne le confort. Accueil jeune et décontracté, et pas de couvre-feu. Buffet et petit déjeuner proposés dans une petite pièce qui fait office de bar.

🏠 **Olet Youth Hostel** *(ex-Iglibi Youth Hostel ; plan général, D4, 37)* **:** Štěpánská 8, Prague 2. M. : I.P. Pavlova (ligne C). Trams n°s 4, 6, 16 et 22. Ouvert du 1er juillet au 25 août uniquement. Une auberge de jeunesse en plein cœur de Prague. Dans une école désertée pendant les vacances, des dortoirs de 10 à 12 lits sont installés dans les classes aux bonnes odeurs de craies... au moins au début de l'été. Douches sur le palier. Et comme seul espace de verdure, il vous reste la cour de récréation... à moins que vous ne préfériez y jouer aux billes !

🏠 **Švehlovy Koleje** *(plan général, F4, 38)* **:** Slavikova 22, Prague 3. ☎ 2-24-31-11-05. Fax : 2-24-31-11-07. M. : Jiřího z Poděbrad (ligne A). Entrée par la rue Křížkovského 4. Logement étudiant pour tous de 300 à 500 Kcs (10 à 16,80 €) par personne suivant le type de chambre (double, triple ou dortoir). Tout proche de l'université, dans un quartier calme que l'on aime bien, ce bâtiment imposant abrite pendant l'année des chambres et un restaurant universitaire. L'été, il se transforme, comme beaucoup, en hébergement pour routards de passage.

Les adresses qui suivent sont situées au sein de la cité universitaire, dans un coin carrément glauque, voire déprimant. Ce sont des bâtiments moches, cubiques, dans un environnement un rien sordide. L'énorme avantage – vu le tableau idyllique, il en fallait un – est le bas prix et la possibilité quasi certaine d'y trouver de la place. Ils proposent tous les mêmes services. Plusieurs agences citées ci-dessus proposent d'ailleurs des hébergements dans ces lieux-là. Pour y aller, prendre soit le métro ligne A jusqu'à Dejvická, puis bus n° 143, 149 ou 217 ; soit le métro ligne C, descendre à Anděl et continuer avec le bus n° 132 ou 217, jusqu'à Koleje Strahv, Stadion Strahov.

🏠 **Estec Hostel** *(plan général, B3, 39)* **:** Vaníčkova 5, Block 5, Prague 6. ☎ 2-57-21-04-10 ou 2-57-21-33-57 (réservation). Fax : 2-57-21-52-63. ● www.estec.cz ● Pas besoin de carte d'étudiant. Une partie ouverte toute l'année, le reste (500 lits) l'est seulement l'été. Réception ouverte 24 h/24. *Check-out* à 10 h. Pas de couvre-feu. Chambres de 2 lits à 780 Kcs (26,10 €) ; en dortoir, le prix peut tomber à 250 Kcs (8,40 €) par personne. Possibilité de prendre le petit déjeuner. Accepte les cartes de paiement. Une cité U comme Usine. Simple, propre. Sanitaires à l'extérieur. Laverie. Attention, dernier bus vers minuit.

🏠 **Welcome Hostel** *(plan général, B3, 40)* **:** Vaníčkova 5, Block 3, Prague 6. ☎ 2-52-71-90. Fax : 2-24-32-34-89. ● www.bed-cz ● Situé de l'autre côté de la rue par rapport à l'*Estec Hostel*. Compter 400 Kcs (13,40 €) par personne, petit déjeuner compris. Ce réseau offre aussi d'autres logements dans Prague.

🏠 **SPUS** *(plan général, B4, 41)* **:** Vaníčkova 5, Block 4, Prague 6. ☎ et fax : 2-57-21-07-64 ou 2-20-51-34-19. Juste derrière le Block 3, il complète les possibilités d'hébergement dans cette zone. Dans les mêmes prix que les précédents. *SPUS*

offre aussi d'autres logements dans Prague.

PENSIONS À PRIX MODÉRÉS

≜ *Pension Unitas* (zoom centre, *42*) : Bartolomějská 9, Prague 1. ☎ 2-232-77-00. Fax : 2-232-77-09. ● www.unitas.cz ● M. : Můstek (lignes A et B). Trams n°s 6, 9, 18, 22. Au cœur de la Vieille Ville. Bien indiquée à partir de la rue Na Perštýně. Réception fermée de 1 h à 6 h, mais permanence 24 h/24. Il faut absolument réserver car l'adresse est connue. Chambres doubles à partir de 1 400 Kcs (47 €) sans salle de bains ; si vous venez en famille ou entre amis, 2 000 Kcs (67 €) pour 4 personnes. Pas de couvre-feu mais règlement à l'entrée. Essayez de le respecter pour préserver l'attrait de cette adresse exceptionnelle. Si ce sont aujourd'hui une pension et un hôtel, ce fut autrefois une prison, ce qui explique la taille des chambres et leur modestie. Lavabos et douches à l'étage. Les murs de cette pension ont vu défiler beaucoup de monde : couvent médiéval fondé par les jésuites, occupé par des religieuses au XIXe siècle, puis des prisonniers politiques quand la police secrète y a installé une prison d'État en 1948. Václav Havel a été incarcéré plusieurs fois dans la cellule n° 6, au sous-sol, une plaque le confirme. Aujourd'hui, les touristes partagent les lieux avec les sœurs qui habitent à nouveau aux 1er et 2e étages. D'où : pas d'alcool ni de cigarettes. Si vous n'êtes pas trop claustro, vous passerez une nuit au sous-sol, en cellule (chambre n° 5, 6 ou 7). Les portes sont repeintes en rose mais ce sont les originales. Pour les amateurs de sensations fortes.

– Dans le même bâtiment, vous trouverez dans les étages supérieurs l'*hôtel Cloister Inn*. ☎ 2-242-11-020. Fax : 2-242-10-800. ● www. cloister-inn.com ● Toujours une bonne adresse, mais plus chère et plus luxueuse, naturellement. La double va de 3 400 à 4 500 Kcs (113 à 150 €).

≜ *Pension Košická* (plan général, F5, *43*) : Košická 12, Prague 10.

☎ 2-71-74-12-64. ☎ et fax : 2-22-51-25-97 (pour les réservations). M. : Náměstí Míru (ligne A), puis tram n° 4, 22, 34 ou 57 (la nuit) jusqu'à Ruská ; la rue est sur la droite à 50 m. Chambres doubles à 1 000 Kcs (33,40 €) avec bains, 800 Kcs (27 €) sans, petit déjeuner compris. Une soixantaine de lits et une double formule dans cette vaste maison à la façade blanche bien accueillante. Aux 1er, 2e et 4e étages, il s'agit d'un *hostel* proposant des chambres très propres de 2 à 6 personnes. Au 3e étage, vous êtes dans un hôtel. On vous propose 5 chambres dont une pour 4 personnes. À peine plus cher que la formule en *hostel*. On s'y sent bien, et l'ambiance est vraiment sympa. Petite précaution : planquez bien vos valeurs. On nous a signalé des vols. Le même réseau offre aussi des hébergements dans Prague 2 : *Amadeus*, Slavojova 108/8, ☎ 2-692-73-21 (45 lits) et *Máchova*, Máchova 11, ☎ 2-25-41-89 (58 lits).

≜ *Pension Digitals* (hors plan général par A3, *44*) : Na Petýnce 106/143, Prague 6. ☎ 2-24-31-37-39, 83 ou 89. En voiture (15 mn du centre), prendre l'E48 en direction de Karlovy Vary, tourner à droite au niveau de l'arrêt de bus Kajetánská, après le superbe parc de Petýnka. Sinon, bus n° 108, 174 ou 235 à partir du métro Hradčanská (ligne A). 12 chambres doubles avec douche, w.-c., TV et téléphone pour 1 850 Kcs (62 €). Proche du quartier résidentiel de Střešovice, une petite pension sans prétention au décor bien plus kitsch que ne le laisse supposer la façade. Une minuscule terrasse agréable pour prendre le petit déjeuner.

≜ *Pension Madona* (plan général, F6, *45*) : Pod Vilami 24, Prague 4. ☎ et fax : 2-692-58-36. Du métro Muzeum (lignes A et C), prendre le tram n° 18 jusqu'à la 5e station : V Horky. Chambres doubles à partir de 1 500 Kcs (50 €). Une vraie chambre d'hôte de charme en terre pragoise. Un peu excentrée, certes, mais cette jolie maison a tellement de charme qu'on n'a pas pu résister. On vous donne volontiers son adresse. 10 chambres et un appartement (la majorité avec sanitaires), déco hétéroclite qui donne l'impression d'être dans un B & B anglais. Pour tout vous dire, on a un faible pour la 10. Petit salon à disposition des hôtes, salle avec des meubles en fer forgé pour le petit déjeuner et même un petit bar pour l'apéritif. Partout sur les murs, des tableaux d'un peintre slovaque, ami de la famille, qui payait son hébergement en donnant ses œuvres. L'ensemble est particulièrement propre et bien tenu. Et tout cela pour le prix d'une petite chambre d'hôte en France.

≜ *Pension Jana* (hors plan général par A2, *46) :* U Přechodu 7, Ořechovka, Prague 6. ☎ 2-33-35-92-43. Fax : 2-24-31-17-60. • www.cmail. cz.pensionjana • Dans le quartier de Dejvice. M. : Dejvická (ligne A). Tram n° 26, arrêt à Hadovka Strajendahn. Pas toujours facile à trouver, rien ne mentionne cette pension ; demandez-leur de vous faire parvenir le plan d'accès. Chambres doubles à 1 300 Kcs (44 €). Presque chez l'habitant. Soyons honnêtes, il y a une voie ferrée qui passe juste à côté, mais on a vraiment bien aimé cette vaste bâtisse. Très maison de maître du XIXe siècle. Et puis Jana est tellement sympa que cela compense largement ce petit inconvénient. 7 chambres un poil conventionnelles au niveau déco, mais très spacieuses. Tout cela est très bien tenu !

≜ *Pension Šubrt* (plan général, A5, *47) :* Podbělohorská 50, Prague 5. ☎ 2-57-21-60-94 ou 2-06-03-44-11-54. Fax : 2-57-21-43-67. Assez éloigné du centre. Tram n° 9 depuis la place Venceslas jusqu'à la station Klamovka, puis traverser le parc ; ou bus n°s 217 et 191 depuis la station de métro Anděl (ligne B), descendre à l'arrêt Pod Lipami. Chambres doubles à 1 400 Kcs (47 €), douches et w.-c. sur le palier. Sympa et kitsch comme une chambre d'hôte en France dans les années 1970. On est presque

à la campagne. Il ne manque que les nains de jardin pour compléter ce tableau idéal. 6 chambres spacieuses, déco croquignolette à l'image des portes en moleskine rouge. Accueil cordial de Milan à qui vous prendrez soin d'apporter un drapeau. Il en a toute une collection ! Parking clos pour 100 Kcs (3,40 €) par jour.

≜ *Pension Sprint* (plan général, A2, *48) :* Cukrovarnická 64, Prague 6. ☎ et fax : 2-33-35-18-37. • penzions print@iol.cz • Dans le quartier de Střešovice, au nord-ouest de Hradčany. Pour y aller, compter en tout 30 mn. Prendre le tram n° 18 (ou le n° 1) à Václavské náměstí ou à la station de métro Hradčanská (ligne A) ; c'est direct. Chambres doubles avec douche à 1 500 Kcs (50 €), petit déjeuner compris. Dans un quartier assez résidentiel et calme mais éloigné. Établissement modeste, un peu tristounet mais bien tenu, qui propose des petites chambres doubles. Sanitaires dans le couloir pour certaines. Patron accueillant, toujours prêt à rendre service. Réserver à l'avance. Attention, certaines chambres donnent directement sur un vilain terrain de foot.

≜ *Hôtel Salvator* (plan général, E2, *49) :* Truhlářská 10, Prague 1. ☎ 2-22-31-22-34. Fax : 2-22-31-63-55. • www.pha.inecnet.cz/salvator • Pas loin du centre et à 3 mn d'une station de métro. Chambres doubles entre 2 000 et 2 850 Kcs (67 et 95 €) avec douche et w.-c. en commun ou privés. Dans une artère calme. Une trentaine de chambres de belle taille, pas trop mal décorées. Un bon compromis qualité-prix. En complément, un resto de cuisine sud-américaine avec caves voûtées et écrans de TV pour regarder les retransmissions sportives du monde entier tout en s'escrimant sur un steak argentin.

≜ *Hôtel Malekon* (hors plan général par E6, *50) :* Na Záhonech 34, Prague 4. ☎ 2-241-48-43-43 et 2-241-48-44-44, ou ☎ et fax : 2-41-48-44-44. • www.malekon.cz • M. : Kačerov (ligne C). Réservez très longtemps à l'avance pour la période d'été. Chambres doubles à 1 750 Kcs

(8,50 €) petit déjeuner compris ; lit supplémentaire à 450 Kcs (15,10 €) ; gratuit pour vos bambins s'ils ont moins de 6 ans. Une dizaine de chambres doubles seulement, entièrement refaites à neuf, avec salle de bains et TV. On se croirait presque chez soi dans cette grande maison à la propreté nickel, en plein quartier résidentiel. Il faut environ 15 mn pour rejoindre le centre en métro. Mais l'un des avantages de cet hôtel familial est son parking gratuit, idéal si vous êtes venu en voiture.

🛏 **Pension Expres** (zoom centre, 51) : Skořepka 5, Prague 1. ☎ 2-06-02-30-83-44, ou ☎ et fax : 2-24-21-18-01. À deux pas de la Vieille Ville. Chambres doubles à 2 400 Kcs (80 €) avec salle de bains, 1 500 Kcs (50 €) sans ; également des chambres à 3, 4 et 5 lits. Cette pension de 20 chambres conviendra bien à ceux qui souhaitent bénéficier d'un logement au cœur de la zone historique. Chambres bien agencées avec radio, TV et téléphone. Celles du rez-de-chaussée donnent sur une petite cour.

🛏 **Hôtel City** (plan général, E5, 52) : Belgická 10, Prague 2. ☎ 2-22-52-16-06. Fax : 2-22-52-23-86. ● www.hotel.city.cz ● M. : Náměstí Míru (ligne A). Chambres doubles à 2 400 Kcs (80 €) avec salle de bains

privée, 1 600 Kcs (53 €) avec salle de bains partagée par 2 chambres, petit déjeuner compris ; 30 % de moins en basse saison, 20 % de plus pour les week-ends de Pâques, de l'Ascension et de la Pentecôte. Également des chambres à 3 et 4 lits. Cartes de paiement acceptées. TV en supplément. Un hôtel très sûr de 19 chambres, spacieuses et très claires, mobilier moderne, situé dans un immeuble récent au cœur d'un quartier calme et résidentiel. Accueil courtois. Parking payant et gardé.

🛏 **Pension Březina** (plan général, E4, 53) : Legerova 41, Prague 2. ☎ 2-96-18-88-88 ou 2-24-26-67-79. Fax : 2-24-26-67-77. ● www.abaka. com/czech/brezina ● Non loin de la place Venceslas. M. : I.P. Pavlova (ligne C). Chambres doubles de 1 100 à 2 000 Kcs (37 à 67 €) avec ou sans bains ; petit déjeuner en plus. Dans un immeuble ancien. Poussez la lourde porte d'entrée, la réception se trouve sur votre droite. Cette pension offre une vingtaine de chambres agréables de 1 à 4 lits. Compte tenu de la circulation, mieux vaut éviter les chambres qui donnent sur l'avenue. Une annexe (sans réception) de cette pension se trouve à deux pas du Théâtre national ; elle offre une dizaine de chambres.

HÔTELS

Prix moyens

🛏 **Hôtel Lunik** (plan général, E4, 54) : Londýnska 50, Prague 2. ☎ 2-24-25-39-74. Fax : 2-24-25-39-86. ● bonaparte@mbox.vol.cz ● Dans le quartier qui monte de Vinohrady, pas très loin du centre. Chambres doubles avec douche et w.-c. à 3 190 Kcs (106 €), petit déjeuner compris. Un bel exemple de l'architecture d'avant la chute du Mur, moderne, entièrement refait, de bonne tenue et au rapport qualité-prix correct pour sa situation. Dans un quartier résidentiel et verdoyant. 35 chambres doubles. Cosy et très accueillant. Bref, c'est chouette. En été,

réservation possible mais pas plus d'un mois à l'avance.

🛏 **Hôtel Brno** (plan général, G2, 55) : Thámova 26, Prague 8. ☎ 2-24-81-18-88. ☎ et fax : 2-24-81-04-32. Juste à la sortie du métro Křižikova (ligne B). Chambres doubles à 2 700 Kcs (90 €) avec bains et w.-c., petit déjeuner compris ; appartements pour 4 et 5 personnes à des prix plutôt intéressants : compter respectivement 4 000 Kcs et 4 200 Kcs (133 et 140 €) ; légère réduction pour les paiements cash. Cet hôtel, à peine plus cher qu'une pension, présente l'avantage d'être facile d'accès, à 10 mn du centre. Sinon, l'immeuble, plutôt style HLM, n'a pas de charme particulier. 36 grandes chambres. Une adresse pratique, mais à l'atmosphère vraiment conventionnelle. Possibilité de parking pour 230 Kcs (7,70 €) par jour.

≜ *Pension U Medvídků* (zoom centre, *56*) : Na Perštýně 7, Prague 1. ☎ 2-24-21-19-16. Fax : 2-24-22-09-30. En plein centre, à proximité de Bethlémské nám. Chambres doubles à 3 100 Kcs (103 €) avec bains, 1 500 Kcs (50 €) sans ; tarifs variables en fonction de la saison. Bâtiment à l'architecture assez remarquable proposant une pension proprette et bien tenue aux chambres récemment rénovées. Mobilier en bois clair, confort sommaire, douches et w.-c. à l'étage. Une petite vingtaine de chambres, dont quelques triples. Accueil un peu impersonnel. Préférez les chambres sur la rue. Vous serez peut-être effrayé par la taille de la brasserie qui se trouve au pied de cette pension. Il faut dire que c'est l'une des plus anciennes de Prague. Ultra-touristique et sans grand intérêt !

≜ *Hôtel Bílý Lev* (Le Lion Blanc ; plan général, F3, *57*) : Cimburkova 20, Prague 3. ☎ 2-22-78-04-30. Fax : 2-22-78-04-65. Dans le quartier de Žižkov. Pour y aller de Václavské náměstí, tram n° 9 (3e arrêt).

De Republiky náměstí, tram n° 26 ou 5 (3e arrêt). Curieusement moins cher l'été que le reste de l'année : à cette période, compter 2 400 Kcs (80 €) pour une chambre double, petit déjeuner compris. Petit hôtel au calme, avec 29 chambres de petite taille, tout confort (téléphone, TV, sanitaires complets), sympa et non loin du centre. Pas de style particulier, mais presque familial. Chambres pour 2, 3 ou 4 personnes. Bonnes prestations générales. Il est souhaitable de réserver à l'avance, une partie des chambres étant attribuée aux agences. Bon accueil.

≜ *Hôtel Splendid* (plan général, D1, *58*) : Ovenecká 33, Prague 7. ☎ 2-37-33-51 à 59. Fax : 2-33-37-22-32 ● www.hotelsplendid.cz ● Au nord de la Vltava, par le pont Švermův. Tram n° 26 de la Republiky náměstí ; descendre à Letenské náměstí. Un peu excentré, il faut 25 mn à pied pour aller dans le centre. Situé dans le quartier très tranquille de Bubeneč. Chambres doubles à 2 900 Kcs (97 €) avec bains, TV, bar, petit déjeuner compris. Chambres impeccables, mais la déco années 1970 s'avère d'un charme redoutable. Petite terrasse devant l'hôtel. Accueil impersonnel. On vous y proposera, si vous le désirez, d'effectuer vos réservations pour les spectacles.

Plus chic

Les tarifs augmentent considérablement dès que l'on change de catégorie d'hôtels. Tous les établissements de standing pratiquent des prix internationaux, donc élevés, surtout depuis ces dernières années où les prix ont flambé de manière soudaine.

≜ *Hôtel Sax* (plan général, B3, *59*) : Jánský Vršek 328/3, Prague 1. ☎ 2-57-53-01-72. Fax : 2-57-53-41-01. Dans Malá Strana, au pied du château. Chambres doubles pour 4 400 Kcs (147 €). L'hôtel se situe dans l'un des quartiers les plus anciens de Prague. Une de nos adresses préférées. D'apparence plutôt classique, c'est une véritable révélation une fois à l'intérieur. La réception cache un beau salon dans un atrium. Les chambres, agréables, sont agencées autour de cette cour

intérieure sur deux étages en mezzanine, avec comptoir pour déguster du café. L'ensemble de la décoration très design ne choque absolument pas. Équipement moderne dans les chambres, qui offrent diverses vues sur le quartier et parfois sur le château. Prix très raisonnables pour un hôtel de cette classe. Service prévenant et sympathique.

≜ *Hôtel Opera* (plan général, E2, *60*) : Těšnov 13, Prague 1. ☎ 2-231-56-09. Fax : 2-231-25-23. Chambres doubles à 4 200 Kcs (140 €) avec bains, petit déjeuner compris ; 30 % de réduction en hiver. Immeuble bourgeois à la façade rose, typique du début du XXe siècle : on ne peut pas le manquer ! Une cinquantaine de chambres bien situées, à 10 mn à pied du centre ; malheureusement, l'autoroute urbaine passe à proximité. Une adresse à fréquenter plutôt en hiver. Chambres impeccables et joliment décorées. Toutes possèdent une salle de bains. On y parle l'anglais. Bar agréable attenant à l'hôtel. Parking aisé dans la rue.

🛏 *Hôtel Europa* (plan général, E3, 61) : Václavské náměstí 25, Prague 1. ☎ 2-24-22-81-17 ou 82-15. Fax : 2-24-22-45-44. M. : Mûstek (lignes A et B). En plein centre. Chambres doubles à 2 000 Kcs (67 €) sans salle de bains, 3 700 Kcs (124 €) avec ; quelques suites aux environs de 5 000 Kcs (167 €). Un des plus fascinants édifices Art nouveau de Prague. Splendide façade qu'on décrit amplement dans notre rubrique « À voir ». Puisque c'est un hôtel, on peut donc y dormir. Contrairement à ce que sa notoriété pourrait laisser supposer, c'est l'établissement le moins cher de cette place. Pour bien vivre l'*Europa*, il faut savoir quelques petites choses. Il respire encore une certaine décadence, c'est ce qui fait son charme, et le personnel a conservé ses mauvaises manières et parfois son je-m'en-foutisme. Il faut savoir dépasser ces petites déconvenues pour apprécier l'endroit. Les chambres donnant sur cour à l'arrière, sans salle de bains, sont à éviter. Déco médiocre, ménage fait à la va-vite. Si vous venez là, c'est pour avoir une chambre spacieuse, donnant sur la place. Demandez-en une le plus haut possible. Déco un peu kitsch, style « ancien », ringard à en être drôle, avec quelques éléments années 1970, comme un vieux téléphone orange ou un tabouret en plastique. Un charme indéniable qui agit dès la porte à tambours franchie, une ambiance particulière pour un prix finalement pas si exorbitant. Faites un tour dans les salons des étages, c'est toujours amusant.

🛏 *Hôtel Ariston* (plan général, F3, 62) : Seifertova 65, Prague 3. ☎ 2-22-78-25-17. Fax : 2-22-78-03-47. ● hhotels@anet.cz ● Tram nº 5, 9 ou 26. À 10 mn du centre en tram, dans le quartier de Žižkov, après le stade. Chambres doubles tout confort à 3 700 Kcs (124 €). Hôtel 3 étoiles construit en 1888 et récemment rénové. Du coup, il ressemble à un quelconque bel hôtel de chaîne. Chambres avec TV et téléphone. Restaurant, grande salle de conférences. Certaines chambres donnant sur la rue peuvent être un peu bruyantes.

🛏 *Hôtel Axa* (plan général, E2, 63) : Na Poříčí 40, Prague 1. ☎ 2-24-81-25-80. Fax : 2-232-21-72. Réservations : ☎ 2-24-81-63-32. Fax : 2-24-81-44-89. ● axapraha@mbox. vol.cz ● M. : Florenc (lignes B et C) ou Náměstí Republiky (ligne B). Chambres doubles à 3 960 Kcs (132 €) ; pendant certains week-ends prolongés particulièrement chargés, comme Pâques ou le Jour de l'An, la même chambre vous coûtera plus de 4 000 Kcs (133 €). Intéressant immeuble des années 1960, dans lequel on trouve une usine de 131 chambres. Peut-être votre dernière chance d'en obtenir une lorsque tout est complet. Toujours rempli d'Allemands. Piscine et salle de musculation payantes au sous-sol. Le tout banal, à l'image de l'accueil. Reste un bon rapport proximité-prix (pour les premières chambres, on le répète). Quartier bruyant et pas extra.

🛏 *Hôtel Merkur* (plan général, E2, 64) : Těšnov 9, Prague 1. ☎ 2-23-23-878. Fax : 2-23-23-906 ou 2-24-81-09-33. M. : Florenc (lignes B et C). Pas loin du centre-ville (10 mn à pied). Chambres doubles à 3 600 Kcs (120 €), petit déjeuner compris ; si vous êtes trois, possibilité d'avoir un lit supplémentaire pour 500 Kcs (16,80 €). Édifice des années 1950, sans aucun charme. Une cinquantaine de chambres meublées à l'avenant. Surtout intéressant parce qu'il est relativement proche du centre, sinon assez cher pour ce qu'il propose. Toutes les chambres ont leur propre salle de bains et le doublevitrage, donc pas de problème de bruit. Excellent petit déjeuner. L'ensemble est un peu *bluesy*. Quartier moche, en face de l'autoroute urbaine.

🛏 **Hôtel Koruna** *(plan général, D4, 65)* : Opatovická 16, Prague 1. ☎ 2-24-91-51-74. Fax : 2-24-92-17-10. Dans Nové Město. Chambres doubles à 3350 Kcs (112 €), petit déjeuner compris. Situé dans un quartier calme. Jolie façade classique, ocre, mais qui cache malheureusement une déco années 1970 vraiment ringarde. Une vingtaine de chambres. Le tarif est bien trop élevé pour le niveau global. Une adresse de dernier recours si vous n'avez vraiment rien trouvé d'autre.

Beaucoup plus chic

🛏 **Hôtel U Raka** *(plan général, A2, 66)* : Černínská 10, Hradčany, Prague 1. ☎ 2-20-51-11-00 ou 2-20-51-47-92. Fax : 2-20-51-05-11. ● www.romantikhotels.com ● Chambres doubles à 6200 Kcs (207 €), petit déjeuner compris ; une suite à 7200 Kcs (240 €). Au fin fond de Malá Strana, on pourrait presque se croire dans un village. C'est ici que cette petite pension de charme, avec seulement 6 chambres, recrée délibérément une atmosphère romantique pour votre séjour en amoureux. Accueil stylé, quelques tables dans un jardin privé, fleurs à profusion, boiseries dans les chambres et même un lit à baldaquin pour la suite : aucun détail n'est oublié. La cuisine, où l'on prend le petit déjeuner, est à elle seule un petit musée. Il va de soi que la réservation est impérative. Parking gratuit.

🛏 **Hotel Biskupský Dům** *(plan général, C3, 67)* : Dražického náměstí 6/62, Malá Strana. ☎ et fax : 2-57-31-50-87. ● biskup@ok.cz ● Pile à côté de la rive gauche de la Vltava, et à l'ombre des tours du pont Charles. Chambres doubles à partir de 7000 Kcs (230 €). Idéalement située dans le quartier le plus romantique de la ville, une adresse de charme et feutrée, ancienne demeure d'évêque, très confortable. Grandes chambres élégantes et moelleuses, à l'équipement complet. Celles mansardées sous le toit ont beaucoup de charme aussi. Petite courette couverte pour prendre un verre. Service stylé et petit déjeuner complet très varié.

🛏 **U Tří Pštrosů** *(Les Trois Autruches ; plan général, C3, 68)* : Dražického nám. 12, Prague 1. ☎ 2-57-53-24-10. Fax : 2-57-53-32-17. ● www.utripstrosu.cz ● Dans le quartier de Malá Strana, au pied du pont Charles. M. : Malostranská (ligne A). Tram n° 12 ou 22. Chambres doubles à 7300 Kcs (244 €) ; quelques suites beaucoup plus chères ; sensiblement moins cher en basse saison. L'hôtel le mieux situé de Prague. Installé dans un superbe édifice Renaissance (1597) qui doit son nom à une ancienne boutique de plumes d'autruche, voilà l'hôtel le plus « tout » de la ville. Beaucoup de charme. Le préféré des amoureux, des jeunes mariés en voyage de noces... ou des routardes amoureuses ayant épousé un milliardaire (puisqu'on vous dit que ça existe !). Une petite quinzaine de très belles chambres doubles, mais, il faut l'avouer, certaines sont un peu surfacturées pour le confort proposé. Restaurant réputé au rez-de-chaussée. Réservation plusieurs mois à l'avance, mais il arrive qu'au dernier moment on puisse profiter d'un désistement et d'une négociation sur les tarifs.

🛏 **Hôtel Paříž** *(zoom centre, 69)* : U Obecního Domů 1, Prague 1. ☎ 2-22-19-51-95. Fax : 2-24-22-54-75. ● www.hotel-pariz.cz ● Juste à côté de Republiky náměstí et à deux pas de la Maison municipale. Ici, le dollar a détrôné la couronne, et il vous faudra débourser 290 US$ (293 €) pour votre chambre. Après quelques gros travaux de rénovation de la somptueuse façade de style Sécession et de nombreuses chambres, le *Paříž* peut s'enorgueillir d'être le plus bel hôtel de la capitale tchèque. On pénètre par une porte décorée d'une fine mosaïque totalement Art nouveau dans ce palace d'un charme suranné, fréquenté par de nombreux hommes d'affaires et de riches touristes américains. Du coup, on a cédé au modernisme dans les chambres, qui ont un peu perdu de leur cachet d'antan. Prix très élevés (fallait-il le dire!), excellent confort (heureusement) et service attentif. Restaurant très agréable mais également assez cher (voir le restaurant *Sarah Bernhardt* dans « Où manger? »). Ceux qui veulent goûter au luxe à moindres prix peuvent aller prendre un chocolat et quelques pâtisseries sous les lambris dorés de la salle à manger. Pour un peu, on se croirait à Vienne.

Où manger?

Contrairement à l'hébergement en hôtel, qui coûte très cher, on peut très facilement se rattraper sur la nourriture. Manger bon marché se révèle très facile à Prague. De fait, l'échelle des prix s'étale de 3 € pour un plat copieux et sans finesse à 25 € ou plus pour un repas raffiné dans un lieu à la mode. La cuisine tchèque a bien évolué depuis quelques années, sans renier ses origines. Les plats ont été un peu dégraissés, un effort de présentation a été entrepris. Pour certains établissements de renom, il est indispensable de passer un coup de fil, surtout pendant les week-ends de l'Ascension, de la Pentecôte et de Pâques, ainsi que ceux de juillet et août.

À propos des coutumes locales, ne vous offusquez pas si le serveur débarrasse vite lorsque vous avez terminé. En France, on conserve son verre ou son assiette longtemps sur la table, en attendant que l'autre ait terminé. Pas ici. Cela ne veut pas dire qu'on souhaite que vous partiez. C'est une autre manière de faire, c'est tout.

Un gros effort est entrepris depuis peu sur la traduction des cartes. Même la modeste *hospoda* de quartier possède au moins un menu en allemand. Mais, c'est sûr, il faut parler allemand! Disons qu'un quart des restos propose une carte en français, et la moitié en anglais ou allemand. Mais on connaît encore quelques adresses où vous aurez la surprise de découvrir ce que vous avez commandé un peu au hasard sur la carte tchèque.

Dernière remarque : l'heure de fermeture est rarement l'heure de la fin du service. NOUS INDIQUONS L'HEURE DE FERMETURE; pour la fin du service, compter de 30 mn à une heure de moins, et vous pourrez encore retrancher une petite heure en hiver : serveurs et cuistots sont en général pressés de rentrer chez eux.

Remarques générales

– Dans beaucoup de restos, on paie les couverts, le service ainsi que le pain. Mais il est, en général, assez difficile de savoir à la commande le montant de l'addition. Le prix des couverts est fixe, et vous le trouverez indiqué en fin de carte. Le service, quant à lui, peut être inclus, forfaitaire ou en pourcentage.

– Évitez les « apéros maison » qu'on vous propose dès votre arrivée dans certains restos touristiques. Mauvais et hors de prix.

– On rappelle que pour la plupart les *hospodas* ou *kavárnas* sont aussi des endroits où l'on boit un verre.

Dans la Vieille Ville et la Nouvelle Ville (Staré Město et Nové Město)

Bon marché

|●| *Restaurace Trilobit* (plan général, D3, *100*) : Palackélo 715/15, Prague 1. ☎ 2-24-94-60-65. À proximité de la place Venceslas. Ouvert

OÙ MANGER ?

de 11 h à très tard dans la nuit. Plats autour de 65 Kcs (2,20 €). Dans une cave ancienne avec des hauts tabourets, une taverne au nom étonnant qui provient de fossiles préhistoriques trouvés dans le sol lors de travaux. Petits plats simples et néanmoins savoureux, à des prix très démocratiques. Les étudiants y ont élu domicile entre deux cours.

|●| *U Šuterů (plan général, D3, 101)* : Palackélo 4, Prague 1. ☎ 2-24-94-71-20. Presque en face de Restaurance Trilobit. Ouvert tous les jours de 11 h à 23 h. Une longue salle étroite et voûtée. Un bon plan pour une halte à midi et se sustenter très honorablement du plat du jour à 55 Kcs (1,90 €), arrosé d'une bonne bière. Le soir, les prix montent un peu mais cela reste très abordable.

|●| *Klub Architektura (zoom centre, 102)* : Betlémské náměstí 5a, Prague 1. ☎ 2-24-40-12-14. Ouvert tous les jours de 11 h 30 à minuit. Plats autour de 100 Kcs (3,40 €). Petit bijou de restaurant installé dans l'ancien cellier du XII° siècle de la chapelle Bethléem. Accès à droite de l'église par la grille. L'association des voûtes séculaires avec un décor design aux lignes épurées, dans l'esprit de ce que fait Wilmotte, a tout pour plaire. La cuisine a également quelque chose de fonctionnel, mais il fait bon dîner dans cette cave largement fréquentée par la jeunesse de la ville. Arrivez de bonne heure ou réservez, faute de quoi il vous faudra patienter pour obtenir une place.

|●| *Country Life (plan général, D4, 103)* : Melantrichova 15, Prague 1. ☎ 2-24-21-33-66. Ouvert de 9 h (11 h le dimanche) à 20 h 30 (16 h le vendredi). Bizarrement fermé le samedi. Plats entre 50 et 100 Kcs (1,70 et 3,40 €). Délicieux buffet végétarien, produits frais et succulents, grand choix de salades. On paie au poids. Prix très démocratiques. Ambiance zen. Boutique de produits bio.

|●| *Pizzeria Kmotra (plan général, D4, 104)* : V Jirchářích 12, Prague 1. ☎ 2-24-91-58-09. Au niveau du croisement avec Voršilská. Ouvert tous les jours de 11 h à minuit en continu ; dernière commande à 23 h 30. Cette pizzeria est devenue en peu de temps l'un des rendez-vous de la jeunesse estudiantine du coin. Dans un sous-sol modernisé, aux élégantes voûtes, on sert de bien bonnes pizzas de 30 cm de diamètre pour 100 Kcs (3,40 €). On y vient en bandes joyeuses, on y fait des rencontres en dégustant un gouleyant petit rouge de Moravie. Attention, c'est souvent plein. Venir tôt... ou tard.

|●| *Pizzeria La Romantica (plan général, E4, 105)* : Londýnská 22, Prague 2. ☎ 2-24-25-78-12. Ouvert du lundi au vendredi de 10 h à 23 h et les samedi et dimanche à partir de 12 h. Pour 100 Kcs (3,40 €), on vous servira une belle pizza. Derrière une façade superbement décorée, *La Romantica* est l'endroit tout trouvé pour manger une pizza, que l'on soit seul, en amoureux ou entre amis. Par beau temps, vous pourrez même prendre un verre en terrasse.

De prix modérés à prix moyens

|●| *Amade (plan général, D2, 106)* : U Milosrdných 10, Prague 1. ☎ 2-231-88-67 ou 2-232-01-01. Ouvert du lundi au samedi de 12 h à 23 h. Des plats pleins d'originalité pour environ 150 à 200 Kcs (5 à 7 €). C'est le résultat d'un mariage réussi entre cuisines tchèque, autrichienne et suisse, le tout saupoudré d'une créativité particulière, pour le plus grand bonheur de vos papilles. Après

un petit verre au bar, vous pourrez rejoindre le restaurant, encore peu connu des touristes mais déjà apprécié des Pragois, qui se trouve dans le cellier au sous-sol. Vous pourrez y déguster, par exemple, un canard caramel gingembre, un médaillon de veau sauce citron ou encore un filet de morue frite au yaourt. Dans le même esprit, n'oubliez pas la palette des desserts et, bien sûr, comme dans tout cellier qui se respecte, le vin qui n'est pas en reste.

|●| *Rusalka (plan général, C3, 107)* : Na Strouze 1/277, Prague 1. ☎ 2-24-91-58-76. Juste à côté du Národní Divaldo. Ouvert tous les jours de 11 h (12 h le week-end) à minuit. Une bonne cuisine, avec des plats aux alentours de 150 à 200 Kcs (5 à 7 €). Idéal à la sortie du théâtre, mais, que l'on sorte ou non du spectacle, voilà une maison dans laquelle il fait bon s'arrêter. Pour déguster une cuisine largement influencée par l'Italie dans un cadre agréable et élégant, avec des reproductions d'Arcimboldo. Ambiance assez chic, mais prix raisonnables pour la qualité.

|●| *Hospoda Skořepka (zoom centre, 108)* : Skořepka 1, Prague 1. ☎ 2-24-21-47-15. Ouvert tous les jours de 11 h 30 (14 h 30 le dimanche) à 2 h. Des plats d'un bon rapport quantité-prix pour 100 Kcs (3,40 €) environ. Un service efficace dans cette brasserie au décor traditionnel avec son long comptoir, ses tables de bois et quelques instruments de cuivre au mur. Pour les grosses faims, prenez la spécialité de la maison, un genou de porc d'un bon kilogramme accompagné de moutarde douce, sauce raifort et salade de choux. Sinon, vous pourrez vous rabattre sur l'éternel goulasch à la bière. Folklore tchèque en soirée.

|●| *Titanic (plan général, D4, 109)* : Štěpánská 24, Prague 1. ☎ 2-96-22-62-82. En face de l'Institut français. Ouvert tous les jours de 11 h (15 h le dimanche) à 23 h. Vous y trouverez des plats pour environ 100 Kcs (3,40 €) ; le chateaubriand de 400 g atteint 385 Kcs (12,90 €). Avec une décoration toute simple inspirée du célèbre bateau, le *Titanic* se définit avant tout comme un restaurant de viande. Les portions y sont généreuses et savoureuses. Mais si vos préférences sont autres, la carte vous offre aussi la possibilité de dévorer une grosse salade.

|●| *Café Louvre (plan général, D3, 110)* : Národní třída 22, Prague 1. ☎ 2-29-72-23 ou 2-29-76-65. M. : Národní Třída (ligne B). Ouvert tous les jours de 8 h à 23 h 30. Plats autour de 150 Kcs (5 €). Cuisine internationale sans surprise. Situé au 1er étage de l'immeuble au-dessus du *Reduta* et du *Rock Café* (voir « Où sortir ? »). Une fontaine à l'entrée et, de part et d'autre, deux salles hautes de plafond, au décor soigné. Le service est attentionné. Voilà donc un endroit tout trouvé à la sortie du théâtre pour dîner dans un cadre agréable.

|●| *Pizzeria Coloseum (plan général, D3, 111)* : Vodičkova 32, Prague 1. ☎ 2-24-23-83-55. À droite après l'entrée de la galerie. Ouvert tous les jours de 11 h 30 (12 h le dimanche) à 23 h 30. Une pizzeria en sous-sol dans un décor un poil romain. On y mange, évidemment, des pizzas pour 130 à 150 Kcs (4,35 à 5 €), avec les gens du quartier. Bien pour le déjeuner. Mais attention, il y a souvent du monde et ce n'est pas l'endroit idéal pour un déjeuner tranquille en amoureux. Par contre, pour discuter avec les gens du coin autour d'une bière, c'est pas mal. Service efficace.

|●| *U Supů (plan général, D3, 112)* : Spálená 41, Prague 1. ☎ 2-29-93-10. Ouvert du lundi au samedi de 10 h 30 à minuit et le dimanche de 12 h à minuit. Un grand choix de plats aux environs de 100 à 150 Kcs (3,40 à 5 €). Façade plutôt jolie qui tranche avec la salle décorée de façon toute simple. Une adresse agréable pour manger pas trop cher. La carte, fournie et variée, propose une cuisine internationale.

|●| *U Betlémské Kaple (zoom centre, 113)* : Betlémské náměstí 2, Prague 1. ☎ 2-24-21-18-79. Ouvert de 11 h à 23 h. Des plats frétillants pour environ 200 Kcs (7 €). Une petite adresse on ne peut plus conventionnelle, un peu guindée mais vraiment typique. Décor réussi. On vient ici essentiellement pour manger du poisson : truite grillée, carpe frite, perche... Quelques poissons de mer et un peu de viande pour les inconditionnels des protéines terrestres. Vous remarquerez le dossier des bancs, travaillé de façon originale.

|●| *Viki Rybs Restaurant* (zoom centre, *114*) : Dlouhá 23, Prague 1. ☎ 2-232-98-65. Entre Republiky náměstí et Staroměstské náměstí. Ouvert tous les jours de 11 h à 23 h. Plats de 130 à 190 Kcs (4,30 à 6,30 €). Une petite adresse sympathique, cachée dans une cave, avec des plats pas très chers. On mange sur des tables en bois et des nappes rouges à carreaux. Ambiance un peu *Weinstube*. Quelques concerts de country de temps en temps. Un endroit fréquenté par les gens du cru, qui viennent goûter une cuisine simple et typique, canard, poulet, porc et poisson au menu. Serveurs un peu nonchalants. Carte en français.

|●| *U Bubeníčků* (plan général, D4, *116*) : Myslikova 8, Prague 2. ☎ 2-22-51-33-40. Ouvert de 11 h à 23 h. Des plats de cuisine tchèque aux environs de 130 Kcs (4,30 €). Brasserie vivante surtout le soir, fréquentée par les Tchèques ou les touristes qui viennent y manger des plats traditionnels et y boire une *Gambrinus* 12° ou de la bière noire 13°. Les gros appétits commanderont un « régal tchèque ».

|●| *Pizzeria Modrá Zahrada* (The Blue Garden ; zoom centre, *117*) : Široká 18, Prague 1. ☎ 2-23-27-17-17. M. : Staroměstská (ligne A). Ouvert de 11 h à minuit. En sous-sol. Pizzas autour de 100 Kcs (3,40 €). Service rapide et souriant. Voilà une adresse qu'il vous sera facile de trouver, vous passerez sûrement devant pendant votre balade dans la ville juive. Alors pourquoi ne pas y manger à l'issue de la visite ? Au rez-de-chaussée, bar agréable.

|●| *U Matěje Krejčíka* (zoom centre, *118*) : Vejvodova 4, Prague 1. Ouvert tous les jours de 11 h à 22 h. Situé tout près de Michalska. Propose des menus entre 130 et 150 Kcs (4,30 à 5 €), et des plats à partir de 109 Kcs (3,30 €). Quelques tables en bois au rez-de-chaussée, une haute salle voûtée en pierre, simple, calme et agréable au sous-sol. Cuisine tchèque habituelle. Dommage que le service et l'accueil ne soient pas à la hauteur.

|●| *Fx Café* (plan général, E4, *119*) : Bělehradská 120, Prague 2. ☎ 2-24-25-47-76. Dans Nové Město. Ouvert de 11 h 30 à 4 h, ce resto fait partie de la boîte *Radost*. Pizzas, pâtes et salades pour 150 Kcs (5 €) environ. Si on l'indique, c'est que c'est l'un des rares lieux à servir une bonne partie de la nuit à Prague. Vous pourrez y manger des plats américains ou américanisés. Pizzas insipides mais agréable salade de pâtes et honnête *chili*. Brunch le dimanche. Les clients ne regardent pas vraiment la qualité. L'essentiel, c'est la quantité. Beaucoup d'Américains évidemment, qui remontent de la boîte pour se remplir la panse. Admirez la galerie de photos des *parties* d'anniversaires.

|●| *U Černeho Slunce* (Au soleil noir ; zoom centre, *120*) : Kamzikova 9, Prague 1. ☎ 2-24-22-47-46. Entrée possible par le 8 de la rue Celetná. Ouvert de 10 h à 22 h. Un snack décoré d'affiches de Mucha, dans lequel vous pourrez trouver des plats à partir de 80 Kcs (2,70 €). Et si vous avez une plus grosse faim, rendez-vous au sous-sol où se trouve le restaurant, dans une grande salle voûtée traditionnelle. Plats à 200 Kcs (7 €) maximum.

De prix moyens à un peu plus chic

|●| *Le Molière* (plan général, E4, *121*) : Americká 20, Prague 2. ☎ 2-22-51-33-40. Brasserie ouverte de 9 h à 23 h ; repas servis de 12 h à 15 h et de 19 h à 23 h. Fermé le samedi midi et le dimanche. Compter 300 Kcs (10 €) pour un plat. Salle très agréable, à la forme légèrement arrondie. Ambiance feu-trée le soir. On peut y déguster, par exemple, une terrine de canard maison avec une fricassée de lapin à la provençale, sans oublier la tatin de pêches avec son sorbet, préparées par Yoann le Marseillais, maître des fourneaux. Raffinement dans le service. Clientèle d'hommes d'affaires. Une adresse sûre. Carte en français.

|●| ***Novoměstský pivovar*** *(plan général, D4, 122)* **:** Vodičkova 20, Prague 1. ☎ 2-22-23-24-48 ou 2-22-23-16-62. Ouvert du lundi au vendredi de 10 h à 23 h 30, le samedi à partir de 11 h 30 et le dimanche de midi à 22 h. Plat du jour aux environs de 100 Kcs (3,40 €) ; sinon, compter au moins 200 Kcs (7 €). Située au fond d'une petite galerie marchande, voilà une vraie brasserie, brassant sa propre bière dans d'anciennes caves aménagées en resto multisalles. Très fréquentée par les visiteurs en autocar. Toujours de longues tables de bois nu, dépouillées à l'extrême. Clientèle très hétéroclite, de la grappe d'étudiants jusqu'au couple de cadres allant entre collègues trinquer après le boulot. Spécialités de *vepřové pečené koleno* (jarret de porc bouilli), *svíčková na smetaně* (tranche de bœuf en sauce) et superbe *pivovarský guláš* (goulasch à la bière), accompagnés d'une salade de carottes ou de choux sucrés. Si vous êtes plusieurs ou seul avec une faim d'ours, la poêlée de la brasserie vous attend : 2 kg de jambonneau, de poulet et de saucisses.

|●| ***Restaurants de l'hôtel Europa*** *(plan général, E3, 61)* **:** Václavské náměstí 25, Prague 1. ☎ 2-24-22-81-17. Vous trouverez deux restaurants dans cet établissement qu'on ne présente plus. Au rez-de-chaussée, l'***Art Nouveau (Secesni restaurace)***, ouvert de 11 h à 15 h et de 18 h à minuit. Il vous propose 15 menus entre 500 et 700 Kcs (16,80 et 23,50 €). Des plats de cuisine internationale mais aussi quelques grands classiques de la cuisine tchèque que vous dégusterez dans une salle somptueuse, sous une superbe verrière dans un pur style Art nouveau. Au sous-sol, le ***Staro-çeská restaurace***, entrée par la gauche de la porte principale de l'hôtel. Ouvert tous les jours de 11 h à minuit. 8 menus de 350 à 400 Kcs (11,70 à 13,40 €), café compris. Encore une belle salle Art nouveau, depuis les lambris jusqu'aux fresques et vitraux. Resto éminemment touristique certes, mais on y trouve de quoi se sustenter correctement,

même si le service est désespérément anonyme. De la cuisine tchèque : bonne soupe en entrée puis steak façon bohémienne, bœuf en sauce, filet de porc aux champignons, canard rôti... puis dessert genre *strudel*, *pancake* de fruits. Essayez de réserver ou venez en fin de service.

|●| ***Universal*** *(plan général, D4, 123)* **:** V Jirchařích 6, Prague 1. ☎ 2-24-91-81-82. M. : Národni Třída (ligne B). Ouvert tous les jours de 11 h (12 h 30 le dimanche) à 1 h. Des plats un peu de chez nous pour environ 150 à 200 Kcs (5 à 7 €). Une salle proprette avec un mobilier style troquet parisien, déco inspirée par le cinéma, une ambiance jeune et sympa, sous l'œil bienveillant d'une tête d'éléphant. Une carte avec de grosses salades et des plats résolument inspirés de la cuisine française. Les gourmands n'oublieront pas de goûter à l'excellente terrine de chocolat. Bref, une adresse qui monte, qui monte... et les prix qui suivent la même pente.

|●| ***Red Hot & Blues*** *(zoom centre, 124)* **:** Jakubská 12, Prague 1. ☎ 2-231-46-39. M. : Náměstí Republiky (ligne B). Ouvert tous les jours de 9 h à minuit. Des plats pour moins de 200 Kcs (7 €) et des spécialités autour de 250 Kcs (8,40 €). Malgré un nom anglophone et une cuisine mi-cajun, mi-tex-mex mâtinée de quelques spécialités créoles, on peut rencontrer dans ces salles agréables ou, mieux, dans le patio d'été, toute une jeunesse pragoise qui vient grignoter des *burritos*, des *quesilladas*, du poulet *gambo*... L'endroit est également très fréquenté le week-end pour le traditionnel brunch américain (comme quoi, l'Est n'est vraiment plus ce qu'il était !). Il y a même des *happy hours* entre 16 h et 18 h. Accueil cordial et service attentif.

|●| ***U Sv. Huberta*** *(zoom centre, 125)* **:** Husova 7, Prague 1. ☎ 2-24-21-75-10. Ouvert tous les jours de 11 h 30 à 16 h et de 17 h 30 à 23 h. Un menu correct à 140 Kcs (4,70 €) ; plats de 180 à 280 Kcs (6 à 9,40 €). Au fond d'une cour et au sous-sol, ce petit restaurant propose une carte

presque entièrement dédiée au gibier, préparé avec beaucoup de surprises et d'originalité (steak de cerf à la banane, chevreuil au poivre, sanglier au vin, risotto de gibier...). Calme absolu et décoration agréable. Noter les peaux de bêtes sur les bancs. Carte en anglais.

Plus chic

|●| *Restaurant La Provence* (zoom centre, *126*) : Štupartská 9, Prague 1. ☎ 2-90-05-45-10. Dans le sous-sol du *Banana Café*. Ouvert tous les jours de 12 h à 1 h. Plats de 160 à 600 Kcs (5,30 à 20,20 €) ; fourchette de prix large, mais promo du jour à 150 Kcs (5 €). C'est le resto en vogue à Prague. Tous les jeunes Pragois un peu friqués et les touristes en quête d'ambiance se retrouvent dans cette grande cave. Le décor reconstitue la Provence telle qu'on l'imagine dans cette ville, avec des tissus genre Souleiado, des banquettes, des coussins et des lumières tamisées. Une sorte de bric-à-brac en forme d'inventaire à la Prévert que vous pouvez enrichir : une cafetière, un vaisselier, un pot à lait, un moulin à légumes, de la lavande séchée, un porte-bouteille, des ventilateurs, un sèche-cheveux ! On y mange vraiment bien, même si la cuisine n'a rien de typique : magret de canard au miel de lavande, *zarzuela*, cassoulet, coq au vin rouge et bien sûr bouillabaisse. Service à l'américaine, jeune et agréable. Le week-end, mieux vaut réserver.

|●| *U Pavouka* (L'Araignée; zoom centre, *127*) : Celetná 17, Prague 1. ☎ 2-231-33-27 ou 2-24-81-14-36. Dans la rue la plus célèbre de Prague, qui part de Staroměstské náměstí. Ouvert tous les jours de 11 h à minuit ; repas servis de 12 h à 15 h et à partir de 17 h 30. Au rez-de-chaussée, snack où l'on mange à prix raisonnables. Au sous-sol, le restaurant avec ses menus autour de 650 Kcs (21,70 €) et des plats à environ 350 Kcs (11,70 €) ; menu express à 250 Kcs (8,40 €). Une belle salle voûtée avec un décor médiéval roman un peu m'as-tu-vu et même nouveau riche. Du coup, l'atmosphère est un peu empesée et les prix ont tendance à grimper. Spécialité de grillades et pièces de viande. Un restaurant fréquenté essentiellement par des étrangers et carrément à éviter en pleine saison touristique.

|●| *Restaurant Náprstek* (zoom centre, *128*) : Náprstkova 8, Prague 1. ☎ 2-22-22-10-19. Ouvert tous les jours de 11 h à minuit. Compter 450 Kcs (15,10 €) pour un repas. Resto discret et intimiste. Décor sobre, brique nue et photos anciennes. Cuisine française plus bourgeoise que sophistiquée. Prix très honnêtes pour la qualité, pour peu qu'on ne choisisse pas des mets onéreux comme le foie gras ou les langoustines. Musique de fond de vieux crooners, propre aux roucoulades en tête à tête. Délicieux desserts à l'orange.

|●| *Restaurant Reykjavik* (zoom centre, *129*) : Karlova 20, Prague 1. ☎ 2-22-22-12-18. M. : Staroměstská (ligne A). Ouvert tous les jours de 11 h à minuit. Plats autour de 350 à 400 Kcs (11,70 à 13,40 €). Selon nos informations, ce restaurant se situe dans l'ancienne ambassade d'Islande. Voilà qui explique son nom et le fait que la carte fasse une large place au poisson. L'endroit n'est pas des plus typiques, ni dans le décor, ni dans l'esprit, mais au moins il s'affiche comme tel. Violons collés au mur au-dessus du bar juste à côté du piano, phonographe et accordéon en devanture, dans l'ensemble une déco un peu aseptisée dans les tons ocre. Cuisine fraîche et copieuse mais pas très typique. *Fish'n'chips*, saumon poché avec une sauce hollandaise, tournedos, escalope viennoise... délicieux *cheesecakes*. On peut largement se contenter d'un plat. L'endroit est plutôt agréable et calme, et permet de regarder le flot de touristes qui dévale la rue la plus fréquentée de la capitale. Service jeune et agréable.

|●| *Restaurace Shalom* (zoom centre, *130*) : Maiselova 18, Prague 1. ☎ 2-24-81-09-29. Dans le cœur du

quartier juif. Ouvert du dimanche au vendredi de 11 h 30 à 14 h. Menu tout simple pour environ 400 à 500 Kcs (13,40 à 16,80 €). Ce restaurant pourrait entrer dans une catégorie « religieux prosélyte ». En effet, derrière une façade rose et baroque, une entrée discrète permet de pénétrer dans un antre *very typical Jewish*. C'est le passage obligé de tous les juifs en transit à Prague. Ce qui expliquerait qu'il soit assez difficile d'y entrer. Vaste salle haute de plafond située dans l'ancien hôtel de ville. Menu copieux composé d'une entrée, d'un plat, de fruits et d'un dessert. Un peu cher tout de même, mais l'atmosphère est intéressante pour comprendre le quartier et son histoire. Repas de shabbat. N'oubliez pas avant le repas d'acheter votre ticket à l'agence *Matana* située presque en face.

Encore plus chic

|●| *Pravda* (zoom centre, *131*) : Pařížská 17, Prague 1. ☎ 2-23-26-203. Ouvert tous les jours de 11 h 30 à 1 h. Compter autour de 900 Kcs (30 €) pour un repas. Brasserie hyper-branchée à côté de la synagogue Vieille-Nouvelle. Bar à cocktails imposant. Décor post-moderne tout en noir et blanc, cuivres rutilants. Hautes salles, tables tendues de nappes blanches immaculées, serveuses et serveurs sanglés dans des uniformes seyants. *Fusion food* très modeuse, un peu chichiteuse, facturée à des prix incroyables pour Prague, mais on peut se contenter de copieuses salades autour de 235 Kcs (7,80 €) et de pâtes autour de 300 Kcs (10 €). DJ du jeudi au samedi soir.

|●| *Restaurant V. Zátiší* (zoom centre, *132*) : Liliová 1, Prague 1. ☎ 2-22-22-11-55 ou 2-22-22-20-25. Ouvert tous les jours de 12 h à 15 h et de 17 h 30 à 23 h. Compter 400 à 700 Kcs (13,40 à 23,50 €) pour un plat, et entre 700 et 1100 Kcs (23,50 à 37 €) bien mérités pour un menu complet. Raffiné, classieux, avec ses plantes, son doux éclairage doublé par de petites bougies sur les tables, son service zélé et discret à la fois. Un décor et une mise en scène parfaitement réussis donc, pour mettre en valeur une cuisine d'inspiration française et internationale tout à fait maîtrisée et intelligente. Plusieurs formules de menus tout compris. On travaille ici aussi bien le poisson et la viande que les volailles. Délicieux pain à l'ail et carte des vins élaborée (on peut les prendre au verre). Pour finir, mention spéciale aux desserts. Si votre budget n'est pas extensible, prenez un plat et un dessert plutôt qu'une entrée et un plat. Réservation très fortement conseillée, l'adresse est connue et appréciée.

|●| *Restaurant Sarah Bernhardt* (dans l'hôtel Pařiž; zoom centre, *69*) : U Obecního domů 1, Prague 1. ☎ 2-22-19-51-95. M. : Náměstí Republiky (ligne B). Service de 12 h à 16 h et de 18 h à minuit. Plats de 700 à 800 Kcs (23,50 à 27 €). Pour mémoire, car c'est l'une des chefs-d'œuvre Art nouveau pragois. Pour déguster « l'un des plats tchèques préférés d'Alfons Mucha » (filet de veau aux truffes, canard rôti à la bohémienne ou goulasch...). Nourriture un rien chichiteuse, bien qu'elle soit honnêtement réalisée. Menu en français. Clientèle d'hommes d'affaires et de couples bourgeois. Atmosphère vraiment conformiste et service lent.

À Malá Strana et Hradčany

Attention, pas beaucoup d'endroits où se restaurer sur les hauteurs du château. On vous conseille donc de déjeuner dans le bas de Malá Strana avant de monter là-haut.

Bon marché

|●| **U Švejků** (plan général, C3, **133**) : Ujezd 22, Prague 1. ☎ 2-53-56-29. Ouvert tous les jours de 11 h à minuit. Plats aux alentours de 130 Kcs (4,30 €). Brasserie populaire située dans une maison du XVIIe siècle du quartier de Malá Strana. Pour les curieux, l'histoire du lieu se trouve en dernière page de la carte. On mange sur des tables en bois. Ambiance nonchalante et sympa, cuisine copieuse et roborative. Un plat et une bière suffisent amplement pour étancher la faim et la soif des plus gourmands. Cuisse de canard grillée, dinde aux pommes de terre, vous vous régalerez et vous y reviendrez. Après 19 h, ambiance accordéon.

|●| **U Kocoura** (plan général, BC2-3, **134**) : Nerudova 2, Malá Strana, Prague 1. ☎ 2-57-53-01-07. Ouvert de 11 h à 23 h 30. Plats à rarement plus de 100 Kcs (3,40 €). Une cuisine typiquement tchèque. Une brasserie qui peut, par son aspect, faire penser à une taverne. Des grandes tables en bois autour desquelles les clients, en majorité pragois, s'installent pour manger ou boire une bière.

|●| **Saté** (plan général, A3, **135**) : Pohořelec 3, Prague 1. ☎ 2-20-51-45-52. À deux pas du château. Ouvert de 11 h à 22 h. Plats de 60 à 100 Kcs (2 à 3,40 €). Ce petit resto vous propose une cuisine honnête et... indonésienne (nasi goreng, saté, porc sauté aux cacahuètes, etc.). Ça change des saucisses-pommes de terre ! Peu de places assises mais ambiance sympa.

|●| **Renthauz a Nad Úvozem** (plan général, B3, **136**) : Loretánská 13/179, Malá Strana, Prague 1. ☎ 2-20-51-15-32. Ouvert de 11 h à 22 h. L'entrée se trouve dans un petit escalier qui relie la rue Loretánská à la rue Uvoz. Plats à 150 Kcs (5 €). Une salle toute en long, avec 7 grandes tables en bois derrière une baie vitrée. Vous mangerez en admirant Prague. Une cuisine banale, d'inspiration tchèque, et un accueil pas trop sympa sont compensés par la vue obligatoire sur la colline de Petřín. Ne pas confondre avec le voisin Resto Renthauz.

Prix moyens

|●| **U Ševce Matouše** (plan général, A3, **137**) : Loretánské náměstí 4, Prague 1. ☎ 2-20-51-45-36. Sous les arcades de la place. Ouvert tous les jours de 11 h à 16 h et de 18 h à 23 h. Pour chaque plat, 2 quantités possibles : compter 200 à 300 Kcs (7 à 10 €) suivant votre appétit. Salle agréable, décorée avec des bottines. Accueil avenant. Excellente cuisine, copieusement servie : jambon, steak, canard, bœuf Strogonoff, etc. L'adresse est connue : soyez patient pour avoir une place !

|●| **U Zlaté podkovy** (plan général, B2, **138**) : Nerudova 34, Prague 1. ☎ 2-53-93-67. Sert tous les jours, toute la journée, jusqu'à 22 h. Plats aux alentours de 180 Kcs (6 €) et un menu intéressant à 150 Kcs (5 €), avec choix possible parmi 5 plats de résistance. Au-dessus de l'entrée, un superbe blason représentant saint Venceslas, le patron de la Bohême, sur son cheval. À l'intérieur, quelques tables dans la cour et une salle voûtée toute blanche mais bien banale quant à la décoration. Qu'importe, on aime bien la cuisine, d'inspiration autrichienne. Penser à bien demander la carte. Service jeune, un peu indifférent. Très touristique en tout cas et prix à la hausse. Vérifiez bien votre addition.

|●| **Velkopřevorský mlýn** (plan général, C3, **139**) : Hroznova 3, Prague 1. ☎ 2-53-03-00. Ouvert tous les jours de 11 h à 23 h. Plats de 250 à 300 Kcs (8,40 à 10 €). Adorable enclave de paix sur la charmante île Kampa. Hors du circuit imposé, on y sert une nourriture classique, mais à prix plutôt raisonnables pour sa situation. Son amour pour les vins du monde a conduit le gérant à apprendre le français. Il vous en parlera avec passion. De l'autre côté du muret, admirez cette

belle roue qui tourne à la vitesse d'un slow. Terrasse agréable aux beaux jours.

I●I **Bazaar Mediterranée** (plan général, B2, **140**) : Nerudova 40, Malá Strana, Prague 1. ☎ 2-90-05-45-10, 11 ou 12. Ouvert de 12 h 30 à minuit minimum. Difficile de s'en sortir à moins de 500 Kcs (16,80 €) pour deux plats. « Bazar » est bien le mot qui qualifie ce lieu. Une décoration complètement originale : on y trouve de tout dans un dédale de salles qui vous mènera tout en haut sur une terrasse à l'ambiance exotique. Pour manger, boire un verre ou faire la fête une partie de la nuit, c'est l'un des endroits en vogue. Cuisine internationale très bigarrée, pas franchement mauvaise mais assez exceptionnelle non plus. Prix très divers mais assez élevés pour Prague. En annexe, Music-bar au programme très éclectique.

Plus chic

I●I **Waldštejnská hospoda** (plan général, C2, **141**) : Valdštejnské nám. 7, Prague 1. ☎ 2-575-317-59. Ouvert tous les jours de 11 h 30 à 23 h 30. Il faut réserver 2 à 3 jours à l'avance. Compter 300 Kcs (10 €) pour un plat. Une autre des plus nobles adresses de Malá Strana, dans une maison historique. Atmosphère assez chic, service un peu guindé. Belle carte de viande et gibier : chevreuil, sanglier, chateaubriand, filet de porc farci, goulasch Waldštejnský, etc. Un peu (trop ?) cher, évidemment. Attention, l'eau minérale est plutôt salée (du moins son prix). Belle carte de vins de Moravie.

I●I **U Tři zlatých Hvězd** (plan général, B3, **142**) : Malostranské náměstí 8, Prague 1. ☎ 2-53-96-60. Ouvert tous les jours de 11 h 30 à 23 h 30. Le midi, un menu à 150 Kcs (5 €) ; sinon, des plats de 200 à 400 Kcs (7 à 13,40 €). Sous des voûtes fraîches, peintes de motifs floraux, l'ensemble baigne dans une atmosphère néo-médiévale sous le regard vacillant des bougies. En soirée, la musique agrémente le tout. L'exemple parfait d'une cuisine qui a puisé dans les grands classiques de son art. Ouvrez le menu à la page « Spécialités ». C'est là que vous trouverez votre bonheur : roast-duck on old Bohemian style, rabbit with ginger, St Nichola's meat miscellany in potato-pancake... Menu également traduit en français et en allemand. Ces plats-là se révèlent d'excellente facture, copieux, bien présentés et à prix convenables, toujours accompagnés de choux et d'une sorte de pâté de légumes. À la bonne saison, quelques tables en terrasse sous les arcades, pour ceux que l'ambiance confinée de la cave dérange.

I●I **U Maltézských rytířů** (plan général, C3, **143**) : Prokopská 10, Prague 1. ☎ 2-53-60-50. Petite ruelle entre Karmelitská et Maltézské náměstí. Ouvert de 11 h à 23 h. Mieux vaut réserver le soir. Compter 700 Kcs (23,50 €) pour un repas. Essayez de dîner au sous-sol sous les authentiques voûtes romanes. So romantic ! Le lieu vous ravit ? Attention pourtant. La cuisine, tchèque et internationale, est plutôt inégale et certainement surfaite par rapport aux prix pratiqués. L'astuce sera de garder une place pour l'Apfelstrudel fait maison. Piano-bar en début de soirée.

Encore plus chic

I●I **Kampapark** (plan général, C3, **144**) : Na Kempě 8b, Prague 1. ☎ 2-57-53-26-85. Ouvert tous les jours de 11 h 30 à 1 h. Compter autour de 950 Kcs (31,60 €) pour un repas complet le soir ; réduction de 5 % si l'on paie cash. Magnifiquement situé au bord de la Vlatva presque sous le pont Charles, ce resto est un des lieux à la mode de Prague. À voir le défilé des convives célèbres qui l'ont fréquenté (Clinton, Phil Collins, Pelé, Michael Douglas, Juliette Binoche), on n'en doutera pas un seul instant. Grande salle voûtée, tables aux nappes bien tirées, personnel hyper pro et chef américain aux fourneaux qui a appris ce que le mot cuisine signifie. Courte carte bien ficelée, produits du marché, présentation un rien sophistiquée, mais équilibre irréprochable entre viande et poisson, et légèreté des compositions. Voilà une partition bien maîtrisée. Y aller pour épater une compagne ou pour profiter de la magnifique terrasse en bordure de la rivière.

|●| **U Zlaté Hrušky** (plan général, B2, 145) : Novy Svĕt 3, Prague 1. ☎ 2-20-51-53-56. Dans la ruelle campagne la plus romantique du quartier du château (Hradčany). Ouvert tous les jours de 11 h 30 à 15 h et de 18 h 30 à minuit. Plats avoisinant les 500 à 600 Kcs (16,80 à 20,20 €). Voici l'un des restos classe de Prague. On rêve d'y aller en calèche, haut-de-forme et crinoline. Sur la façade jaune et blanche

style maison de poupées, ravissante lanterne en fer forgé. Intérieur dégageant une atmosphère de douce intimité. On y rencontre une majorité d'hommes d'affaires, hauts fonctionnaires, hommes politiques. Une des cuisines les plus réputées de Prague dans un des restaurants les plus secrets... et pour une addition des plus élevées.

|●| **U Malírů** (plan général, C3, 146) : Maltézské nám. 11, Prague 1. ☎ 2-57-32-03-17. Sur la place de Malte. Ouvert de 11 h à minuit. Réservation recommandée. Menus à 1 000 et 2 500 Kcs (33,40 et 83 €). Les plus riches pourront aller faire ripaille dans ce célèbre resto où résidèrent de fameux artistes. Aujourd'hui, c'est la cuisine qui est ici à l'honneur. Un resto français, forcément français, mais très cher. Peut-être le plus cher de Prague ?

À Žlžkov, Smichov, Letná, Vyšehrad et Vinohrady

Bon marché

|●| **Hospoda Staropramen** (plan général, C5, 147) : Nádražní 84, Prague 5. ☎ 2-57-19-12-00. M. : Andĕl. Ouvert de 11 h à minuit. Plat du jour à 70 Kcs (2,35 €) et plats copieux autour de 150 Kcs (5 €). Dans le complexe de la plus grande brasserie industrielle de Prague (que l'on peut visiter), un vaste resto-brasserie chaleureux avec ses boiseries aux tons chauds et ses murs peints à la Keith Haring. Cuisine tchèque classique mais bien préparée et rapport qualité-prix imbattable. Une bonne adresse un peu excentrée, dans un quartier en plein chamboulement mais facilement accessible avec le métro.

|●| **Na Dolejší** (hors plan général par D6, 148) : Podolské Nábřeží 34/6, Prague 4. ☎ 2-61-21-68-78. Au pied de la colline de Vyšehrad. Tram nº 17. Ouvert tous les jours de 11 h à minuit. Plats à moins de 100 Kcs (3,40 €). Une cuisine tchèque toute simple, pour un bon repas sans prétention. Un restaurant à la décoration résolument rouge. Pour les amateurs, un billard ; pour

les autres, une grande terrasse ombragée pour boire un verre ou pour manger. Si vous n'avez pas encore goûté au *smažený sýr* (fromage pané) accompagné d'une bonne salade de choux, c'est le moment.

|●| **Akropolis** (plan général, F3, 149) : Kubelíkova 27, Prague 3. ☎ 2-22-72-10-26. M. : Jiřího z Poděbrad (ligne A). Non loin de la tour TV futuriste, que l'on remarque de loin. Ouvert de 17 h à 2 h, mais ne sert que jusqu'à 22 h-23 h. Plats autour de 100 Kcs (3,40 €). Rien de génial, c'est le vous qu'on puisse dire ; on y vient en premier lieu pour l'atmosphère. Décor entièrement vert, créé par un jeune artiste pragois un peu allumé, à mi-chemin entre surréalisme et imaginaire marin. Le lieu s'anime vers 20 h, avec une clientèle jeune, artistique et plutôt théâtrale. Dans la cour, petit théâtre où se jouent régulièrement des pièces avant-gardistes en... tchèque. Pas simple quand on ne possède pas la langue ! Pour les accros, programme sur Internet : ● www.akropolis.cz ●

Prix modérés

|●| Restaurace Pod Viktorkou *(plan général, F3, 150) :* Seifertova 55, Prague 3. ☎ 2-24-90-64-40. M. : Nádrážní Hlavní (ligne C) puis tram n° 5, 9 ou 26. Ouvert de 10 h à minuit ; bar à vin de 19 h à 2 h. Plats autour de 130 Kcs (4,30 €). Sur un coin, grande bâtisse grise. La façade de cette maison de qualité sait se faire discrète. Peu de touristes ici, surtout des étudiants de l'université voisine qui viennent boire un verre ou grignoter un morceau. Au fond, une salle : c'est le restaurant proprement dit. On y trouve plein de vieilles radios, de voltmètres et d'ampèremètres. Cuisine traditionnelle mais plutôt « fine » par rapport à la moyenne ambiante. Au menu, bœuf aux airelles, brochettes et poulet, accommodés de diverses manières. Également quelques plats végétariens.

|●| Ambiente *(plan général, F4, 151) :* Mànesova 59, Prague 2. ☎ 2-62-75-913 ou 922. M. : Jiřího z Poděbrad ou Náměstí Míru (ligne A). À l'angle de Trébizskeho. Ouvert du lundi au vendredi de 11 h à minuit et les samedi et dimanche à partir de 13 h. Il faut impérativement réserver en période d'affluence touristique. Assiettes de pâtes entre 100 et 140 Kcs (3,40 et 4,70 €) et plats complets avec viande dans les 200 Kcs (7 €). Un des restos branchés et très courus de la ville. Beaucoup d'ambiance et cuisine d'influences diverses mais certainement pas tchèque : pâtes, *ribs*, *wings*, viandes au feu de bois, etc. Bref, un concept qui marche bien. D'ailleurs,

Ambiente a déjà fait deux petits à Prague : l'un à Čeletná 11, Prague 1, ☎ 2-24-23-02-44 ; et l'autre à Široká 6, Prague 1, ☎ 2-24-81-83-22.

|●| Crazy Daisy *(plan général, G4, 152) :* Vinohradská 142, Prague 3. ☎ 2-67-31-03-78. M. : Flora (ligne A). Ouvert tous les jours de 11 h à 23 h. Plats aux environs de 130 Kcs (4,30 €). Dans les assiettes, on trouve un peu de tout, mais un tout qui vaut le détour. Poulet au gratin, brocolis au fromage, crabe sauce hollandaise, beaucoup de pâtes et de pizzas ainsi que des salades. Un plafond bleu étoilé, des tables-bistrots en marbre, une cabine téléphonique londonienne, un arbre au milieu de la pièce, une mappemonde, un piano droit surmonté d'un buste, peut-être celui de Daisy ? Collection de vieilles machines à écrire et de réveille-matin. Bref, un décor de théâtre, arrangé par cette « folle de Daisy », dans lequel on pourrait jouer le *Songe d'une nuit d'été*. Ambiance plutôt sympa et décontractée, qui compense l'accueil moyen.

|●| U Hronků *(hors plan général par A2, 153) :* Nad Hradním Vodojemem 29/11, Prague 6. ☎ 2-24-31-55-11. Assez loin du centre. Ouvert de 11 h à 23 h. Plats à moins de 100 Kcs (3,40 €). Une cuisine d'inspiration tchèque et un service attentionné en font une adresse acceptable si vous logez dans le quartier. Le midi, c'est plutôt une clientèle d'hommes d'affaires et d'employés de bureau. Petite terrasse aux beaux jours.

De prix moyens à un peu plus chic

|●| Quido *(plan général, F3, 154) :* Kubelíkova 22, Prague 3. ☎ 2-22-72-20-07. Dans Vinohrady. M. : Jiřího z Poděbrad (ligne A). Ouvert tous les jours de 11 h 30 à 23 h. Plats autour de 250 Kcs (8,40 €). On vient ici surtout pour la cuisine, vraiment traditionnelle et copieusement servie.

Voici un très bon restaurant, qui change de ceux du centre. Loin de tous les circuits touristiques, on est ici chez les Pragois. Rôti de bœuf à la crème, canard rôti, goulasch, et une assiette tchèque avec du porc au chou. Service et accueil attentionnés mais il ne faut pas être presse. Bons vins pour patienter. De toute manière, vous n'avez pas de train à prendre, alors ça va !

|●| *Hájovna (plan général, G3, 155) :* Ondříčkova 29, Prague 3. ☎ 2-62-70-193. M. : Jiřího z Poděbrad (ligne A). Ouvert de 11 h à 23 h. Plats de 150 à 300 Kcs (5 à 10 €). Un grand restaurant rempli de têtes de cerf, de sanglier et d'oiseaux naturalisés, d'un style ringard comme on n'en fait plus. Pas besoin de vous détailler ce que l'on trouve dans l'assiette : du gibier ! Ambiance très conventionnelle mais service de qualité.

|●| *Vinárna U Jiříka (plan général, F4, 156) :* Vinohradská 62, Prague 3. ☎ 2-24-25-76-26. M. : Jiřího z Podě brad (ligne A). Ouvert tous les jours de 11 h à minuit (22 h le dimanche). Plats de 200 à 250 Kcs (7 à 8,40 €). Pour un dîner aux chandelles, dans l'intimité d'une salle accueillante. Derrière une porte en bois style boîte de nuit, il faut descendre les quelques marches qui vous mèneront à votre table. De belles assiettes bien garnies à un prix raisonnable et une carte de vins intéressante, évidemment. Service rapide. En sortant, vous pourrez admirer l'étrange église du Sacré-Cœur de Plečnik, qui sert de pendule géante à tout le quartier, et les superbes façades qui entourent une place telle qu'on les imaginait dans l'Europe de l'Est d'hier.

Où boire un verre ?

Les lieux pour boire ne manquent pas à Prague. On y brasse la bière depuis le XIe siècle. Certaines tavernes abreuvent les Pragois depuis les XIVe et XVe siècles. Pour la plupart, elles proposent une petite nourriture sympathique genre soupe, saucisse fumée ou pâté. Il n'y a pas forcément une distinction nette entre les bars et les restos comme chez nous, ce qui explique que certaines adresses figurent dans notre rubrique « Où manger ? », alors qu'elles auraient pu figurer dans « Où boire un verre ? », et réciproquement. Vous retrouverez cet amalgame dans les catégories « Bon marché » et « Prix modérés », mais dans « Prix moyens » et « Plus chic », ce sont toujours de vrais restos. La bière est toujours délicieuse, allant de la plus douce à la plus amère. Ce qui varie très peu, c'est son prix. Dérisoire !

Voici quelques lieux sympas, soit par l'ambiance, soit par leur notoriété du moment, ou encore pour leur importance dans l'histoire. Allez, *na zdraví !* (« À votre santé ! »).

Dans la Vieille Ville et la Nouvelle Ville (Staré Město et Nové Město)

🍺 *U Zlatého Tygra (Au Tigre d'Or ; zoom centre, 200) :* Husova 17, Prague 1. ☎ 2-22-22-11-11. Dans Staré Město. Ouvert tous les jours de 15 h à 23 h. Dans une demeure très ancienne, à peine visible de l'extérieur, l'une des tavernes favorites des journalistes, écrivains et étudiants. Ambiance plutôt bohème. L'écrivain Bohumil Hrabal venait souvent y boire une mousse. Atmosphère bruyante et animée, où les générations savent se mêler amicalement. Sa réputation n'est plus à faire chez les Pragois, aussi est-il parfois difficile d'y trouver une place.

🍺 *U Fleků (plan général, D4, 201) :* Křemencova 11, Prague 1. ☎ 2-24-91-51-18. Ouvert tous les jours jusqu'à 23 h. C'est la plus ancienne taverne (1499) et la plus populaire de la ville, sise dans une vénérable demeure. En l'honneur de ses 500 ans d'existence, un musée de la Bière y a été créé. Façade ornée d'une jolie horloge. À l'intérieur, grandes salles médiévales en enfilade, décorées de fresques et de vieux panneaux de bois. Grande cour plantée d'arbres majestueux et de longues tables de bois, où s'entasse la clientèle des cars d'Allemands en goguette. À U Fleků, c'est « Oktober Fest » tous les jours ! La bière y coule par dizaines d'hectolitres quotidiennement. Bonne bière brune maison à 13°. Cela dit, l'endroit vaut surtout pour le coup d'œil... Accueil déplorable et clientèle hyper-touristique. De plus, attention au petit verre de liqueur que l'on vous servira comme un cadeau avec votre bière, il vous sera facturé à la fin. Possibilité de se restaurer, mais nourriture assez banale et carte extrêmement limitée. Ne prend que les réservations que pour les groupes !

🍸 *Café Gaspar Kasper* (zoom centre, 202) : Celetnà 17, Prague 1. ☎ 2-23-26-843. Ouvert de 9 h à minuit. Dans la rue la plus touristique de Prague, le bar est au 1er étage d'une cour intérieure. En fait, c'est un peu le foyer d'un théâtre, avec une décoration très art contemporain. Le plafond dans un style « à la française » est très amusant. Lorsque les après-midi sont frais ou pluvieux, très sympa pour venir prendre un chocolat dans une ambiance décontractée et sans fumée. Ça change ! Vendent aussi des places pour leur spectacle.

🍸 *Dobrá čajovna* (zoom centre, 203) : Václavské náměstí 14, Prague 1. ☎ 2-24-23-14-80. M. : Můstek (lignes A et B). Ouvert du lundi au samedi de 10 h à 21 h 30 et le dimanche de 15 h à 21 h 30. Voici une maison d'où les tea-addicts reviendront comblés. De la bruyante place Venceslas, entrez dans un lieu relaxant pour déguster à petites gorgées les innombrables thés proposés. Les trois serveurs s'occuperont de vous avec calme, et la musique tibétaine se chargera du reste. Dans cette oasis, éviter à tout prix les enfants criards, les femmes querelleuses et les personnes piaillant à tort et à travers. C'est écrit dans la charte de la maison ! Il faut être zen pour venir ici. Choix de thés et d'ustensiles pour concocter votre breuvage dans la boutique attenante.

🍸 *Kavárna Rudolfinum* (zoom centre, 204) : Jana Palacha nám., Prague 1. ☎ 2-48-93-111. M. : Staroměstská (ligne A). Entrée du côté du fleuve, après avoir traversé le hall sous la verrière ; le café fait face au musée des Arts décoratifs. Ouvert tous les jours de 10 h à 18 h. Idéal avant le concert – ou à tout moment de la journée – pour prendre une pause café de mille et une façons dans ce splendide lieu du Rudolfinum. À l'intérieur de la maison des Artistes, anciennement Parlement de Prague, un élégant café classique au mobilier façon Empire. Peu fréquenté car assez loin du centre, c'est le cadre idéal pour une conversation privée ou une dissertation sur les mérites respectifs de Mozart et de Dvořák.

🍸 *Café bar Ethno* (zoom centre, 205) : Husova 10, Prague 1. ☎ 2-25-70-73-61. Ouvert de 10 h à 23 h (minuit les vendredi et samedi). Un de nos bars préférés à Prague, qui joue dans un registre « united colors ». Déco largement influencée par l'Afrique, l'Asie et l'Océanie, avec une forte empreinte d'art moderne. Lumières crues des halogènes autour du bar. Beaucoup de cocktails. On peut également se sustenter de salades. Belle carte de cafés. L'endroit séduit plus les touristes que les Pragois.

🍸 *O'Che's Cuban Bar* (zoom centre, 207) : Liliová ulici 14, Prague 1. Cuisine de 10 h à 22 h, mais préférez essentiellement les sandwichs, le reste est cher. Un bar irlandais à la gloire d'Ernesto Guevara. Why not ? Son éternelle icône au béret étoilé figure en bonne place en compagnie du drapeau cubain. La communauté internationale de Prague semble apprécier cette gargote bruyante et enfumée. On peut facilement y faire des rencontres. Service efficace mais poussant effrontément à la consommation.

🍸 *Č 14* (plan général, D4, 208) : Opatovická 14, Prague 1. ☎ 2-24-92-00-39. M. : Národní Třída (ligne B). Ouvert du lundi au vendredi de 10 h à 23 h et le week-end à partir de 12 h. Le décor vieillot, avec ventilateurs, sofas, photographies noir et blanc et éclairage par des appliques, donne une ambiance bien agréable. Les Pragois s'y retrouvent tranquillement pour boire un thé ou une bière, assis autour des tables de machine à coudre de leurs grand-mères. Loin du brouhaha de la place centrale, voilà un café où il fait bon passer la soirée.

Art café Bar Fano *(zoom centre, 209)* **:** Haštalské nám. 10, Prague 1. ☎ 2-232-40-37. Ouvert tous les jours de 11 h à minuit. Au fond d'une cour, avec terrasse à la bonne saison. Moitié bar à bière et à vin, moitié galerie, l'endroit est encore peu connu des touristes. Sur les murs, des artistes exposent leurs toiles et après le café, si le cœur vous en dit, vous pouvez vous en offrir une.

Vzpominky Na Afriku *(zoom centre, 210)* **:** Rybná-Jakubská, Prague 1. ☎ 2-06-03-44-14-34. M. : Náměstí Republiky (ligne B). Ouvert tous les jours de 10 h à 19 h. Un bout d'exotisme à Prague dans cette minuscule boutique qui fleure bon le café. Deux petites tables pour y déguster tranquillement un cappuccino et grignoter des *cookies* ou des *bagels*. Une pause café s'y impose.

Aura Restaurant *(plan général, E2, 211)* **:** Truhlářská 23, Prague 1. ☎ 2-231-40-93. M. : Nám. Republiky (ligne B). Ouvert du lundi au vendredi de 10 h à 22 h et le week-end à partir de 11 h. Une adresse à quelques pas du centre, et pourtant peu de touristes arrivent jusqu'ici. Une salle toute simple avec un grand comptoir en arc de cercle à l'entrée. Plus au fond, c'est la salle pour manger ou pour passer un moment devant une bonne bière. Cuisine très basique.

Šenk Vrbovec *(zoom centre, 212)* **:** Václavské náměstí 10, Prague 1. ☎ 2-24-22-73-59. Ouvert du lundi au samedi de 10 h à 23 h et le dimanche à partir de 13 h. Il a fallu qu'on ouvre l'œil pour apercevoir ce petit bout de troquet au milieu de la place la plus touristique de la ville. Une terrasse avec un bouddha accueille le chaland. Ce bar à vin de poche permet de déguster, perché sur de hauts et inconfortables tabourets, de sympathiques crus de Moravie pour l'essentiel, blancs ou rouges. Plusieurs petits vins en fûts,

comme le *Moravský muškát*, le *Veltlínské zelené* ou le *Vavřinecké*, qu'apprécie une clientèle assez hétéroclite de touristes, d'hommes en costumes trois pièces et de femmes désœuvrées.

Café de la maison municipale *(zoom centre, 213)* **:** Republiky nám. 5, Prague 1. M. : Náměstí Republiky (ligne B). Ouvert de 7 h 30 à 23 h. Superbe édifice Art nouveau. En entrant sur la gauche, le café, avec mur et cloisons d'acajou, bancs de cuir, fontaine de marbre et même un coin Internet. Au sous-sol, le resto *Kávarna* fait un peu cantine pour les cargaisons d'autocaristes.

Kavárna Velryba *(plan général, D4, 214)* **:** Opatovická 24, Prague 1. ☎ 2-24-12-391. Ouvert de 11 h à 2 h (minuit le dimanche). Une enseigne en forme de poisson pour ce bar à la déco minimaliste. Seuls les murs ont été peints à la manière de Vasarely. Un bar à vin, un bar littéraire, un salon de thé, c'est un peu tout cela. On y lit des magazines ou des journaux mis à la disposition des clients. Cool, calme, plein de la jeunesse du quartier. On peut aussi y casser la croûte.

Na Zlatém Křiž *(zoom centre, 215)* **:** Jungmannovo nám. 19, Prague 1. ☎ 2-24-09-86-35. M. : Můstek (lignes A et B). Ouvert du lundi au vendredi de 7 h 30 à 19 h et le samedi de 9 h à 18 h. Voilà un lieu très typique en plein quartier touristique. Hybride entre snack, bar et boutique, on peut y acheter ses bouteilles d'alcool, mais aussi des petits en-cas (toasts) que l'on consomme accompagnés d'une bière, debout sur des hautes tables en zinc.

Pekařství Odkolek *(zoom centre, 216)* **:** Rytířská 12, Prague 1. ☎ 2-24-21-10-92. M. : Můstek (lignes A et B). Ouvert du lundi au vendredi de 7 h à 20 h, le samedi de 8 h à 20 h et le dimanche de 10 h à 20 h. Après avoir goûté à la cuisine tchèque, pourquoi ne pas goûter à ses pâtisseries ? Si tel est votre choix, voilà une adresse pour satisfaire vos envies. Un endroit fréquenté en majorité par des Pragois, qui viennent ici pour acheter des gâteaux à emporter ou à consommer sur place. Une douzaine de tables vous attendent pour prendre le temps de déguster votre achat autour d'un thé ou d'un café.

🍸 *U Krále Jiřího* (zoom centre, *217*) : Liliová ulici 10, Prague 1. ☎ 2-24-24-87-94. Au cœur de la Vieille Ville. Ouvert de 16 h à minuit. Deux salles, l'une au rez-de-chaussée, l'autre au fond d'une allée. On descend par un escalier étroit dans une cave humide aux murs blanchis à la chaux dont l'odeur est largement couverte par la tabagie ambiante. Des jeunes essentiellement, qui roulent leurs cigarettes, jouent aux cartes ou écoutent du rock en glougloutant une bonne Platan ou de l'absinthe à prix dérisoire. Un café de fin du monde, où l'on vient passer du temps en oubliant que la vie continue.

🍸 *U Hastrmana* (plan général, C4, *218*) : Rašínovo nábřeží, Prague 2. ☎ 2-29-93-44. Ouvert du lundi au vendredi de 11 h à 1 h et les samedi et dimanche de 13 h à 1 h. Petit bar-restaurant adorable dans les piles du pont Jiràskuv. Aux beaux jours, terrasse au bord de la Vltava, histoire de boire un verre ou de manger un morceau au coucher du soleil avec les cygnes, les canards et les mouettes pour voisins.

🍸 *Café Slavia* (plan général, C3, *219*) : Národní 1, Prague 1. À l'angle avec Smetanovo nábři, en face du Théâtre national. Ouvert de 8 h à minuit. Voilà un lieu qui, au fil du temps, a reçu la visite de nombreux artistes, connus ou inconnus (Václav Havel y rencontra sa femme). Dans un décor brillant, vous pourrez boire un café ou un chocolat avec vue sur le fleuve.

🍸 *Le Château* (zoom centre, *220*) : Malá Štuparská 2, Prague 1. ☎ 2-231-63-28. Ouvert tous les soirs, en été de 12 h à 3 h (le samedi de 16 h à 4 h) et en hiver de 16 h à 2 h. Un bar qui fait un peu boîte, rempli d'une jeunesse quelque peu interlope qui vient s'abrutir de techno et de dance-music dans une ambiance branchée. On y trouve des étudiants, des touristes, des homos, des oiseaux de nuit. Un des endroits très mode du centre de Prague.

🍸 *Café Lávka* (zoom centre, *221*) : Novotného Lávka 1, Prague 1. ☎ 2-24-21-47-97. Au pied gauche du pont Charles, côté Vieille Ville. On y accède en longeant le quai Smetanovo nábři, côté gauche en regardant le fleuve. Ouvert 24 h/24. Terrasse ombragée, admirablement située au pied du pont Charles, donnant directement sur l'eau. En fin d'après-midi, quand la lumière se réchauffe et que la température s'adoucit, ça devient magique. On y prend un verre jusqu'à 22 h. Attention, il y a souvent des mariages et des soirées touristes genre club de vacances. À l'intérieur, on trouve un théâtre et même une boîte. Fait aussi café Internet et location de pédalos.

🍸 *Jalta* (plan général, E3, *222*) : Václavské nám. 45, Prague 1. ☎ 2-24-22-91-33. M. : Muzeum (lignes A et C) ou Můstek (lignes A et B). Bar de l'hôtel *Jalta*, un rescapé de l'ère soviétique avec une clientèle ultra-classique d'hommes d'affaires pragois et négociants étrangers, grandes courtisanes, « julots » de toutes nationalités... et beaucoup de touristes. Une des terrasses les plus agréables de cette grande place, véritables Champs-Élysées locaux. Fait également *sushi-bar*, mode oblige.

🍸 *Café Kafka* (zoom centre, *223*) : Široká 12, Prague 1. M. : Staroměstská (ligne A). Ouvert de 10 h à 22 h. En plein cœur de la ville juive, pour les inconditionnels de l'écrivain Franz Kafka. Un café très fréquenté, à deux pas du cimetière. Une atmosphère calme y règne, peut-être due à la décoration intérieure de boiseries, avec sur les murs des photographies intéressantes du vieux Prague. Salades, cakes et vins. Assez cher dans l'ensemble, seuls les thés restent vraiment abordables.

🍸 *U Zeleného stromu* (zoom centre, *240*) : Dlouhá tř. 37, Prague 1. ☎ 2-23-83-682. Ouvert tous les jours sauf le dimanche, de 9 h à 20 h. Voilà une taverne bien crapote qui sent la transpiration, où les ouvriers et les paumés locaux se descendent une bière pour trois fois rien. Vous voulez de l'authentique, vous en aurez !

À Malá Strana et Hradčany

❦ **Pivnice U Černého vola** (plan général, B3, **224**) : Loretánska nám. 1, Prague 1. ☎ 2-20-51-34-81. À deux pas de l'église Notre-Dame-de-Lorette. Ouvert tous les jours de 10 h à 22 h. Sur la façade, jolie enseigne sculptée et peinte. Voilà une de ces vénérables brasseries pragoises à la façade baroque qui ne comptent plus les siècles ni les guerres. On est happé par la chaleur de l'endroit et par l'odeur de la cuisine qui vous enveloppe. Le patron distille une merveilleuse bière *U Černého vola*, qui coule à flots ; les clients aussi distillent en dégustant des petits en-cas genre saucisse chaude, soupe à l'ail, goulasch ou de simples *knedlíky*. Un endroit tout ce qu'il y a de plus pragois dans un quartier on ne peut plus touristique. Mais tout le monde cohabite ! Halte quasi obligatoire sur le chemin du château.

❦ **U Zeleného** (plan général, B3, **225**) : Nerudova 19, Prague 1. ☎ 2-57-53-00-27. Ouvert tous les jours de 11 h à 22 h. Installé dans une maison du XIIIe siècle, qui fut auberge dès le XVIe siècle puis poste de douane, cet adorable salon de thé de poche avec une petite dizaine de tables, tout en finesse, en grâce et en délicatesse, possède un côté très anglais début de XXe siècle. Bâtons d'encens, musique indienne et relaxante, fleurs séchées et murmures composent le décor. 80 sortes de thés à la carte et des petites salades. Sympathique halte sur la montée ardue vers le château.

❦ **Čertovka** (plan général, C2, **226**) : U Lužického semináře 24, Prague 1. ☎ 2-53-88-53. M. : Malostranská (ligne A). Descendre le petit escalier jusqu'au n° 24. Ouvert de 11 h 30 à minuit. Après avoir emprunté le très étroit escalier réglementé par un feu rouge, vous arrivez sur la terrasse face au pont Charles : vue magnifique ! Mais l'endroit est très fréquenté par les touristes (dont vous faites partie), et la nourriture n'est pas terrible pour le prix. Venez y boire une bière ou un café si vous trouvez de la place... mais ça va être dur !

❦ **El Centro** (plan général, C3, **227**) : Maltézské nám. 9, Prague 1. ☎ 2-57-53-33-43. Ouvert de 11 h à minuit. Un bar-*bodega* bien espagnol, en plein cœur de Malá Strana. Jolie déco de bois clair sous les voûtes d'une maison du XVe siècle. Cocktails, vins espagnols et moraves, mais aussi *tapas* variées et *scampi a la plancha*.

❦ **Espreso Kajetánka** (plan général, B2, **228**) : Hradčanské nám., Prague 1. ☎ 2-20-51-32-12. Sur la place du Château, côté Belvédère. Ouvert de 11 h à 18 h ou 19 h. Prendre l'escalier qui mène au sous-sol pour atteindre la charmante terrasse qui donne sur Malá Strana et, au loin, la campagne de Bohême ! Un café vraiment sympa, et pas aussi bourré de touristes qu'on pourrait le supposer, vu la proximité du château. Pause carte postale idéale. S'il fait froid, petites salles cosy. Éviter d'y manger : la bouffe est très chère au regard de la qualité.

❦ **Nebozízek** (plan général, B3, **229**) : perché sur la colline de Petřín, Prague 1. ☎ 2-53-79-05. Les plus courageux peuvent y monter à pied sans problèmes ; sinon, prendre le funiculaire et descendre à la station Ne Bozízek (l'arrêt intermédiaire). Bien belle terrasse offrant une vue étonnante et imprenable sur la ville. Sympa pour prendre un verre en admirant Prague. Fait aussi hôtel et restaurant.

❦ **U Lorety** (plan général, A2, **230**) : Loretánské nám. 8, Prague 1. ☎ 2-57-32-00-73. À côté de l'église Notre-Dame-de-Lorette. Ouvert de 11 h à 23 h. La plus belle terrasse de Hradčany. Environnement calme et verdoyant pour siroter un jus de fruits et détendre ses vieilles jambes. Cuisine chère et sans grand intérêt. Contentez-vous d'y prendre un verre.

❦ **Resto Renthauz** (plan général, B3, **231**) : Loretánska 13, Prague 1. ☎ 2-20-51-15-32. Ouvert tous les jours de 11 h à 21 h. Admirable petite terrasse offrant une vue bucolique sur la colline de Petřín et sa célèbre tour Eiffel. Si un rayon de soleil

OÙ SORTIR ?

vous accompagne lors de la dégustation de votre bière, ce sera un moment de grand plaisir et de repos mérité après la visite au pas cadencé du château. C'est aussi un resto mais nourriture d'une triste banalité.

🍷 *U Tří Černých Růzíí* (plan général, B2, 232) : Zámecká 5, Malá Strana, Prague 1. ☎ 2-57-53-00-19. Ouvert tous les jours de 11 h à 20 h. Seulement quelques tables dans ce petit snack familial de quartier. Oublié du tourisme, un endroit idéal pour boire un verre et manger un morceau à prix doux. Soupes et pâtes.

🍷 *Jo's Bar* (plan général, B-C3, 233) : Malostranské náměstí 7, Prague 1. ☎ 2-53-12-51. Ouvert tous les jours de 11 h à 2 h. Steaks et *burgers* autour de 200 Kcs (7 €). Si vous nous demandiez pourquoi on indique ce bar américain pour jeunes étudiants, nous répondrions qu'il y a près de 50 000 Américains à Prague et que les lieux où ils se retrouvent font partie du Prague d'aujourd'hui. Ambiance US avec des prix dissuasifs pour les Tchèques. Les serveuses mâchent de la gomme, sont familières et servent des plâtrées de *burritos* et des brouettes de *nachos* à de jeunes affamés. Clientèle de faux étudiants, de glandeurs impénitents, de globe-trotters égarés, qui communient dans cette paroisse de la bière. *No comment.*

À Žižkov et à Vinohrady

🍷 *Potrefená Husa* (plan général, G4, 234) : Vinohradská 104, Kolínská 19. ☎ 2-67-31-03-60. À côté de *Pl@neta*. Ouvert tous les jours de 11 h 30 à 1 h. Pub de quartier sympa, à l'enseigne de l'*Oie Folle*. Lieu multiforme un peu branché avec ses serveurs en polo bordeaux ; écrans de TV au-dessus du long bar. Hauts tabourets et petites tables. On peut y boire une bière en rencontrant des jeunes Tchèques ou se sustenter de salades, soupes et grillades à prix tout à fait corrects. Redoutables cocktails alcool-bière, *ales* anglaises à la pompe, vins choisis et caisse à cigares pour les amateurs.

🍷 *La Tonnelle* (plan général, E4, 235) : Anny Letenské 18, Prague 2. ☎ 2-22-25-36-90. Ouvert du lundi au vendredi de 15 h à minuit et le samedi de 17 h à minuit. Le verre à 35 Kcs (1,20 €) et la bouteille à 210 Kcs (7 €), voilà qui est plutôt sympa. Créé par deux compatriotes, le premier bar à vin français de Prague, avec des vins de propriété d'importation exclusive. Assiettes de fromage et de charcuteries pour accompagner la dégustation. Atmosphère cosmopolite et conviviale, sans sectarisme puisque des bières et des alcools sont également proposés.

🍷 *Vínečko 33* (plan général, F4, 236) : Budečská 40, Prague 2. ☎ 2-22-25-22-88. Ouvert du lundi au vendredi de 11 h à minuit, le samedi de 16 h à minuit et le dimanche de 16 h à 22 h. Un petit bar à vin de quartier vraiment sympa, fréquenté essentiellement par les Pragois qui viennent ici en nombre à l'heure de l'apéritif. Agréable petit patio et salle au décor et à l'ambiance chaleureux. Fresques aux murs à la gloire du jus de la treille. Pour s'initier aux savoureux *frankovka*, *vavřinc* ou *burgunské bílé*.

🍷 *U Růžového Sadu* (plan général, F4, 237) : à l'angle de Slavíkova et Mánesova, Prague 2. ☎ 2-62-72-647. M. : Jiřího z Poděbrad (ligne A). Ouvert du lundi au jeudi de 10 h à minuit, le vendredi de 10 h à 1 h, le samedi de 11 h à 1 h et le dimanche de 11 h 30 à 22 h. Plats entre 80 et 150 Kcs (2,70 et 5 €). À l'époque du communisme, version censure, ce bar était l'un des seuls à ouvrir jusqu'à 1 h. Autant dire qu'il était précieux pour les habitants du coin. Aujourd'hui, après un coup de peinture et de rajeunissement, c'est toujours un lieu très fréquenté des Tchèques. Bar où la bière coule à flots au sous-sol. Au rez-de-chaussée, on déguste une cuisine typiquement tchèque pour quelques korunas, en regardant la télé et en apprenant la langue.

🍷 *Le Pavillon Hanava (plan général, D2, 238)* : Letenské sady 173, Prague 7. ☎ 2-33-32-36-41. M. : Hradčanská (ligne A). Tram n° 18 ou 22. Au-dessus de la rivière Vltava, dans le parc de la colline de Letná (un poumon de verdure très prisé des Pragois). Prendre la rue Gogolova et, une fois dans le parc, continuer dans cette direction jusqu'au pavillon. Ouvert de 11 h 30 à 1 h. Splendide pavillon rococo-Art nouveau. Réalisé pour l'Exposition de 1891 par le prince de Hanau et déplacé en 1898 à son emplacement actuel. Cet ingénieur en puissance a utilisé la fonte comme matériel essentiel. Et grâce à des peintures appropriées, on croit voir du bois, du bronze ou du cuivre. L'intérieur soigné du pavillon, un restaurant tout en marbre, fresques et stucs, est une invite à la gourmandise mais c'est relativement cher. Sur la terrasse, vous pourrez profiter de la belle vue sur la ville et ses monuments, ainsi que sur la Vltava et ses ponts.

🍷 *The Globe (hors plan général par E1, 241)* : Janovského 14, Prague 7. ☎ 2-66-71-26-10. M. : Vltavskà (ligne C). Tram n° 5 de Republiky náměstí. Dans Holešovice. Ouvert tous les jours de 10 h à minuit. C'est avant tout une librairie très fréquentée par les anglophones de Prague. Et dans une salle adjacente, on peut boire un verre ou faire un gentil repas à base de *chili*, de pâtes ou de *scones*. Service assuré par de jeunes étudiants américains ou anglais. Clientèle plutôt branchée.

Cyber-cafés

La République tchèque n'est pas en reste dans le développement des sites Internet. De nombreux musées, agences de voyages ou de locations, hôtels, offices du tourisme... ont ouvert leurs « pages web ». Vous y trouverez beaucoup d'infos à consommer avec modération. Pour la plupart, les sites tchèques sont aussi en anglais et quelquefois en allemand, mais encore trop rarement en français. Voilà donc quelques endroits utiles pour les accros du Net qui ne peuvent se passer du cyber-espace et du site de leur guide préféré.

@ *Cybeteria kavárna (plan général, D4, 23)* : Stepanská 18, Prague 1. ☎ 2-22-23-07-07 ou 03. ● www.cybeteria.cz ● info@qed.cz ● Ouvert du lundi au vendredi de 10 h à 20 h et le samedi de 12 h à 20 h. Pas loin de l'Institut français. Le sous-sol de ce cyber-café ressemble un peu à un centre de contrôle spatial. Les ordinateurs sont alignés dans un couloir high-tech. Pas très convivial, il va sans dire, mais l'accueil est bien sympa.

@ *Pl@neta (plan général, G4, 20)* : Vinohradská 102, Prague 3. ☎ 2-67-31-11-82. ● www.planeta.cz ● M. : Flora ou Jiřího z Poděbrad (ligne A). Ouvert tous les jours de 8 h à 22 h 30. Situé au fond d'une cour sur la droite, cet endroit plus Internet que café regroupe une bonne vingtaine de machines autour de cinq cyber-îlots. Un espace clair, décoré de quelques tableaux, et un bon accueil font le reste.

@ *Electra Internet Café (plan général, C4, 24)* : Rašínovo Nábřeží 62, Prague 2. ☎ 2-249-228-87. ● www.electra.cz ● M. : Náměstí Karlovo (ligne B). Ouvert du lundi au vendredi de 9 h à minuit et les samedi et dimanche à partir de 11 h. Légèrement en sous-sol dans un bel immeuble sur le bord du fleuve. Le bar est à l'entrée, puis enfilade de salles alternativement café ou Internet.

@ *Café.com (plan général, E2, 21)* : Na Poříčí 36, Prague 1. ☎ 2-24-81-94-35. M. : Náměstí Republiky (ligne B). Ouvert du lundi au vendredi de 9 h à minuit. Une vaste cave en brique, décorée de quelques tableaux. Un cyber-café qu'apprécieront les aquariophiles, pour surfer sur le Net en admirant les poissons dans l'aquarium. Un café gratuit pour une heure d'Internet entre 9 h et 11 h.

@ **Spika** *(plan général, E3, 22)* : Dlážděná 4, Prague 1. ☎ 2-24-21-15-21. ● netcafe.spika.cz ● M. : Náměstí Republiky (ligne B). Ouvert tous les jours de 10 h à 22 h. Une décoration de mosaïque avec une mezzanine de fer et de bois dans cette salle haute de plafond. Une quinzaine de machines pour vous connecter sur le Net. Accueil moyen.

Où sortir ?

Après des années de calme et de tristesse vespérale, la vie nocturne pragoise a pris une véritable dimension. Et même si peu de cafés ferment après minuit ou 1 h, les boîtes et clubs de musique prennent désormais bien le relais. Et là, il y en a pour tout le monde et pour tous les goûts. Du club de jazz au bar destroy, de la salle ripou à la boîte classique, les nuits de la capitale ont plein de choses à raconter. Voici une sélection de lieux proches du centre qui possèdent une personnalité marquée. Il y en a d'autres, à vous de les découvrir. On n'est pas le Bottin, tout de même !

À noter que, hors saison, c'est impressionnant de voir la ville plongée tout à coup, dès minuit pile, dans l'obscurité.

Un dernier truc : ici, tous les lieux sont accessibles financièrement, même pour les Tchèques. Certaines capitales, et au premier chef Paris, pourraient en prendre de la graine. À Prague, profitez des tarifs plus que démocratiques pour passer d'un endroit à un autre. C'est d'ailleurs ce qu'aiment à faire les autochtones.

Les lieux de jazz

♪ **Reduta** *(plan général, D3, 250)* : Národní 20, Prague 1. ☎ 2-24-91-22-46. M. : Národní Třída (ligne B). Ouvert de 21 h à 0 h 30 ; arrêt du groupe à minuit. Entrée : 120 à 200 Kcs (4 à 7 €) suivant le groupe. La cave de jazz la plus fameuse. Arriver de bonne heure, car c'est vite plein. Salle agréable, assez intime, avec sièges en gradin. Concerts tous les soirs. Toutes les variétés de jazz : dixieland, free, big band... et même du Clinton qui y joua quelques notes le 11 janvier 1994. Ici, le New Orleans le plus classique devient beau, tant les musiciens mettent de cœur et d'enthousiasme à jouer.

♪ **Metropolitan Jazz-Club** *(plan général, D3, 251)* : Jungmannova 14, Prague 1. ☎ 2-24-94-77-77. Après le porche, au bout d'une allée au plafond décoré et ouvrant sur la cour d'un immeuble, prendre l'escalier sur la gauche qui descend au *Jazz-Club*. Ouvert du lundi au vendredi de 11 h à 1 h et les samedi et dimanche de 19 h à 1 h. Entrée : de 60 à 100 Kcs (de 2 à 3,40 €). Salle minus contrairement aux artistes qui, sans être des pointures internationales, tiennent bien le pavé. Club ouvert à toutes les formes de jazz. Venir tôt pour avoir une place. Concert de 20 h 15 à 23 h 30. Programme du mois à l'entrée. Fait aussi restaurant. Dommage qu'on y pousse facilement à la consommation.

♪ **AghaRTA Jazz Centrum** *(plan général, E4, 252)* : Krakovská 5, Prague 1. ☎ 2-22-21-12-75. Réservations : ● www.agharta ● M. : Muzeum (lignes A et C). Ouvert du lundi au vendredi de 17 h à minuit et les samedi et dimanche de 19 h à 1 h ; les concerts débutent à 21 h. Droit d'entrée. Votre oreille s'éveille à un accord de jazz, vous frissonnez en entendant une ballade ou un chorus de batterie ? Découvrez sans plus tarder l'*AghaRTA Jazz Centrum*. Bonne programmation de groupes tchèques et d'invités internationaux. Et, entre deux sets, vous pourrez à votre aise choisir le CD de jazz dont vous rêviez grâce aux conseils de l'équipe qui tient boutique dans le hall, à partir de 17 h du lundi au vendredi. Jazzeux en herbe, votre visite à l'*AghaRTA* ne sera pas la dernière...

♪ **Malostranská Beseda Music Club** *(plan général, C3, 253)* : Malostranské nám. 21, Prague 1. ☎ 2-57-53-20-92. M. : Malostranská (ligne A). Sous les arcades, au 1er étage. Ouvert de 20 h 30 à 2 h. Entrée : moins de 100 Kcs (3,40 €). Public pragois. C'est un lieu vraiment dynamique, mi-alternatif, mi-branché, sis dans l'ancien hôtel de ville de Malá Strana. Concerts rock, jazz, country ou folk tous les soirs. Loin d'être génial à chaque fois mais

il y a de temps en temps de bonnes surprises et, à l'entracte, les artistes qui se produisent vous vendent leurs disques. Tenu par des jeunes tout ce qu'il y a de plus cool.

♪ **U Malého Glena** *(plan général, C3, 254)* : Karmelitská 23, Prague 1. ☎ 2-57-53-17-17 ou 90-00-39-67. Ouvert de 10 h à 2 h ; musique à partir de 21 h. Entrée : 100 Kcs (3,40 €). Au rez-de-chaussée, bar pour manger un morceau ou boire un verre. Au sous-sol, dans une petite salle voûtée d'une quarantaine de places, à partir de 21 h, c'est tous les soirs *live music*. Au programme, du jazz, du blues, du folk. Mieux vaut arriver de bonne heure, c'est vite plein. Petite restauration : *bagels*, salades et *nachos*.

Les boîtes avec ou sans groupe

♪ **Rock Café** *(plan général, D3, 250)* : Národní 20, Prague 1. ☎ 2-24-91-44-16. M. : Národní Třída (ligne B). (Voir plus haut *Reduta*). Ouvert du lundi au vendredi de 10 h à 3 h et le samedi à partir de 20 h. Un des clubs institutionnels de la ville, tendance rock progressif. Concerts tous les soirs, toujours rock mais pas souvent bons. Clientèle internationale. Mais ce n'est pas seulement une boîte. Il y a aussi une galerie d'art au sous-sol, une boutique de CD, une salle de cinéma... Une sorte de lieu multiculturel, décadent et progressif à la fois. Un lieu obligé du circuit nocturne, mais plutôt tristounet dans la journée.

♪ **Roxy** *(zoom centre, 32)* : Dlouhá 33, Prague 1. ☎ 2-24-81-09-51. ● www.roxy.cz ● M. : Náměstí Republiky (ligne B). Ouvert de 19 h à 4 h. Révolutionnaire, Prague se met à l'heure underground sur du velours. Et le *Roxy* se révèle comme le lieu « expérimental » du moment. Dans cet ancien théâtre désaffecté, agrémenté d'une déco psyché, une faune bizarre et sympathique circule sans autre but que de discuter, boire une bière et refaire le monde pour la énième fois. Si vous préférez le thé à la bière, juste à côté du vestiaire, vous trouverez un petit salon de thé

où alcool et tabac sont interdits (ouvert de midi à minuit et à partir de 17 h le dimanche). Certains jours, en début de soirée, « événement » musical ou théâtral : une version d'*Hamlet* à la sauce *Roxy* (comprenez délirante) ou les aventures d'*Alice* de Lewis Caroll pour les grands enfants qui fréquentent le lieu. Allez y jeter un coup d'œil, il se passera sûrement quelque chose pour vous... (*Traveller's Hostel* à la même adresse).

♪ **Radost** *(plan général, E4, 255)* : Bělehradská 120, Prague 2. ☎ 2-24-25-47-76. ● www.radostfx.cz ● M. : I.P. Pavlova (ligne C) ou Muzeum (lignes A et C). Trams de nuit nos 51, 53, 56 et 57. Ouvert tous les soirs jusqu'à 5 h. Prix plus élevés que dans les autres boîtes. *Radost*, ça veut dire « heureux ». C'est depuis un bon moment le lieu le plus à la mode de la ville. Des espaces bien aménagés, confortables, avec deux bars, balcons de fer forgé, écran vidéo, mezzanines, recoins, de profonds canapés, de jolies filles, de beaux mecs. *Radost* est tenu par des Américains, et donc très fréquenté par les émigrés d'outre-Atlantique. Et ça cause plus New York et Philadelphie que Brno et Bratislava. En fin de semaine, clientèle plus internationale. Musique uniquement techno distillée au kilomètre et beaucoup de soirées à thèmes. Sinon, au rez-de-chaussée, la *Galerie Radost* avec des salons *cosy* bien agréables, néo-barocobaba, avec des sièges de tous styles. À côté, un resto végétarien, américain aussi, qui possède l'énorme avantage de servir jusqu'à 3 h. Délaisser les pizzas, préférer les pâtes et les salades.

♪ *Uzi Rock Bar (plan général, E4, 256)* : Legerova 44, Prague 2. ☎ 2-90-00-32-75. Près de l'angle avec Rumunská. Ouvert du mardi au samedi de 20 h 30 à 5 h. Rock à fond les manettes. Plusieurs niveaux, plusieurs salles, un peu psyché. Du lundi au vendredi de 14 h à 20 h, salon de tatouage et de piercing. ☎ 2-22-51-99-19. Le moment ou jamais de vous faire graver un dragon, une tête de mort, un papillon ou de décorer votre nez, votre langue, d'un petit bijou dont vous rêviez en cachette. L'endroit serait plutôt sympathique si les gens étaient un rien plus souriants, mais entre les *bikers* sans moto et les skins sans *head*, il ne faut pas en demander trop.

Vie culturelle

C'est fou tout ce qui se passe dans cette ville. Impossible de passer devant une église sans qu'on vous distribue une pub pour un concert. Le journal *Prague Post* (en anglais), qui paraît tous les mercredis, et le *Prager Zeitung* (en allemand), qui sort tous les jeudis, donnent de très bonnes infos générales sur la vie culturelle de la cité. On y trouve la liste des concerts, les bonnes boîtes, des adresses de petits hôtels... L'office du tourisme délivre également de bonnes infos sur les concerts. Outre la musique, le théâtre joue un rôle très important pour les Pragois et tient une place prépondérante dans la culture tchèque. N'oublions pas que Havel est avant tout dramaturge et que les salles de Prague furent longtemps l'un des théâtres (justement) de la dissidence tchèque... On vous conseille d'acheter vos billets directement sur place : vous éviterez ainsi les commissions abusives... Pendant le *Printemps de Prague*, réduction étudiante pour les concerts.

Théâtres

Voici les principales salles qui font la scène pragoise. Dans une grande majorité, les pièces sont en tchèque. Ça paraît évident mais ça va mieux en le disant. Si vous ne connaissez pas l'œuvre, ça risque quand même d'être un peu dur, même avec un excellent dictionnaire. Pour les programmations théâtrales et tous renseignements pratiques, consultez : ● www.anet.cz/nd ●

■ *Národní divadlo (Théâtre national ; plan général, C3)* : Národní třída 2, Prague 1. ☎ 2-24-91-34-37. C'est le grand Théâtre national. De renommée mondiale, il présente de l'opéra, des ballets et des pièces de théâtre. Il fonctionne depuis la fin du XIXe siècle, mais brûla peu après son ouverture. On ouvrit alors une souscription, à laquelle le peuple participa avec ferveur.
■ *Laterna Magika (plan général, C3)* : Národní třída 4, Prague 1. ☎ 2-22-22-20-41. Caisses ouvertes du lundi au vendredi de 10 h à 20 h et le week-end à partir de 15 h. Le programme des spectacles à venir est affiché à l'entrée. Situé à côté du Théâtre national, c'est la seule véritable horreur architecturale de la ville. On dirait un objet entouré de bullepack qu'on aurait abandonné dans un coin. Lors de sa construction, il fut très controversé. On ne peut s'en étonner. Le *Laterna Magika* est l'un des théâtres les plus célèbres de la ville. On l'appelle « lumière noire » car la mise en scène s'organise sur un fond noir. C'est une démarche originale qui consiste

à mélanger de nombreux genres : musique, danse, mime, etc. Peu de textes, ce qui le rend attractif pour les nombreux lecteurs qui ne parlent pas le tchèque. Mais entrée plutôt chère pour la qualité proposée. Tout cela fait un peu attrape-touristes.

■ *Divadlo Na Zábradlí (zoom centre) :* Anenské nám. 5, Prague 1. ☎ 2-24-22-19-33. L'un des plus importants théâtres. Très beau répertoire. Václav Havel y travailla cinq ans comme machiniste.

■ *Bránické divadlo :* Bránická 63, Prague 4. ☎ 2-44-46-27-79. Spécialisé dans la pantomime. Spectacles réputés.

■ *Stavovské divadlo (théâtre des États ; zoom centre) :* Ovocny trh 6, Prague 1. ☎ 2-24-90-14-48.

■ *Štátni opéra Praha (Opéra national de Prague ; plan général, E3) :* Wilsonova 4, Prague 1. ☎ 2-24-26-53-53. M. : Muzeum (lignes A et C). Il faut absolument venir au moins une fois à l'Opéra de Prague. Car les Tchèques ont l'opéra dans les gènes. C'est une véritable institution. Programme extrêmement varié et souvent facile d'accès, autant dans les mises en scène que par les œuvres jouées. Attention, ce ne sont pas des productions au rabais. Ici, on a vraiment compris, depuis bien longtemps, que l'opéra était un art majeur populaire que l'on doit rendre accessible à tout le monde. C'est une belle occasion, pour tous ceux qui n'ont jamais eu l'opportunité d'aller voir un opéra, de se frotter à ces merveilles du répertoire. Et puis si vous êtes déçu, c'est tellement peu cher que vous ne nous en voudrez pas longtemps. En saison, il vaut mieux réserver. Sinon, il reste toujours des places et il suffit de venir à l'ouverture des guichets.

■ *Café-théâtre Viola (plan général, D3) :* Národní třída 7, Prague 1. ☎ 2-24-22-08-44. On y organise des soirées littéraires ou des rendez-vous de poésie.

■ *Théâtre national de Marionnettes (zoom centre) :* Žatecká 1, Prague 1. ☎ 2-23-23-429 ou 2-23-22-536. Fax : 2-23-23-429 ou 2-23-24-189. M. : Staroměstská (ligne A). Caisses ouvertes de 10 h à 20 h. Dans un autre style, voici un théâtre de marionnettes à fils qui ravira certes les petits, mais surtout les grands car les spectacles sont avant tout conçus pour eux. Une bonne occasion d'aller découvrir l'art de la marionnette tchèque revisitant un célèbre opéra de Mozart en langue originale (italienne !).

OÙ SORTIR ?

Musique

Si le jalon principal de la saison musicale de la ville est le ***Printemps de Prague,*** reste que la cité propose chaque jour de l'année une multitude de concerts classiques, aussi bien dans des lieux prestigieux que dans de petites églises de quartier. La vie des Pragois est intimement liée à la musique classique. Que vous veniez en été ou en hiver, vous aurez toujours le sentiment d'être là pendant un festival, tellement celle-ci est présente partout.

Bien sûr, le point culminant de cette envolée de notes reste le ***Printemps de Prague***, mondialement célèbre. Le festival se déroule à partir du 12 mai, date du décès de Smetana, et débute toujours par le célèbre *Ma Patrie* du même compositeur pour s'achever à la fin du même mois par la *Neuvième Symphonie* de Beethoven. Ce festival est l'un des plus importants d'Europe. Opéras, grands orchestres et musique de chambre se répandent à travers la ville, dans les endroits les plus fascinants. Principalement au Rudolfinum, à la cathédrale Saint-Guy (dans le château de Prague), à l'église Saint-Jacques pour les concerts d'orgue, au couvent de Sainte-Agnès, au théâtre Smetana, au palais Lobkovic, à l'église Saint-Nicolas (à Malá Strana), etc. Atmosphère assez extraordinaire, pleine de passion, de chaleur et de simplicité.

Voici les adresses et téléphones des principales salles :

■ *Rudolfinum (zoom centre) :* Jana Palacha náměstí 1, Prague 1. Principale salle de concert pour le Printemps de Prague. Style néo-Renaissance. Le pignon est surmonté des statues des compositeurs.
■ *Maison À la Cloche-de-Pierre*

(Dům U Kamenného zvonu ; zoom centre) : Staroměstské náměstí 13, Prague 1. ☎ 2-24-81-00-36.
■ Et aussi dans le Clementinum, au palais Martinic, au palais des Congrès, et dans pratiquement toutes les églises.

À VOIR

Beaucoup de choses à voir dans Prague, ce n'est pas pour rien que la capitale de la République tchèque est classée « patrimoine culturel mondial » par l'Unesco. Que vous restiez à Prague un jour ou une semaine, vous trouverez toujours votre bonheur. Du pont Charles aux hauteurs de Vinohrady, de l'abbaye de Strahov aux ruelles de Malá Strana, imprégnez-vous du gothique omniprésent, du baroque inénarrable, des légèretés Art nouveau, de l'avant-gardisme surprenant... Au château, vous aurez une pensée pour Kafka, au cimetière juif, vous songerez au Golem. *La Symphonie du Nouveau Monde* vous accueillera dans la demeure de Dvořak, à moins que vous ne lui préfériez Mozart ? Le matin, vous pourrez admirer les clochers noyés dans le brouillard de l'hiver ou la brume de la chaleur estivale. Patience, à la mi-journée, les couleurs éclateront dans le cœur de la Vieille Ville. Avec la restauration progressive mais inéluctable de nombreux quartiers, des trésors d'architecture se déploient au grand jour sur les façades, et on ne sait plus où donner de la tête...

Retour aux monuments. L'accès à la plupart d'entre eux est payant ; les prix sont très variables en fonction du lieu et du type de visite. Les photos sont généralement interdites ou nécessitent l'achat d'un ticket photo. Difficile, voire impossible à certaines heures d'éviter la foule. Mais qu'importe, une balade dans Prague, c'est tout cela à la fois. Des images cent fois décrites et celles que vous découvrirez.

★ DANS LA VIEILLE VILLE (STARÉ MĚSTO)

Délimitée par Národní, Na Příkopě et Revoluční, la Vieille Ville offre au « piéton de Prague » mille ans d'histoire au travers de mille extraordinaires clins d'œil architecturaux. L'histoire de la Bohême est inscrite dans l'enchevêtrement de ses vieilles pierres, harmonie parfaite, composée de styles pourtant si variés. Symphonie lapidaire d'une complexité extrême quand on y regarde de près mais dont la vision globale est d'une limpidité étonnante. Tout simplement parce que c'est beau et souvent magique. La Vieille Ville se blottit au creux d'un coude de la Vltava.

La visite commence obligatoirement par la place de la Vieille-Ville, théâtre de tant d'événements, scène privilégiée des turbulences de l'Histoire, puis on explore à son gré ruelles, passages, artères, églises, arcades... On a beau refaire dix fois le même circuit, on découvre toujours, selon les lumières et selon son humeur, des détails architecturaux insolites.

La place de la Vieille-Ville, tout autour et vers l'est de la place

★ *La Staroměstské náměstí (place de la Vieille-Ville ; zoom centre) :* c'est le cœur de la cité, qui vit tant d'événements historiques : décapitation des vingt-sept principaux responsables de l'insurrection contre les Habsbourg en 1621, discours de Klement Gottwald annonçant la victoire des travailleurs le 21 février 1948 (le célèbre « coup de Prague ») et proclamation en 1990 par Václav Havel du retour à la démocratie. Fabuleux décor de théâtre avec ses belles maisons aux styles hétéroclites, dominées par les tours de Notre-Dame-du-Týn et de l'Hôtel de ville qui est le plus parfait reflet de l'extrême diversité architecturale de la cité.

L'été, elle est cernée de terrasses accueillantes (et chères) et envahie d'ensembles musicaux ou de solistes dans une joyeuse cacophonie. Au centre de la place, un groupe de bronze monumental de style Art nouveau, largement inspiré des *Bourgeois de Calais* de Rodin, représentant le prédicateur Jan Hus, premier réformateur religieux du pays, entouré de son auditoire ; il fut élevé en 1915 pour le 500e anniversaire de sa mort. Sur le socle, une inscription qui dit à peu près cela : « Aimez-vous et que la vérité triomphe ». Depuis 1918, date de la création de la République, le drapeau du président porte cette devise. L'un des personnages porte un calice, emblème des hussites. Jan Hus apparaît ici grand et barbu, or, il semble que l'histoire le décrit plutôt comme petit et glabre.

L'architecture de cette place donne d'emblée le ton pour ceux qui ne connaissent pas la ville. Voyons un peu les plus belles façades avant d'étudier l'hôtel de ville.

Les belles demeures de la Staroměstské náměstí

– À l'avant de l'église Notre-Dame-du-Týn, dont les deux flèches s'élancent majestueusement, élégante façade Renaissance, posée sur d'anciennes arcades gothiques. C'est d'ailleurs en passant sous les arcades qu'on accède à l'église (voir plus loin).

– Juste à gauche de Notre-Dame-du-Týn, la maison *À la Cloche de Pierre*. Sous une façade baroque, on découvrit cette superbe maison gothique il y a quelques décennies, avec sa cloche de coin. Élégantes fenêtres. C'est aujourd'hui une salle d'expositions temporaires ainsi qu'une des salles de concert les plus renommées du Printemps de Prague. Entre la maison et l'église Notre-Dame-du-Týn apparaît, dans l'enfilade de la ruelle Týnská ulička, l'église Saint-Jacques.

– Tournant votre regard vers la gauche, juste à côté, le *palais Golz-Kinský*, bel édifice rococo de la deuxième moitié du XVIIIe siècle, tout rose avec une jolie couronne au centre. Abrite une collection graphique de la Galerie nationale. Expos temporaires. On signale au passage un excellent magasin de CD à l'intérieur, au rez-de-chaussée (ouvert tous les jours).

– Derrière la statue de Jan Hus, trois façades du XIXe siècle, où se mêlent le baroque et le néo-baroque. Puis, de l'autre côté de la Pařížská, l'église Saint-Nicolas (voir plus loin). Sautons l'hôtel de ville pour poursuivre l'observation des façades.

– Au no 17, à l'angle de la Železná, maison *À la Licorne d'Or*, qui présente un portail et des voûtes gothiques et une façade baroque léger. La licorne est l'un des symboles les plus importants du monde de l'ésotérisme. Symbole de pureté, elle est le principe fondamental du spirituel. Elle représente le féminin (signe de Mercure) et le masculin (signe du soufre). Curieusement, elle n'a pas le corps d'un cheval mais celui d'un mouton. Au no 18, édifice saumon baroque avec un mendiant peint au centre. Au no 16, la maison *A. Štorch. Syn*, ancienne librairie à la façade néo-gothique qui évoque les travaux de l'écriture.

★ *L'Hôtel de ville (zoom centre) :* ouvert tous les jours de 9 h (11 h le lundi) à 18 h. Fondée au XIVe siècle, cette belle tour carrée avec sa chapelle en encorbellement est un peu la carte d'identité de la Vieille Ville. Elle ne garde d'origine que sa façade sud, celle de l'horloge. Devant l'Hôtel de ville, au sol, 27 croix symbolisant les 27 dirigeants de la révolte contre les Habsbourg, responsables de la défenestration, en 1618, de deux nobles et de leur secrétaire. Ils sont considérés par les Tchèques comme des martyrs puisqu'ils se battaient pour conserver l'existence du royaume de Bohême. Ils furent décapités en 1621. À droite de la façade (côté place), le vestige rose d'un palais néo-gothique qui fut détruit dans la nuit du 7 au 8 mai 1945, juste le jour de l'armistice. Tristes et vaines représailles. La municipalité a décidé de conserver ce bout d'édifice pour symboliser la résistance de Prague contre les Allemands. Dans l'Hôtel de ville se cachaient en effet les responsables du soulèvement de Prague.

L'intérieur de l'Hôtel de ville

Ouvert tous les jours de 9 h (11 h le lundi) à 18 h (17 h en hiver). Entrée payante pour les visites de la tour, la chapelle gothique et la salle du conseil ; pour chacun de ces lieux, il vous en coûtera 30 Kcs (0,90 €). Possibilité de grimper en haut de la tour pour bénéficier d'une vue privilégiée sur la forêt désordonnée de toits et admirer le superbe plan médiéval de la ville. Au passage, visite de la petite *chapelle* gothique qu'on aperçoit sur le côté de la tour. Au-dessus de la porte, on remarque le symbole de Venceslas IV avec les deux oiseaux qui entourent la lettre E pour Eujenia, l'épouse de ce dernier. Les fresques représentant les apôtres sont d'origine (XIVᵉ siècle) et contrastent avec les vitraux modernes. Voir aussi la belle *salle du conseil* avec la ribambelle de portraits des anciens maires de Prague, tous plus sérieux les uns que les autres. Au rez-de-chaussée, dans le vestibule décoré de mosaïques, on reconnaît à droite Libuše, la légendaire fondatrice de Prague. À gauche, la femme quelque peu imposante symbolise la Bohême, avec en arrière-plan le Théâtre national et le Muséum. Les dates au-dessus du portail (1620-1621) renvoient à la défaite de la Montagne Blanche et à l'exécution des chefs tchèques, place de la Vieille-Ville. Il est très populaire de convoler à la mairie de la Vieille Ville, et les mariés sortent fièrement par le ravissant portail de style gothique flamboyant.

L'horloge astronomique

Accolée à un côté de la tour, c'est l'un des clous touristiques de la ville. Réalisée au début du XVᵉ siècle dans l'atelier de Mikuláš de Kadaň et perfectionnée au XVIᵉ siècle par le maître horloger Hanuš. On dit que l'horloger qui mit au point le mécanisme eut les yeux brûlés par les autorités, afin qu'il ne réalise pas un autre chef-d'œuvre ailleurs. Drôle de reconnaissance ! Voyant la mort venir, l'aveugle se fit accompagner par ses fils auprès de l'horloge et en détruisit rageusement le mécanisme. Cette légende expliquerait que le système fut en panne pendant une longue période, avant qu'un autre savant puisse le remettre en état. Cette étonnante œuvre d'art, composée de deux cadrans et de statues mobiles, met en branle chaque heure les douze apôtres. N'attendez pas minuit pour aller la voir car elle s'arrête à 21 h et reprend son carrousel à 9 h.

Le cadran du haut constitue l'horloge elle-même. Elle indique l'heure, le jour, le mois, la température à Moscou (rayer la mention inutile) et suit le mouvement du Soleil et de la Lune avec les approximations dues aux limites des connaissances de l'époque. En effet, sur ce cadran, la Terre est considérée comme le centre de la galaxie. Cette incroyable machinerie fonctionne avec le même mécanisme qu'il y a 500 ans. Elle rappelle inévitablement celle de la cathédrale de Strasbourg, la seule à pouvoir lui faire concurrence.

De chaque côté de l'horloge, deux personnages baroques. À gauche, la Vanité est symbolisée par un avare agitant une bourse, tandis que le vaniteux se mire dans un miroir. À droite, la Mort, squelettique, tire la cloche de la tourelle pour indiquer que l'heure est venue. À ses côtés, un Turc, reconnaissable à son turban, fait « non » de la tête. Il symbolise la Peur car, au cours des siècles, les Turcs furent les principaux envahisseurs de l'Europe centrale et représentaient la crainte suprême. Cette véritable terreur n'eut jamais de véritable fondement car ils n'envahirent jamais la Bohême. Tous ces personnages se mettent en mouvement chaque heure.

Au-dessus de l'horloge astronomique, deux fenêtres où apparaissent les apôtres à tour de rôle. Encore plus haut, un coq doré qui chante toutes les heures en agitant ses ailes.

La sphère du bas est un calendrier avec, en son centre, le blason de la Vieille Ville de Prague (trois tours et une porte), entouré des signes du zodiaque, eux-mêmes cernés par douze médaillons symbolisant les douze mois de l'année par le biais de scènes paysannes. C'est une œuvre du XIXe siècle, n'ayant donc rien à voir avec l'horloge astronomique. C'est le travail du plus grand peintre tchèque de l'époque, Josef Mánes. Ceux qu'on voit là sont des copies, les originaux étant au musée de la Ville de Prague. De l'intérieur de l'Hôtel de ville, on peut apercevoir les personnages de l'horloge depuis une petite salle avant la chapelle gothique.

– Les quatre demeures à gauche de l'horloge constituent l'Hôtel de ville lui-même, qui s'est agrandi en achetant au fil du temps une maison puis encore une autre. La plus ancienne est celle tout de suite à gauche de l'horloge, achetée en 1338, la même année où le roi de Bohême, Jean de Luxembourg, autorisa la Ville à avoir sa propre administration. Portail gothique flamboyant par où passent les jeunes mariés de Prague. Plus à gauche, fenêtre Renaissance admirable (sur la façade couleur brique).

Complètement à gauche, la maison *U Minuty*, de style Renaissance italienne, couverte de sgraffites, cette technique qui consistait à badigeonner la façade de plusieurs couches d'enduits, puis à gratter la forme du motif qu'on voulait voir apparaître. Ici, des images de la mythologie. Autrefois pharmacie, c'est aujourd'hui un petit troquet.

★ *L'église Notre-Dame-du-Týn* (kostel Panny Marie před Týnem; *zoom centre, 270*) : entrée par les arcades gothiques de la place de la Vieille-Ville, au n° 14. Ouvert les mardi, mercredi et dimanche de 12 h 30 à 17 h, les vendredi et samedi de 12 h 30 à 15 h (ces horaires sont assez fluctuants, l'édifice étant toujours en restauration à l'été 2002, mais on peut toujours essayer de profiter des heures de messe). Ses flèches, hautes de 80 m, émergent derrière les demeures de la place. Superbe édifice gothique monumental du XIVe siècle, qui a conservé toute sa cohérence au fil du temps. Les tours datent des deux siècles suivants. Du portail sud (côté gauche), il ne subsiste que des vestiges. Le tympan originel est exposé au couvent Saint-Georges. Il fut réalisé par l'un des grands de la sculpture du XIVe siècle, Petr Parléř. À l'intérieur, plusieurs pièces intéressantes : belle chaire en pierre du XVe siècle et, en vis-à-vis, un baldaquin gothique de la même époque, abritant un retable remarquable. Dans la nef de gauche, pierres tombales sculptées de chevaliers. À droite de l'autel baroque, voir la pierre tombale de Tycho Brahé (avec une main sur un globe), un astronome danois important à la cour de Rodolphe II à la fin du XVIe siècle, qui s'était entouré d'alchimistes, de savants, mais aussi d'imposteurs et de charlatans (voir son portrait dans la rubrique « Personnalités »). Il établit un catalogue d'étoiles, et fit un ensemble d'observations astronomiques grâce à des instruments qu'il mit au point. Connu pour ses travaux et pour sa prothèse nasale d'or et d'argent (il eut le nez tranché au cours d'un duel), il est encore plus fameux pour la légende liée à sa mort. Un jour où il était en audience chez le roi, il lui prit une envie d'uriner aussi forte que soudaine. Devant le roi, impossible de demander à se retirer. Il se retint donc si fort et si longtemps que sa vessie éclata. Ça, c'est du propre ! Les enfants apprennent encore cette histoire à l'école. Mais les médecins se contredisent encore aujourd'hui sur la possibilité réelle d'un être humain à se retenir d'uriner jusqu'à l'éclatement de la vessie.

★ *La cour du Týn* (*Ungelt*) **:** on accède à cette ancienne cour des marchands par la Malá Štuparská ou par la ruelle Týnská (de la place de la Vieille-Ville). C'est l'une des plus vieilles cours de Prague, bordée de pittoresques maisons. Voir la maison Granovský, élégant édifice Renaissance avec loggia et décoration de sgraffites. *Ungelt* (vieux mot yiddish qui veut dire « désargenté ») est là depuis le XIe siècle, a toujours offert le gîte aux plus miséreux et proposait des entrepôts de stockage aux marchands de passage ; là, les marchandises étaient pesées et soumises à la taxe. En fait, l'ensemble servait de douane. La rénovation complète en a fait un véritable décor de cinéma en plein air. Et l'on se trouve ici en plein cœur de Prague. C'est pourtant un havre de paix.

★ *L'église Saint-Jacques* (*kostel Svatého Jakuba ; zoom centre,* **271**) **:** Malá Štupartská. Derrière Notre-Dame-du-Týn. Accessible par la Týnská ulička. Ouvert du lundi au vendredi de 9 h à 13 h et de 14 h 30 à 16 h, le samedi de 9 h 30 à 12 h 30 et de 14 h à 16 h, le dimanche, office oblige, de 7 h 30 à 12 h 30 et de 14 h à 16 h. Entrée gratuite. Même s'il y eut depuis toujours une église ici, celle qu'on voit aujourd'hui est entièrement baroque, bien que la forme de la nef réponde aux canons du gothique. En façade, un bas-relief de la fin du XVIIe siècle, où s'agglutinent des saints, réalisé par l'Italien Ottavio Mosto. Intérieur gigantesque, vaste et haute nef entièrement couverte de fresques d'un baroque affirmé, tout comme les nombreuses sculptures. À remarquer surtout le tableau du maître-autel, *Le Martyre de saint Jacques*, réalisé par V. V. Reiner. Les chapelles abritent également quelques chefs-d'œuvre. Voir l'admirable buffet d'orgue, ainsi que le plus beau tombeau baroque de la ville, celui d'un chancelier des chevaliers de l'ordre de Malte, en marbre rouge, délirant et grandiloquent. Chaque pilier de la nef possède son autel baroque, décoré à foison. Excellents et fréquents concerts d'orgue. Au mur ouest pend le bras momifié d'un voleur qui avait voulu s'emparer des perles du collier de la Vierge. La statue lui avait alors agrippé le bras, et il avait fallu le lui couper pour le libérer.

★ *L'église Saint-Nicolas* (*kostel Svatého Mikuláše ; zoom centre,* **274**) **:** à l'angle de Pařížská et de U Radnice. Entrée sur le côté gauche. Ouvert les mardi, jeudi, vendredi et samedi de 10 h à 12 h et le mercredi de 10 h à 17 h. Entrée gratuite. Concerts tous les soirs (pas cher). Ne pas confondre avec l'église Saint-Nicolas de Mala Strona. Monumental édifice baroque du XVIIIe siècle, bien proportionné, réalisé par l'un des papes du baroque tchèque, Dientzenhofer. L'église fut importante pour la religion hussite tchécoslovaque, créée d'après le mouvement de Jan Hus pour protester contre les valeurs du catholicisme. On y célèbre toujours le culte protestant. Vaste coupole ornée de fresques et de nombreuses statues baroques. Imposant lustre en cristal de Bohême de style byzantin, rappelant le passé orthodoxe de l'édifice. Dans la chapelle, immédiatement à droite de l'entrée, colombarium composé de dizaines d'urnes louées par les familles. On trouve un colombarium dans pratiquement chaque église hussite. L'Église du rite hussite compte encore 300 000 pratiquants en République tchèque. Une de ses caractéristiques est de proposer l'hostie et le vin à la communion et d'accepter les femmes prêtres.

★ *Franz Kafka Exhibition* (*zoom centre*) **:** U Radnice 5, Prague 1. ☎ 2-232-16-75. À côté de la maison natale de l'écrivain (démolie). Ouvert du mardi au vendredi de 10 h à 18 h et le samedi de 10 h à 17 h. Entrée : 30 Kcs (1 €). Expo sur Kafka au travers de livres, textes, photos et beaucoup de dessins. Malheureusement, pas d'éditions critiques.

– À l'angle de la rue Maislova, une plaque et un masque de Kafka indiquent l'emplacement de la maison où l'écrivain est né.

★ *La rue Celetná* (*zoom centre*) **:** de la place de la Vieille-Ville à la tour poudrière, la rue piétonne la plus élégante du quartier. Bordée de très nobles demeures et palais. C'était la voie royale menant au château. S'attarder sur les superbes porches et fenêtres baroques. Pousser les lourdes portes pour découvrir les rez-de-chaussée et cours gothiques ou romans. Au n° 2, la maison *Sixt*, à la façade richement décorée. Au n° 8, un soleil noir. Au n° 12, autre palais baroque avec façade festonnée de guirlandes, feuilles et bustes divers. Dans le hall, voûtes romanes. Au n° 13, la faculté de philo dans le *palais Millesimo* (beau porche sculpté). Au n° 17, élégante cour intérieure. Au centre, une statue « légère » de Mathias B. Brown, symbolisant le vice. C'est réussi. Au n° 30, belle maison Art nouveau, avec son balcon à encorbellement. Au n° 34, l'une des œuvres maîtresses du cubisme tchèque, la maison *À la Vierge noire*. Cette splendide construction de 1912 innove de façon révolutionnaire tout en maintenant l'harmonie architecturale de la rue. Avant cela, il y avait une maison gothique dont la destruction pour faire du « moderne » fit beaucoup de tapage. L'architecte eut la bonne idée de conserver la Vierge noire incrustée au coin de l'ancien édifice. Aujourd'hui, l'immeuble est donc doublement fameux : pour son style cubiste et pour sa célèbre Vierge.

On peut accéder au petit *musée d'Art cubiste :* ouvert tous les jours sauf le lundi, de 10 h à 18 h. Entrée : 35 Kcs (1,20 €). Sur trois étages. Un étonnant mobilier, des tableaux et des remarquables bronzes. Monter directement au 5e étage par l'ascenseur, puis descendre par l'escalier aux étages inférieurs. Au 5e, les différentes formes d'expression du cubisme tchèque avec, entre autres, des toiles de Josef Kapec. Au 4e, des toiles de Vaclàv Spalà et des chaises de Jonak réalisées en 1912. Plus bas, expos temporaires d'art contemporain tchèque.

Au n° 36, palais avec porche à atlantes.

★ *La tour poudrière (plan général, E3) :* Republiky náměstí. M. : Náměstí Republiky (ligne B). Ouvert tous les jours de 10 h à 18 h. Fermé de novembre à mars. Entrée : 30 Kcs (1 €). Explications en français. Grosse tour carrée et massive, l'un des derniers vestiges des remparts de la Vieille Ville. Édifiée à la fin du XIVe siècle sur l'ordre de Venceslas, on prit pour modèle la tour du pont Charles (côté Vieille Ville). Lorsqu'au XVIIIe siècle la tour perdit son caractère défensif, elle abrita un dépôt de munitions, d'où son nom. Elle hérita à la fin du XIXe siècle de ce décor gothique très chargé, typique de la Bohème. C'est la seule porte qui fut conservée après l'agrandissement de la ville. Abondante décoration sur la façade, où apparaissent les souverains tchèques et des allégories. Au-dessus de la voûte, le blason de Prague. La montée en colimaçon est ardue, mais il faut à tout prix grimper au sommet et plus particulièrement en fin d'après-midi. Dans la tour elle-même, petites expos sur sa construction et sur toutes les tours et clochers que compte Prague. Tout en haut, sous le clocher, superbe charpente. Possibilité de sortir sur la corniche et d'en faire le tour. Vue extraordinaire sur les toits et les tours de la ville. Sur les ardoises du toit, les amoureux (et les autres) ont signé leur passage.

★ *La Maison municipale (Obecní dům; plan général, E3) :* Republiky nám. 5 (place de la République), Prague 1. ☎ 2-22-00-21-00. • www.obec nidum.cz • M. : Náměstí Republiky (ligne B). Centre d'information ouvert de 10 h à 18 h. Possibilité de visite guidée tous les samedis : 150 Kcs (5 €). Situé à la place de l'ancienne Cour royale dont la tour poudrière voisine est un vestige. Restauration achevée en 1997. C'est incontestablement l'un des plus beaux édifices Art nouveau de la ville. Sa construction commença en 1905 et l'inauguration eu lieu en novembre 1912. Critiquée dès son achèvement, elle marie l'Art nouveau aux influences néo-baroques ou néo-Renaissance occidentales comme orientales. Elle était pourtant techniquement très bien équipée pour l'époque, avec climatisation, chauffage central et ascenseurs. L'extérieur de la maison est superbe tant par sa forme générale que par sa façade riche en décorations (statues, stucs, fers forgés et mosaïques). L'entrée, avec sa magnifique marquise et son fronton, ne peut laisser le visiteur indifférent. L'intérieur donne le tournis tant les décorations sont riches par leur qualité comme par leur quantité. Pour la plupart, les mosaïques, décorations et luminaires sont d'époque ou ont été refaits suivant les plans d'origine. Au rez-de-chaussée, sur la droite après le hall d'entrée en marbre et mosaïque, le restaurant français avec son ambiance sélecte a conservé sa forme originale ainsi que sa pendule et ses luminaires. Sur la gauche, le café (voir « Où boire un verre ? »). L'escalier central qui descend au sous-sol est entièrement revêtu de faïence avec panneaux décoratifs. Au sous-sol, seul le lustre principal est d'origine, le bar américain avec sa décoration est une réplique fidèle de la construction d'époque. Situé sous le restaurant français, le restaurant *De Pilzen* garde un style brasserie dans un décor somptueux fortement restauré ; seuls le revêtement en faïence et les vitraux sont d'époque. Au centre de l'édifice, l'escalier principal en marbre donne accès à l'immense salle Smetana. Elle occupe sur plusieurs niveaux la partie centrale du bâtiment. Dans la salle de concert, miroirs et vitraux sont des originaux. Pour ceux d'entre vous qui prendront part à la visite guidée, vous pourrez encore voir plein d'autres salles et couloirs, notamment le salon oriental, les salles de jeux, la salle des maires... Qu'il est difficile de décrire tant de splendeurs ! Et si vous aimez vraiment ce lieu, vous pourrez y manger en attendant le concert.

★ **L'hôtel Pařiž** *(zoom centre, 69) :* U Obecního dům 1. Splendide architecture néo-gothique. À côté, dans la U Prašné brány, admirer également deux beaux immeubles d'habitation, d'un style Art nouveau plus épuré, moins végétal (style dit « Sécession »).

★ **Le couvent de Sainte-Agnès-la-Bienheureuse** *(klášter Svaté Anežky České ; plan général, D2) :* U Milosrdných 17, à l'angle d'Anežská. ☎ 2-24-81-06-28. M. : Staroměstská (ligne A) ou Náměstí Republiky (ligne B). Ouvert de 10 h à 18 h. Fermé le lundi. Entrée : 100 Kcs (3,40 €). Situé dans un quartier paisible, absolument charmant, presque bucolique, à moins de 15 mn à pied du centre. Couvent de clarisses édifié au XIIIᵉ siècle, dans un beau style gothique primitif, sur la décision d'Agnès, sœur du roi Venceslas Iᵉʳ. C'est le premier bâtiment gothique de la Bohême. L'ensemble se compose de plusieurs édifices. Il faut dire qu'il y avait auparavant deux couvents : un pour les hommes et un pour les femmes. Détruit durant les guerres hussites, il fut reconstruit en Renaissance et baroque. Désaffecté et transformé en ateliers à la fin du XVIIIᵉ siècle sur l'ordre de l'empereur Joseph II qui interdit tous les ordres monastiques, il a cependant conservé une grande partie de ses bâtiments d'origine. Restauration très réussie.
Au rez-de-chaussée, expos temporaires historiques et visite du cloître. L'église, un peu trop retapée, a perdu beaucoup de son charme. Au 1ᵉʳ étage (on y accède par le cloître), une bonne dizaine de salles présente une collection de l'art en Bohême au Moyen Âge. Durant le règne de Charles IV, Prague était à la pointe du développement artistique. Les artistes tchèques furent parmi les premiers à réaliser des portraits avec un réalisme certain. On aura donc l'occasion de découvrir des œuvres de la fin du XIVᵉ siècle, comme celle du maître de Třeboň, l'autel de la *Résurrection du Christ*, baignant dans une atmosphère de mystère et de miracle. Le style gothique resta en vogue en Bohême jusqu'au XVIᵉ siècle, pour preuve, cette impressionnante représentation de la mort en bois sculpté accompagnant une *Descente de Croix*. Le musée consacre aussi une section aux métiers d'art au Moyen Âge.

★ **Le musée Mucha** *(plan général, E3, 277) :* Kaunický palác, Panská 7. ☎ 2-24-21-64-15. ● www.mucha.cz ● Ouvert tous les jours de 10 h à 18 h. Entrée : 120 Kcs (4 €). Né le 24 juillet 1860 en Moravie et mort à Prague en 1939, Alfons Mucha est mondialement connu pour ses affiches réalisées pendant son séjour parisien pour illustrer les pièces de Sarah Bernhardt. Ces affiches, produites en grande quantité, lui valurent de devenir l'un des artistes les plus connus de la fin du XIXe siècle et l'un des fondateurs du style Art nouveau. Mais Mucha était un homme aux multiples talents, puisqu'il fut également peintre, sculpteur et dessinateur. Le musée, installé dans le palais Kaunický, vous permettra de faire connaissance avec l'œuvre de l'artiste. Les diverses facettes de sa créativité vous sont dévoilées en 7 sections, rassemblant près de 80 œuvres. La première section est consacrée aux panneaux décoratifs à thèmes, l'un d'entre eux déclinant « les moments du jour : éveil du matin, éclat du jour, rêverie du soir, repos ». Suivent les célèbres affiches créées pour *Gismonda*, le spectacle de Sarah Bernhardt. Elles lancèrent le « style Mucha ». Magnifique publicité pour le tabac *Job*. Les sections suivantes présentent des planches de « documents décoratifs » (sorte d'encyclopédie de l'art décoratif, répertoriant tous les motifs utilisables par les artisans) et des affiches tchèques. Les peintures à l'huile de la cinquième section révèlent l'amour de Mucha pour la Russie et son adhésion au panslavisme, au travers de quelques toiles poignantes issues de son *Épopée Slave*. L'atmosphère de son studio parisien est évoquée notamment au travers de photos qu'il y réalisa à l'époque et de son écritoire, dont vous noterez l'arrière en cuir superbement travaillé. Amusant cliché où l'on peut voir Gauguin jouer de l'harmonium sans pantalon. Suivent des lithographies, dessins et pastels très expressifs, dont l'origine et l'inspiration restent pour une large part inconnues. Parmi les journaux et documents d'époque exposés dans cette avant-dernière section figurent deux billets de 10 et 50 couronnes portant la griffe de Mucha. On apprend que Mucha fut grand maître de la grande loge maçonnique tchécoslovaque. Enfin, un long montage audiovisuel clôture ce voyage dans l'Art nouveau. Une petite confidence : on craque vraiment pour la belle lithographie de *La princesse Hyacinthe* (1911), tellement typique du « style Mucha » avec ses lignes sinueuses et ses motifs floraux. Incontestablement, une visite incontournable pour les amoureux d'Art nouveau qui pourront continuer leur périple par la Maison municipale, l'hôtel *Europa* ou en flânant dans les rues à la découverte des innombrables façades de la ville. Malheureusement, les explications des œuvres ne sont qu'en tchèque et en anglais, mais bonne brochure en vente à l'entrée à 30 Kcs (1 €).

★ *Musée du communisme* (zoom centre, 276) : Na Prikope 10, Prague 1. Metro Mustek lignes A et B. ☎ 2-242-12-966. ● www.muzeumkomunismeu. cz. ● Ouvert tous les jours de 9 h à 21 h. Entrée : 180 Kcs (6 €). Brochure en français. Ouvert à la fin 2001, et fondé à l'initiative d'un politologue américain, Glenn Spieker, qui a vécu à Prague pendant 10 ans. L'accès au musée n'est pas bien signalé : il faut pénétrer dans un passage, puis monter au 2e étage, là où se trouve un casino (un symbole du capitalisme, belle ironie de l'Histoire !).

Il retrace l'histoire du communisme tchécoslovaque de 1921 à 1989 et offre l'occasion d'une plongée dans une Prague d'un autre âge. Description de tous les aspects de la vie quotidienne, politique et sociale sous la férule soviétique : école, sport, propagande, magasins, travail, armée... Les magasins d'alimentation sous le régime communiste ; on y pratiquait le troc ; ainsi, le boucher échangeait avec le fruitier un filet de rôti contre des bananes. On y apprend, aussi que l'espérance de vie en République tchèque a augmenté de 5 ans depuis la chute du communisme. Une partie est consacrée aux dégats écologiques causées par la politique industrielle du régime.

Les objets exposés sont tous d'époque : fascinantes cabines téléphoniques tout en bois, qui ornaient encore le paysage de la capitale dans les années 80. Bande sonore avec musique et discours d'époque. Salle vidéo avec images de propagande des années 70. Appareil photographique en forme de revolver, la gachette sert à prendre la photo ! Fusils-mitrailleurs des gardes-frontières, boites de conserves, cahiers scolaires... Reconstitution d'un bureau de commissaire politique : quand on y entre, le téléphone sonne. Impression étrange...

Terrasse attenante où l'on peut boire et se restaurer sous l'œil sévère d'une statue de Lénine.

La ville juive (Josefov)

La cité juive de Prague se révèle aussi vieille que la ville elle-même. Elle n'a aujourd'hui rien à voir avec l'ancien ghetto. Autrefois dédale de ruelles, on y accède désormais par la large et commerciale Pařižská (rue de Paris). Dans l'axe, on aperçoit, de l'autre côté de la rivière, le métronome qui a remplacé le groupe statuaire monumental à la gloire de Staline.

De l'important quartier juif (on y recensa jusqu'à 40 000 habitants), il ne reste que six synagogues, l'ancien Hôtel de ville et le cimetière. Il se concentre pourtant ici un pouvoir émotionnel et une beauté spirituelle intacts. Il y règne une quiétude particulière, presque magique. Le trafic automobile et les bruits semblent curieusement s'y éteindre dès qu'on s'en approche. Il faut explorer ce petit bout de ville avec humilité et discrétion, même si ce n'est pas toujours évident, vu le monde l'été, « car ici, on passe devant des cendres encore fumantes », comme le dit un habitant de ce quartier.

Pour bien saisir l'importance de Josefov, si mêlé à l'histoire de la ville, il est bon de revenir loin en arrière, où l'on s'aperçoit que tous les siècles, et le XXe pas moins que les autres, ont durement frappé la communauté juive. C'est une visite à part entière que l'on vous propose, une sorte d'exploration, et il faut une bonne demi-journée pour tout voir. Au-delà de la partie ancienne comme l'émouvant cimetière, il faut admirer en levant sans cesse la tête (attention aux poteaux !) les superbes et parfois délirants édifices Art nouveau du début du XXe siècle. C'est la plus grande concentration qu'on connaisse de cette architecture en Europe. Contesté à l'époque pour son aspect bourgeois, pompeux, écrasant, l'Art nouveau a aujourd'hui acquis ses lettres de noblesse parmi les grands styles architecturaux.

Un peu d'histoire

Au Moyen Âge

On trouve la trace des commerçants juifs de Prague dès le début du Moyen Âge, au pied du château, et ce, jusqu'au XIIe siècle. La colonie déménage sans cesse mais reste bien présente au sein de la cité. Jusque-là, les juifs possèdent une liberté relative mais bien réelle parmi les Pragois et détiennent les mêmes privilèges princiers que les marchands lombards et allemands. Ils vendent surtout bijoux, étoffes rares, sel, armes et épices. La communauté est importante, tant sur le plan économique que culturel.

Le début de l'esprit de ghetto : privilèges et pogroms

Sous l'influence de la première croisade, à la fin du XIe siècle, se déclenchent les premiers pogroms. Suivent les interdictions de posséder de la terre, de pratiquer quelque artisanat que ce soit, limitant ainsi la sphère économique au prêt d'argent. La ségrégation s'installe inexorablement. La colonie s'établit alors aux abords de la place de la Vieille-Ville. La principale percée porte le nom de « V Židech » (« Chez les juifs »). Le XIIIe siècle voit l'élévation de la synagogue Vieille-Nouvelle, qui restera jusqu'à aujourd'hui le vrai centre spirituel de la communauté. Un véritable ghetto s'organise alors, et l'on sépare le quartier juif des quartiers chrétiens qui le bordent en élevant un mur tout autour, afin de protéger la communauté. Toute cette période, du XIIIe au XIVe siècle, voit la population juive bénéficier de privilèges juridiques et commerciaux en reconnaissance de sa gestion des finances du royaume. Elle est, de fait, protégée. Tout acte de violence envers elle est alors considéré comme une atteinte aux biens du royaume. Les baptêmes forcés sont interdits, les injures réprimées et le droit au culte garanti. Pourtant, au même moment, les juifs sont victimes de fréquentes persécutions religieuses. Cette situation tendue aboutit en 1389 au terrible pogrom perpétré par la population pragoise sur les juifs du ghetto, et qui fit 3 000 morts.

De la précarité à l'émancipation

Sous l'empire des Habsbourg, au XVIe siècle, les efforts de la population pour chasser les juifs de la ville atteignent leur apogée. Une grande partie de la communauté quitte Prague. Certains restent, mais leur situation est précaire durant tout ce siècle de la Renaissance, et il faut attendre l'intronisation de Rodolphe II au XVIIe siècle, pour que les juifs recouvrent leurs droits. Il faut dire que son banquier était le célèbre Maïsel. De nouvelles synagogues s'élèvent ou sont rénovées (synagogue Haute, synagogue Maïsel), et le cimetière s'agrandit.

La communauté juive se distingue au XVIIe siècle par sa participation au combat contre les Suédois, aide très appréciée par Ferdinand III qui lui accorde en remerciement la possibilité d'élever la tour de son Hôtel de ville. À la fin de ce siècle, les juifs de Prague sont pratiquement aussi nombreux qu'à Amsterdam. Au XVIIIe siècle, la religion juive est mise sur pied d'égalité avec les autres religions, avec pour conséquence la fin de l'obligation de porter des signes distinctifs. Le ghetto s'ouvre et n'est plus alors l'enclave impénétrable des siècles précédents. Par contre, les conditions de vie s'y dégradent, les habitations deviennent insalubres et dès que l'obligation d'habiter le ghetto est abolie, les riches s'installent ailleurs. Les pauvres restent. La cité juive est intégrée au reste de la ville en 1861 et en devient le cinquième quartier. Il prend le nom de Josefov en hommage à Joseph II qui réforma les lois les plus dures. Il se fit même bénir par le rabbin.

L'assainissement de la cité

L'idée germe peu à peu, à la fin du XIXe siècle, de transformer fondamentalement ce quartier longtemps laissé à l'écart du développement immobilier et du progrès. On projette de détruire le dédale de places, galeries, passages, ruelles sombres, chemins tordus pour élever un quartier moderne, traversé par la large trouée de la nouvelle rue Pařižská. Les juifs ne s'opposent pas à la transformation du ghetto et ils ont plutôt une attitude de soutien au projet ; cependant, des voix s'élèvent contre le côté radical et brutal de la réhabilitation. Certains y voient même un zèle un peu suspect, comme une nouvelle preuve d'antisémitisme. Échevins et urbanistes locaux, pétris de la pensée haussmannienne, ne rêvent que de grandes avenues pour « nettoyer » ce quartier insalubre. Les travaux débutent donc en 1900 et on y élève tout naturellement des édifices Art nouveau, style en vogue à l'époque. Plusieurs centaines de modestes maisons bringuebalantes sont mises à bas et remplacées par de superbes immeubles bourgeois dont les façades s'ornent de balcons, bow-windows, encorbellements, tourelles, guirlandes, pignons travaillés...

On conserve malgré tout le cœur du ghetto et les promoteurs ne parviennent pas à annihiler l'atmosphère du quartier. Kafka n'écrivait-il pas : « En nous sont toujours vivants ces recoins obscurs, galeries mystérieuses, fenêtres aveugles, cours malpropres, brasseries bruyantes et auberges closes... Nos cœurs ne savent rien de l'assainissement. La cité juive insalubre en nous est de loin plus matérielle que la nouvelle ville autour, tout autour, à une salubrité impeccable. »

Le dernier ghetto

Malgré la transformation fondamentale du quartier, la Seconde Guerre mondiale fera bégayer l'histoire, et les nouvelles restrictions et lois anti-juives reprennent du service : carte d'identité « marquée », interdiction de voyager et de téléphoner, obligation de séjourner dans le secteur de Josefov. Bref, le retour au ghetto. Près de 40 000 juifs partent pour le camp de Terezín et ne reviennent pas. Le quartier se réveille exsangue au sortir de la guerre, surtout que dès 1948 le communisme prend le relais du nazisme et ne rend pas la vie plus facile aux juifs. Vie politique limitée, vie culturelle amputée. Ce n'est finalement que depuis 1989 que la communauté a retrouvé pleinement ses droits. Les blessures ne sont pas toutes encore pansées, et on le ressent.

La visite

Josefov a évidemment perdu sa cohérence d'antan, mais c'est la visite des synagogues et du cimetière qui jalonnent votre parcours. Tous les sites sont situés à 2 mn les uns des autres et possèdent une caisse où l'on peut acheter un ticket général d'entrée au prix de 480 Kcs (16 €). Il indique l'ordre de visite, le nom des lieux et le temps imparti pour chaque site. Et pas question de traîner ! Bref, pas le meilleur rapport temps-prix qu'on ait trouvé dans la ville. Seule la synagogue Vieille-Nouvelle possède un ticket séparé (qui est d'ailleurs presque aussi cher que l'ensemble des autres). Tous les lieux sont ouverts de 9 h à 18 h (plus tôt le vendredi) d'avril à octobre, de 9 h à 16 h 30 de novembre à mars. Fermés le samedi et les jours de fête juive. Compter 2 h 30 pour l'ensemble des visites. Vous pouvez aussi obtenir des renseignements auprès du musée juif de Prague : Jáchymova 3, Prague 1. ☎ 2-24-81-00-99. ● www.ecn.cz/ort ●

À VOIR
VIEILLE VILLE

★ *La synagogue Vieille-Nouvelle* (zoom centre) : sur Červená, petite rue à l'angle de Maiselova. Entrée : 200 Kcs (7 €) ; temps accordé pour la visite : 20 mn (!). Il est nécessaire de la visiter dès son ouverture le matin ; après, on est littéralement étouffé par la foule. Pour entrer, messieurs, on vous donne une kippa ou un bout de papier. Cette synagogue date de 1270. C'est la plus ancienne d'Europe (après celle de Worms, détruite lors de la dernière guerre), et c'est le seul monument à être resté debout et intact à travers les siècles. On dit qu'elle fut préservée de nombreux incendies par les ailes des anges. On pense plutôt que c'est parce qu'elle n'a jamais été enchâssée dans des ensembles de maisons et que le feu ne s'est ainsi jamais propagé. Une autre légende rapporte qu'elle abrite les restes du Golem, personnage d'argile auquel sont liées de nombreuses histoires. Il aurait été créé par Rabbi Löw, qui lui aurait donné la vie en plaçant sous sa langue un parchemin magique où figuraient les lettres du *chem*, le nom de Dieu. Supplantée par une nouvelle synagogue au XVIe siècle, elle prit le nom de « Vieille-Nouvelle ». Lors de sa construction, c'était l'édifice le plus grand du quartier.

Extérieur d'une grande simplicité. Notable surtout le haut toit crénelé, typique du gothique flamboyant, tout en brique. Tout autour, des bas-côtés et des contreforts en cimenterie. Le porche et le vestibule sont les parties les plus anciennes. En y accédant, on remarque immédiatement le superbe tympan gothique de la porte, composé d'un pied de vigne aux branches décoratives. Elle porte douze grappes de raisin symbolisant les douze tribus. De même pour les douze vitraux. La salle du culte se compose d'une double nef séparée par deux gros piliers aux chapiteaux sculptés qui terminent une voûte à nervures de style gothique cistercien. Délicate luminosité de l'ensemble, pureté des lignes intérieures. Entre les piliers s'étend une bannière qui symbolise l'indépendance de la communauté juive, droit concédé par Charles IV au XIVe siècle. En son centre, une étoile à six branches et un chapeau, emblème de la communauté à Prague. Toujours entre les deux piliers, la chaire, entourée par une élégante grille gothique flamboyante, en série d'accolades. Tout autour, les stalles de bois, très dépouillées. Encastré dans un mur, un tabernacle abritant la Torah. Au-dessus de la nef, plusieurs lustres tarabiscotés tranchent un peu avec un ensemble finalement pur et d'une relative sobriété.

★ **L'Hôtel de ville juif** *(zoom centre) :* sur Maiselova, à l'angle de Červená et face à la synagogue Vieille-Nouvelle. Ne se visite pas en tant que tel. Voici l'édifice qui montre l'autonomie administrative qu'a toujours possédée la communauté. On y prenait les décisions relatives au groupe et déterminait une ligne de conduite par rapport à la ville, c'est-à-dire l'extérieur. Il a toujours eu un rôle symbolique important. C'est aujourd'hui ici encore que se rencontrent les communautés juives de la République tchèque. L'édifice fut élevé dans le style Renaissance italienne au XVIe siècle, sous Ferdinand Ier, mais brûla dans un grand incendie qui dévora une partie du quartier. Il fut donc remanié en style rococo au milieu du XVIIIe siècle.

Au-dessus du porche de l'entrée, l'emblème de la ville juive : l'étoile à six branches et le chapeau pointu juif. Au sommet de la tourelle, à l'intérieur de l'étoile à six branches, un casque suédois. C'est Ferdinand III qui donna l'autorisation aux juifs d'élever cette tour et de la surmonter du casque, en remerciement de leur aide contre l'invasion suédoise. De même, la tour possède un clocher autrefois uniquement réservé aux édifices catholiques. Elle est entourée d'une jolie grille de fer forgé. Autres éléments notables, le toit à mansardes et ses lucarnes. À l'angle de Červená, noter l'horloge avec les chiffres en hébreu, dont les aiguilles tournent de droite à gauche, comme on lit l'hébreu. Celle en chiffres romains (au sommet de la tour) est plus tardive, mais elles sont toutes deux reliées au même mécanisme. Un beau symbole. Sur Maiselova, faisant partie de l'Hôtel de ville, une vaste salle transformée en restaurant rituel casher où se réunit la communauté pour toutes les fêtes. |●| Voir le resto *Shalom* dans la rubrique « Où manger ? » Dans la Vieille Ville et la Nouvelle Ville (Staré Město et Nové Město) ».

★ **La synagogue Haute** *(zoom centre) :* dans la rue Červená, juste face à l'entrée de la synagogue Vieille-Nouvelle. La synagogue a été rendue à la pratique du culte, et on ne peut plus y pénétrer pour une simple visite. Originellement édifiée au XVIe siècle, elle était très étroitement liée à l'Hôtel de ville voisin puisqu'on entrait par celui-ci, au niveau du 1er étage, d'où son nom. Totalement reconstruite au XVIIe siècle après un incendie, encore remaniée deux siècles plus tard, son style est évidemment décousu, ce qui ne lui enlève rien de son importance spirituelle.

★ **La synagogue Pinkas** *(zoom centre) :* entrée par la rue Široká, face au n° 6, ou par le cimetière juif après l'avoir visité. Entrée payante, comprise dans le billet général. Temps accordé pour la visite : 20 mn (!). Située dans une maison du XVe siècle, elle fut transformée en synagogue un siècle plus tard, en style gothique tardif. Elle prit le nom du rabbin à qui appartenait le lieu. Plusieurs inondations successives obligèrent à des rénovations continuelles jusqu'au milieu du XXe siècle, ce qui explique la sobriété de l'intérieur et l'absence de style marqué. Sous la synagogue, on découvrit un bain rituel. Dix ans après la dernière guerre, on décida de la transformer en mémorial juif pour les victimes du nazisme des régions de Bohême-Moravie. Les murs sont couverts de plus de 77 000 noms, victimes des persécutions nazies, avec leurs dates de naissance et de décès. Un nom, un mort ; un nom, un mort ; un nom... Terrible impact de cette litanie infinie. Au moment de la guerre des Six Jours, en 1967, le gouvernement communiste avait fait blanchir les murs. Au premier étage se trouve maintenant un petit musée consacré au camp de Terezín. Sur les murs, des dizaines et des dizaines de dessins d'enfants réalisés en noir et blanc ou en couleur, évoquant le camp, la vie dans le camp, les frayeurs et les espoirs de ces enfants qui, pour la plupart, ne sont pas revenus.

★ **Le cimetière juif** *(zoom centre) :* entrée par la rue Široká. Fermé le samedi. Entrée payante, comprise dans le billet général. Temps accordé pour la visite : 20 mn (!). Le plus ancien cimetière juif d'Europe. Il fut fondé au début du XVe siècle et ferma en 1787 sur ordre de Joseph II, qui ne voulait plus qu'on enterre les morts dans les quartiers d'habitation. Un chemin de visite a été réalisé, il vous permet de parcourir environ 50 % (!) du cimetière. On y trouve plus de 12 000 pierres tombales jaillissant dans un désordre inouï, au milieu d'arbres filtrant la lumière. Les buttes et mamelons parsèment le terrain révèlent les quelque douze couches de sépultures qui s'empilèrent les unes sur les autres durant trois siècles. En effet, dans la religion juive, il est interdit de toucher les sépultures. On se contentait donc de remettre de la terre sur les plus anciennes tombes. À chaque élévation de terrain, on dressait quelques pierres de la couche précédente.

Le matin, à l'ouverture du cimetière, lorsque seuls quelques rais de lumière frappent cette forêt lapidaire et font surgir les pierres une à une de la pénombre, l'impression se révèle tout simplement extraordinaire. Cela donne une atmosphère inoubliable, accentuée par le cri des oiseaux qui ont élu domicile ici (dommage que leur présence salisse les tombes). La plus ancienne tombe date de 1439. C'est celle du savant Abigdor Karo. La plus célèbre est celle de Jehuda Löw ben Bezalel (Rabbi Löw), mathématicien et astronome dont le nom fut lié à l'histoire du Golem (c'est une grande et belle sépulture Renaissance, surmontée d'une grosse pomme de pin). De la partie centrale du cimetière se dégage la grande et haute tombe de Mordechaï Maïsel, primat de la cité juive. C'est une étonnante mémoire des siècles derniers grâce aux inscriptions figurant sur les sépultures séculaires, grâce aux formes, aux types d'inscriptions hébraïques et aux tailles des pierres tombales qui s'enchevêtrent. Sur certaines apparaissent la profession du mort, ainsi que des louanges à son sujet ou encore ses traits de caractère. En grès ou en marbre, Renaissance ou baroques, simples ou travaillées, elles forment un ensemble d'une rare cohérence et d'un incroyable romantisme. À l'époque baroque, ces épitaphes prirent une dimension lyrique et poétique propre à la période. Par contre, les premières tombes frappent par leur simplicité. Ici et là, vous verrez sur les sépultures de petits cailloux posés. Cette tradition provient du fait que lorsque les juifs visitaient leurs tombes dans le désert, ils ne pouvaient pas mettre de fleurs car il n'y en avait pas. Ils mettaient alors des petits cailloux, et c'est devenu la coutume.

★ **La synagogue Klaus** (zoom centre) **:** U Starého hřbitova, à droite de la sortie du cimetière. Entrée payante, comprise dans le billet général. Temps accordé pour la visite : 20 mn (!). Elle fut édifiée à la fin du XVIIᵉ siècle en style baroque, juste sur le site de l'ancienne école où professait Rabbi Löw. L'intérieur est relativement banal car il a été refait à de nombreuses reprises. Il présente aujourd'hui une décoration de la voûte en stuc. La synagogue a été transformée en musée sur les traditions et la vie dans le ghetto à travers l'Histoire, ainsi que sur les coutumes religieuses juives : nombreux objets cultuels avec explications en anglais. Les fêtes religieuses et les objets qui y sont liés sont abondamment présentés dans des vitrines. Au 1ᵉʳ étage, ce sont les objets de la vie quotidienne dans une famille juive qui sont mis en scène. L'ensemble permet de mieux appréhender les coutumes liées à certaines étapes de la vie, comme le baptême, le mariage... C'est là, dans ce lieu, qu'on aurait prêté le terrible et sinistre projet aux autorités allemandes d'ouvrir un « musée des Races disparues » après l'application de la « solution finale ». Cette assertion n'a jamais été confirmée, et les juifs eux-mêmes en doutent.

★ **L'ancienne salle des cérémonies** (zoom centre) **:** juste à gauche de la sortie du cimetière. Entrée payante, comprise dans le billet général. Temps accordé pour la visite : 20 mn (!). Cette construction en néo-roman du début du XXᵉ siècle (1911-1912) servait autrefois de pompes funèbres et de salle de purification rituelle des défunts. Elle est devenue aujourd'hui un espace d'exposition sur les traditions et coutumes juives. Le calendrier de l'année est scandé par les fêtes rituelles. Cette salle complète de manière judicieuse l'exposition présentée dans la synagogue Klaus. Intéressante série de 15 tableaux du XVIIIᵉ siècle, qui témoignent des activités de la confrérie des pompes funèbres à cette époque. Un tableau montre l'assistance à un mourant, sur un autre un groupe d'hommes se recueille sur la tombe de Rabbi Löw, un troisième montre un enterrement, un quatrième évoque un banquet d'hommes de la confrérie.

★ **La synagogue Maïsel** (zoom centre) : Maiselova 10. Entrée payante, comprise dans le billet général. Temps accordé pour la visite : 20 mn (!). Originellement édifiée au XVIᵉ siècle en style Renaissance, et remaniée en néo-gothique au XIXᵉ siècle, avec une réussite toute relative. Sur la façade apparaissent les tables de la Loi, les cinq livres de Moïse, fondement du judaïsme. Elle tient son nom du grand financier et rabbin Marc Mordechaï Maïsel, à qui Rodolphe II donna l'autorisation d'élever cette synagogue. Maïsel fut également maire de la communauté juive. L'histoire rapporte qu'en échange de l'adoucissement de certaines lois concernant les juifs à Prague, le roi se verrait remettre, à la mort de Maïsel, la moitié de sa fortune. Le corps à peine refroidi, les grands argentiers du roi vinrent donc récupérer la somme, mais celle-ci fut considérée comme si faible qu'on traîna toute la communauté en justice. Le procès s'étala sur près de deux siècles. L'intérieur de la synagogue a été transformé en un superbe petit musée d'objets religieux en argent, réalisés en Bohème-Moravie par des artistes et artisans plus ou moins illustres. De façon pédagogique, les vitrines sont classées par famille d'objets : plaques de manteaux, belles baguettes de Torah, boîtes à parfums, coupes, têtes de hampes, couronnes, ouvrages manuscrits... Vous y trouverez même une énorme clef surmontée d'un lion couronné portant une hache. C'était l'emblème de la guilde des bouchers de Prague. La synagogue Maïsel accueille une partie de la collection des textiles autrefois visible à la synagogue Haute.

★ **La synagogue espagnole** (zoom centre) : Dušní 12. Entrée payante, comprise dans le billet général. Temps accordé pour la visite : 20 mn (!). Pas véritablement passionnante sur le plan architectural (un carré avec une coupole au-dessus de l'espace central). Son aspect actuel date de la fin du XIXᵉ siècle et doit son nom à la présence de la communauté juive espagnole qui s'était installée dans le secteur au moment de l'Inquisition. Après avoir été fermée au public pendant plus de 20 ans, elle a été à nouveau rouverte, à l'aube de son 130ᵉ anniversaire. D'aspect néo-mauresque, il s'en dégage une certaine lourdeur, peut-être un manque de raffinement ou tout simplement un important travail de décoration. L'intérieur, très chargé, est couvert de stucs dorés, toujours d'inspiration mauresque et rappelant plus particulièrement ceux de l'Alhambra de Grenade mais en moins élégant. De nombreux motifs orientaux sur les murs, les portes et même les balustrades. Des vitraux colorés à motifs floraux et coupoles d'étoiles juives. Ce fut la première synagogue à accueillir un service en musique. Elle abrite aujourd'hui une exposition sur l'histoire de la communauté juive tchèque, où l'on s'aperçoit avec un peu d'étonnement que Mahler et Freud sont considérés comme tchèques.

➤ **Balade architecturale dans le quartier :** par chance, on n'a pas construit n'importe quoi à la place de l'ancien ghetto. Le nez en l'air, il faut détailler les incroyables façades et frontons de la plupart des immeubles. Certains apparaissent aujourd'hui comme de véritables petits chefs-d'œuvre de l'Art nouveau, appelé ici « Sécession », et surtout de l'art « historiciste ». Emprunter tout d'abord la Pařížská třída qui présente d'incroyables et nombreuses façades originales (néo-gothiques, néo-baroques, historicistes...) quasiment à chaque numéro. Cette grande opération immobilière que constitua la percée de cette avenue permit à l'Art nouveau de prendre une vraie dimension à Prague. Au nᵒ 1 de Pařížská, édifice néo-baroque. Autres constructions notables aux nᵒˢ 10 et 13. Voir, à l'angle de Pařížská et de Široká, le bel édifice néo-Renaissance où apparaît saint Georges terrassant le dragon. Empruntons un instant la Široká (la rue Large), sorte de rue tampon entre les secrets du quartier juif et l'arrogance et le monumental de la Pařiž-ská, entre le baroque et le Sécession pur jus. Au n° 10, un bel aigle aux ailes déployées ; au n° 9, splendide portail où deux femmes mamelues et bien en chair vous invitent à entrer. Elles datent de 1908 et sont encore parfaitement conservées. Face au n° 6, l'entrée de la synagogue Pinkas. Retourner ensuite sur Kaprova pour ses quelques façades Art nouveau, notamment à l'angle de Žatecká où apparaît en bas-relief une femme squelettique, tel un fantôme symbolique. Maiselova et Kaprova proposent également leur lot de curiosités. Levez la tête et ouvrez l'œil, vous en serez récompensé.

À l'angle de Maiselova et Břehová, un magnifique immeuble pistache, décoré d'abeilles et de sauterelles. Un peu plus loin dans Břehová, la maison de l'industriel Bata, qui quitta le pays en 1938 et ne revint qu'en 1989. De l'autre côté, Pařižská ulička, un alignement de trois maisons cubistes ; on croirait voir une interprétation architecturale des *Demoiselles d'Avignon* de Picasso.

– Dans l'alignement de la rue Pařižská, quand on regarde au-delà de la Vltava, sur la rive opposée, on voit un socle énorme, gigantesque, sur lequel était érigé, jusqu'au début des années 1960, un Staline démesuré, suivi d'une cohorte de travailleurs, d'ouvriers et d'employés. Les Tchèques, avec beaucoup d'humour, comme toujours, avaient appelé cet ensemble monumental « la queue chez le boucher ». À cette époque, on commença à dynamiter l'ensemble, mais prudemment. On dit que la destruction de l'édifice coûta plus cher que son érection. Sur le socle, à présent, un énorme métronome, qui date de l'expo de 1991, se balance indéfiniment. Au bout de Pařižská, le pont tchèque (Mešhův most), incontestablement inspiré par le pont Alexandre-III de Paris.

★ **Le musée des Arts décoratifs** *(zoom centre)* : rue 17-Listopadu 2, Prague 1. ☎ 2-51-09-31-11 ou 2-24-81-12-41. M. : Staroměstská (ligne A). Cette « rue du 17-Novembre » fut ainsi nommée en hommage aux étudiants qui manifestèrent contre les nazis à cette date. Le musée est dans le long bâtiment de style néo-Renaissance en bordure du cimetière juif, et beaucoup trop proche selon les juifs. Ouvert de 10 h à 18 h. Fermé le lundi. Entrée : 50 Kcs (1,70 €). Situé à l'origine dans le bâtiment même du Rudolfinum, ce musée fut ouvert au public en 1887. Mais l'espace étant limité, la construction du bâtiment actuel fut alors décidée. Des expositions y prirent place dès la fin du XIXe siècle. Accès par un escalier monumental aux voûtes et rampes sculptées. À chaque entresol, d'immenses vitraux. La collection de 190 000 objets au total constitue un formidable panorama des arts décoratifs à travers les âges. Si certaines œuvres ne sont que des témoignages de leur époque, d'autres sont de vraies merveilles, comme les objets de verre. À l'entrée de chaque salle, prendre le document dactylographié en français, où figurent d'excellentes explications. Attention, il est rare que toutes les salles soient ouvertes.

– **Le 1er étage** est consacré à des expositions temporaires. Il abrite également une bibliothèque.

– **Au 2e étage**, quatre salles d'expositions différentes aux voûtes intéressantes :

Salle 1

Meubles de bois sculptés du XVIe siècle, dont un étonnant buffet à colonnades représentant diverses scènes de l'époque et un cabinet en marqueterie (où figurent des scènes de chasse) du début du XVIIIe siècle, provenant de l'Allemagne du Sud. À noter également, un meuble aux multiples tiroirs sculptés et dorés, de tailles très différentes, avec une façade rabattable pour en interdire l'accès. Et puis encore des plateaux, des vases, de la vaisselle de faïence du XVIIe siècle de style Renaissance. Quelques cadrans solaires du début du XVIIIe siècle.

Salle 2

Surtout consacrée au XVIIe siècle, avec du mobilier baroque provenant de milieux aristocratiques et religieux, dont une grande partie de Bohême. En particulier, voir la très sculpturale table italienne (1714) avec un dessus en marbre artificiel. Mais aussi une commode de 1700 et un cabinet de 1730, représentatifs du mobilier français de l'époque et de l'un de ses maîtres, André Charles Boulle. Quelques pièces en émail et verres peints, spécialité de Bohême.

Salle 3

Tout le XVIIIe siècle, donc essentiellement du baroque et du rococo. Dans cette pièce, ne pas manquer la bibliothèque du monastère de Valdice, aux incroyables ornements de nacre et d'or. Plusieurs cabinets et secrétaires de conception nouvelle. Ainsi que des pendules et horloges...

Salle 4

Voilà maintenant le classicisme et les styles Empire et Biedermeier, meubles aux formes beaucoup plus classiques et apaisantes avec apparition des bois clairs indigènes (noyer, poirier, merisier...). Une tapisserie, *Diane et le voile*, tissée à la manufacture royale des Gobelins à Paris. Exposition de faïences très représentatives de la fin du XVIIIe et du début du XIXe siècle. Beaux coffres anciens. Original : un berceau en bois de 1830, surmonté d'un serpent (drôle d'idée !). L'exposition se termine par une vitrine consacrée aux vêtements de la fin du XIXe et du début du XXe siècle (robes, chaussures...). À propos des robes, pour pouvoir les porter les femmes devaient soit posséder une taille dite « de guêpe », soit porter des corsets de choc. Au mur, quelques représentations graphiques sommaires des tenues en situation.

À gauche, avant de sortir du musée, l'*Espresso Café* pour se détendre et boire un verre à prix doux avant de repartir à la conquête des autres merveilles de la cité.

★ *Le Rudolfinum* ou *la maison des Artistes* *(Dům umělců ; zoom centre) :* sur la place Jan-Palach (Jana Palacha nám. ; voir l'histoire de ce jeune homme courageux dans la rubrique « Personnages »). ☎ 2-24-89-33-52. Fermé le lundi. Édifié dans un style néo-Renaissance de la fin du XIXe siècle, sous l'archiduc Rodolphe, c'est une vaste salle de concerts de toute beauté (salle Dvořák), clé de voûte du festival du Printemps de Prague. C'est là que se produit régulièrement l'orchestre philharmonique tchèque. Sous la Ire République, de 1918 à 1939, le Rudolfinum fut utilisé comme Parlement. Noter le pignon surmonté de statues de compositeurs ; on reconnaît, entre autres, Bach, Haydn, Schubert, Auber, Mozart... ainsi que de nombreux peintres. On raconte que quand Hitler visita Prague, il demanda qu'on retire le juif qui trônait sur la façade. Par ignorance, les techniciens enlevèrent Wagner, ce qui attisa la colère du Führer. Le juif dont il parlait était le compositeur allemand Félix Mendelssohn-Bartholdy.

Au sud et à l'ouest de la place de la Vieille-Ville

On reprend notre petit circuit à partir de Staroměstské náměstí pour aller vers la Malé náměstí.

★ *La Malé náměstí* *(Petite Place ; zoom centre) :* à 100 m de la place de la Vieille-Ville. Remarquable puits en fer forgé du XVIe siècle, doté d'une belle grille Renaissance du milieu du XVIe, chapeauté par un lion doré ; les habitants y puisaient de l'eau, tout simplement. Tout autour, jolies façades à détailler, notamment celle de la maison *VJ Rott (U Rotta)*, avec des fresques figurant les anciens métiers (forgerons, menuisiers, faucheurs), etc., en costumes folkloriques. Le premier grand magasin de Prague s'installa ici au milieu du XIXe siècle. On y vendait, et on y vend encore, tout pour la maison. Voir l'intérieur des années 1920. Sur la place, d'autres belles maisons blasonnées ou à arcades.

★ Au sud de la place de la Vieille-Ville, on trouve dans les plus anciennes rues de Prague de fort belles ***demeures***. Prendre Melantrichova puis à gauche Kožná ulička, on y trouve la *maison des Deux Ours d'Or*. Superbe portail Renaissance du XVIe siècle, considéré comme le plus beau de la ville. Cour intérieure à arcades. Sur Melantrichova, *maison Teufl* (belle cour également). Toujours sur cette même rue, nombreuses façades baroques. Dans la rue U Radnice, au n° 8, une grenouille verte en façade. Elle rappelle l'histoire d'un sculpteur du XVe siècle, plaisantin notoire qui, un soir, revêtu d'un costume vert, s'amusa à faire la grenouille en mettant ses pieds derrière la tête. Une dame qui passait par là fut prise de panique et ameuta le quartier. En souvenir de cette plaisanterie, les compagnons du tailleur sculptèrent sur sa maison une grenouille verte.

★ ***Le Carolinum*** *(zoom centre) :* à l'angle de Železná et de Ovocný trh, derrière l'église Saint-Gall. C'est encore aujourd'hui le rectorat de l'université Charles-IV, érigée en 1348. C'est la plus ancienne université d'Europe centrale toujours en fonction. Jan Hus en fut le recteur. À l'intérieur, expos temporaires. Certaines salles sont réservées aux cérémonies de remise des diplômes aux étudiants. L'unique vestige de l'époque gothique visible de l'extérieur (à part les voûtes) est cette chapelle en gothique flamboyant et à encorbellement de la fin du XIVe siècle, sise sur Ovocný trh. Élégante et discrète. Les dais ont perdu leurs statues.

★ ***Le Stavovské divadlo*** *(théâtre des États ; zoom centre) :* Železná 11, Prague 1. Beau théâtre, sorte de pâtisserie édifiée à la fin du XVIIIe siècle. La première représentation du *Don Giovanni* de Mozart fut jouée ici en 1787. *Les Noces de Figaro* firent également un triomphe, surtout quand Mozart lui-même les dirigea. C'est d'ailleurs après le succès des *Noces* que *Don Giovanni* fut commandé à Mozart. Le théâtre, édifié par une famille bourgeoise et riche, les Nostitz, fut vendu aux États, d'où son nom. Les élégants balcons latéraux furent ajoutés au XIXe siècle. On y joue encore des opéras de Mozart, mais principalement des pièces de théâtre.

★ Donnant sur Železná, la petite ***rue Havelská*** accueille un marché de fruits, légumes et artisanat tous les jours. ***Rue Železná***, au n° 7, voyez cette grosse grappe de raisin qui indiquait la présence d'un débit de boisson. On dit que le proprio, au XVIIIe siècle, eut du mal à obtenir son autorisation car il y avait déjà neuf troquets dans la rue.

★ Sur la ***rue Rytířská*** *(zoom centre)*, voir la pittoresque maison du Bailli. Au n° 12, superbe cour intérieure (pas toujours ouverte). Au n° 29 de Rytířská, la *Česká Spořitelna* (Caisse d'Épargne), bel édifice fin XIXe siècle, typique du style néo-Renaissance.

★ ***La rue Karlova*** *(zoom centre) :* c'est certainement la portion la plus célèbre de la Voie royale, puisqu'elle se poursuit par le pont Charles lui-même. Cette voie était appelée ainsi car c'est la route qu'empruntaient les futurs rois pour se faire couronner en la cathédrale Saint-Guy. Le convoi partait de la tour poudrière, empruntait la rue Celetná, traversait la place de la Vieille-Ville sous les clameurs, gagnait la petite Malé náměstí puis suivait la sinueuse Karlova pour traverser le pont Charles. Côté Malá Strana, il suffisait de suivre Mostecká et de grimper Nerudova pour enfin pénétrer dans la cour du château et atteindre la cathédrale. Sur le plan décoratif, Karlova propose un festival d'enseignes, mascarons, frontons, masques et pignons intéressants et originaux.

➤ Elle démarre sur Malé náměstí, puis elle sine un peu avant d'attaquer sa dernière ligne droite avant le pont Charles. Voici quelques points de repère pour vous inciter à lever les yeux. Au premier coin à gauche (n° 48), deux angelots qui tiennent une couronne. Plus loin, au n° 20 de la rue Husova (à l'angle avec Karlova), le palais Glam-Gallas, surtout notable pour ses quatre fameux atlantes baroques qui semblent à peine suffire à supporter l'édifice. Réalisé au XVIII° siècle par le célèbre sculpteur pragois B. Braun. À l'intérieur (mais ce n'est pas toujours ouvert), bel escalier. Poursuivre Karlova vers le pont Charles. Sur une petite place, on découvre la façade Renaissance de la maison *Au Puits d'Or*, possédant une intéressante décoration baroque en son centre, œuvre de J. O. Mayer, coutumier de ce style d'ornementation à Prague. Au centre, une Vierge à l'Enfant et, de part et d'autre, quatre saints dont, en bas, saint Venceslas et saint Roch (avec son chien qui lèche son bubon de peste), deux personnages particulièrement importants dans l'histoire de Prague. Au n° 14, une sirène de pierre, enseigne païenne représentant la tentation et le désir qu'il fallait repousser. À l'angle de Karlova et Liliová, un serpent doré où fut ouvert le premier café de la ville par un Levantin qui était venu de Vienne avec ses sacs de café pour se lancer dans ce commerce encore inconnu au début du XVIII° siècle.

➤ Petit détour par la Mariánské náměstí pour observer l'une des entrées du Clementinum, mais surtout le nouvel *Hôtel de ville* de la Vieille Ville, curieux mélange d'Art nouveau et de néo-baroque, élevé au début du XX° siècle et dont la façade de balcons et corniches a été confiée aux plus grands sculpteurs du moment. Dans un coin, côté droit, la célèbre sculpture de Rabbi Löw dans un style Art nouveau, réalisée par Ladislav Šaloun en 1910, également auteur du monument dédié à Jan Hus sur la place de la Vieille-Ville. On éleva cet édifice au moment où l'on assainissait le ghetto juif. L'ensemble montre Rabbi Löw digne et impassible, tenté par la Mort déguisée en une jolie fille. Löw en effet vécut presque centenaire. Revenir ensuite sur Karlova pour en explorer la dernière portion : au n° 8, levez la tête : un funambule traverse la rue sur son fil. Au n° 4, le masque de Johannes Kepler, astronome allemand du XVI° siècle, qui fut l'assistant de Tycho Brahé et qui découvrit les lois des mouvements des planètes. Au n° 2, sur la gauche, une très ancienne librairie avec des tas de livres séculaires et de belles gravures à vendre.

★ *Le Clementinum* (Klementinum ; zoom centre) : ☎ 2-24-22-95-00 à 04. Plusieurs entrées possibles, par la Mariánské náměstí ou par la Křížovnické náměstí, juste avant le pont Charles. Pour connaître les jours de visite (quelques rares jours par an seulement) et obtenir plein d'infos sur la bibliothèque, les expos, les concerts, consulter le site Internet : ● www.nkp.cz ● Immense collège fondé au XVI° siècle, mais l'édifice qu'on voit aujourd'hui fut construit en 1653 par les jésuites sur l'emplacement d'un ancien couvent. Les jésuites vinrent à Prague sur la demande de Ferdinand I°, pour installer la Contre-Réforme. Le Clementinum occupe tout un pâté de maisons. On ne devine pas ses dimensions car il est coincé par des ruelles de chaque côté. C'est le deuxième plus grand édifice de la ville après le château. On y trouvait un couvent, deux églises, des chapelles et évidemment de nombreuses salles d'études et des bibliothèques. C'est d'ailleurs aujourd'hui une grande bibliothèque universitaire et la bibliothèque d'État (6 millions d'ouvrages). Le développement du Clementinum et de son université avait un objectif purement politico-religieux. Tous les enfants de nobles s'y rendaient. L'objectif était avant tout de regagner les âmes catholiques égarées et de concurrencer l'université Charles. Plusieurs façades, cours et salles intéressantes. Voir la façade austère et sombre, d'un style baroque très achevé, qui donne sur la Křížovnické náměstí, juste à côté de l'église Saint-Sauveur, réalisée par l'architecte Carlo Lurago. Celle donnant sur la Mariánské náměstí s'avère plus gracieuse. On vous présente rapidement l'intérieur du Clementinum.

– Les **cours** sont accessibles toute l'année, elles sont agrémentées de belles fontaines qui communiquent par un réseau d'irrigation complexe. Remarquez également les cadrans solaires sur les murs.

– La **chapelle de l'Annonciation** est ouverte pour les concerts, c'est donc dans une ambiance musicale que vous la découvrirez.

– Pour la plupart, les **salles** du Clementinum ne sont pas accessibles au public, sauf pour les chanceux qui se trouveront à Prague à l'occasion de la Foire internationale du Livre, qui a lieu habituellement dans la 2e quinzaine de mai. En effet, à cette occasion, une visite guidée est proposée au public. Elle commence par la **bibliothèque :** cette immense salle baroque, dans laquelle il n'y a toujours pas d'électricité, renferme une impressionnante collection de livres d'époque. Les ouvrages à la reliure de couleur blanche sont un reliquat de la bibliothèque jésuite. Ils étaient classés selon trois degrés de connaissance, et il y avait même un département « livres défendus », situé tout en haut des rayonnages. Des colonnes torsadées conduisent le regard jusqu'aux plafonds, décorés d'une fresque en trompe l'œil de Jan Hiebel, symbolisant les arts et les sciences. Au passage, on remarque les portraits de jésuites et de personnages importants de l'époque dans les médaillons. En 1777, lorsque les jésuites furent chassés, la bibliothèque devint publique. Une intéressante rangée de globes (terrestres et célestes) de toutes tailles, regroupés au centre de la pièce, appartient à la collection de la salle des Mathématiques, aujourd'hui fermée au public. Dans une petite salle attenante, des vitrines renferment des fac-similés et des maquettes de manuscrits, ainsi que quelques horloges, elles aussi originaires de la salle des Mathématiques.

La visite se poursuit par des **couloirs** remarquables pour leurs fresques en berceau, illustrant la vie (quelque peu romancée !) de saint François-Xavier. Passage également par l'ancien **réfectoire** d'été, qui sert aujourd'hui de salle d'étude pour les étudiants (ils ont bien de la chance). C'est ici qu'ils se retrouvaient pendant les événements de 1989. Amusant que ce soit ce lieu de la Contre-Réforme et d'un certain conservatisme qui ait servi de QG (entre autres) à la révolte estudiantine et populaire.

➢ On aboutit sur la **Křížovnické náměstí** (place des Croisés), du nom de l'ordre religieux qui y avait son couvent. On y trouve deux églises et une statue.

★ **L'église Saint-Sauveur** (kostel Svatého Salvátora ; zoom centre, **272**) : située exactement à l'angle de Karlova et de la Křížovnické náměstí, juste à côté d'une des entrées du Clementinum, dont elle était une partie intégrante. Momentanément fermé. Renaissance à l'origine, baroque plus tard, de nombreux grands architectes interviendront pour ses multiples rénovations. Lurago et František Kaňka furent de ceux-là. En façade, il y a du monde au balcon, et même debout sur la corniche. Peintures, stucs et sculptures diverses constituent la décoration intérieure.

★ **L'église Saint-François-Séraphin** (kostel Svatého Františka Serafinského ; zoom centre, **273**) : c'est celle sur la place, à droite quand on regarde le pont. Cet emplacement appartenait à l'ordre des Croisés et ils décidèrent d'élever ici une église, malgré l'exiguïté du site, pour faire concurrence à l'imposant Clementinum. Ils demandèrent au Français Jean-Baptiste Mathey (qui réalisa le château Troja) d'occuper le terrain. Résultat, tant à l'extérieur qu'à l'intérieur, il n'y a pas un centimètre carré de libre. Façade austère et lourdaude, assez dépouillée, avec au-dessus un énorme dôme de bronze, qui apparaît disproportionné de l'extérieur. L'intérieur, que l'on ne voit qu'à travers une vitre, se révèle on ne peut plus baroque. Voir la chaire de bois doré, les dessous de balcons surchargés (de chaque côté de l'autel), les tombeaux de verre dans l'une des chapelles latérales, où les squelettes de nobles ont été reconstitués et habillés (un peu macabre tout ça !). Mais le clou de la visite reste l'immense coupole occupée par l'admirable fresque symbolisant *Le Jugement dernier* de V. V. Reiner, qui fut le maître en la matière. Mozart joua ici. L'église est d'ailleurs essentiellement utilisée pour des concerts de musique classique, et c'est à ces moments-là qu'elle est ouverte.

★ *La galerie des Croisés* (zoom centre, 273) : ouvert tous les jours sauf le lundi, de 10 h à 17 h (18 h en été). Fermé en janvier. Entrée : 40 Kcs (1,30 €). L'accès à la galerie se fait sur la gauche de l'église Saint-François. On peut ainsi entrer dans la crypte, située en fait dans l'ancienne église du XIIIe siècle (à l'époque, le niveau de la rue était plus bas). Pas grand-chose à voir, hormis le surprenant autel en forme de grotte colorée (datant de 1683, tout de même). La galerie proprement dite renferme des objets d'art religieux (en particulier, une superbe collection d'ostensoirs de tous styles, y compris Art nouveau), des habits de cérémonie et des peintures, depuis le XIVe siècle. Il y a même une copie de la Madone Noire de Monserrat (en Espagne) apportée par les jésuites. Autre curiosité, une arche de pierre du pont Judith, qui précéda le pont Charles. À l'entrée, vous trouverez une petite documentation en français qui guidera votre visite. Vous pouvez aussi demander Květa, elle se fera un plaisir de vous raconter tout cela en français.

★ Au centre de la place des Croisés, la *statue* néo-gothique *de Charles IV*, élevée pour le 500e anniversaire de l'université qui porte son nom. Sur le socle, quatre femmes symbolisant les quatre facultés : Théologie, Sciences, Droit et Philosophie.

★ *Au sud de Karlova* : vous aborderez un lacis de ruelles assez fascinantes. Prendre Husova et bifurquer dans la petite Řetězová. Au n° 3, voir la *maison des seigneurs de Kunštát*. Ouvert tous les jours de 10 h à 18 h. Entrée : 30 Kcs (1 €). Demander la notice en français. Dans cette courette, on accède (contre un petit droit d'entrée) à une cave romane superbe du XIIe siècle, un des exemples les plus caractéristiques de cette architecture et un des plus marquants vestiges de cette époque à Prague. Voûtes basses, piliers énormes, atmosphère fraîche et humide. On compte encore une bonne quarantaine de maisons romanes rien que dans la Vieille Ville. C'est aussi une petite galerie d'art. Évidemment, cette cave était autrefois un rez-de-chaussée. Au début du XVe siècle, Georges de Poděbrady, le futur roi de Bohême, y vécut.

★ *La Bethlémské náměstí* (place Bethléem ; zoom centre) : c'est une adorable placette, un vrai petit bout de campagne, entourée de vénérables groupes de maisons, notamment la maison *U Halánků*, ensemble du XVe siècle. La place tient son nom de la chapelle voisine. On aime son côté simple pas exempt de beauté. Ça met un peu les yeux au repos.

★ *La chapelle de Bethléem* (zoom centre) : sur Bethlémské náměstí. Ouvert de 9 h à 17 h en hiver et jusqu'à 18 h en été. Entrée : 30 Kcs (1 €). Si elle n'est pas bien belle et ne possède que peu d'intérêt sur le plan architectural, son histoire est intéressante. C'est une église halle, vaste et austère, sans nef. C'est ici précisément que prit forme le mouvement de révolution hussite. Jan Hus, recteur de l'université de Prague, y prêcha de 1402 jusqu'à sa mort, mais c'est au début du XVe siècle que ses idées de réforme prirent de l'importance et que les bourgeois sentirent le vent tourner. Détruite peu de temps après, on ne reconstruisit la chapelle qu'en 1948, à cause de sa portée symbolique pour le pays. Les murs, en partie refaits, ne sont pas très évocateurs et le résultat pas bien folichon. On y a repeint des scènes médiévales qui évoquent notamment la mort de Jan Hus. Concerts de temps en temps.

★ À l'angle de Konviktská et Karolíny Světlé *(zoom centre)*, voir la **rotonde Sainte-Croix**, un des derniers et des plus beaux vestiges romans de Prague.

★ À l'angle de Bethlémská et de Smetanovo nábř, noter la petite placette verdoyante avec en son centre un dais de statue... vide. Il y avait là une sculpture d'un empereur Habsbourg qu'on délogea après la proclamation de la République. Derrière, belle demeure Art nouveau.

★ **L'église Saint-Gilles** (kostel Svatého Jiljí ; *zoom centre*) **:** sur Husova, face au n° 7. Encore un édifice baroque à l'élégante tour pointue où les hussites prêchèrent aux XVe et XVIe siècles. Intérieur délirant où tout est doré : les chapiteaux, les moulures, et surtout la fresque du plafond de V. V. Reiner, qui évoque l'ordre de Saint-Dominique. Assez extraordinaire. D'ailleurs, Reiner est enterré ici. À chaque pilier, un autel. Les moulures des chapiteaux furent installées au moment de la baroquisation de l'église au XVIIIe siècle. Les architectes ont voulu signer de manière très nette le style de l'église. À la venue des communistes, on incarcéra les religieux qui occupaient les lieux. On la leur rendit dès la libération du pays, en 1989.

★ MALÁ STRANA

Malá Strana signifie « petit côté », par rapport à l'autre côté de la rivière (la Vieille Ville). Ville créée au XIIIe siècle par le roi Přemysl Otakar II mais remaniée de fond en comble en style baroque aux XVIIe et XVIIIe siècles. Depuis, aucun bouleversement ne l'ayant touchée, on y découvre une unité architecturale unique en Europe. Encore plus que la Vieille Ville, elle invite aux dérives romantiques, poétiques et amoureuses à travers ruelles, escaliers, passages multiples bordés de merveilleux palais et jardins secrets.

Un peu d'histoire

Dès que le pont Judith traverse la Vltava au XIIe siècle, des quartiers d'habitations se développent doucement. Comme la Vieille Ville, Malá Strana est une commune indépendante des autres au XIVe siècle. La ville est prospère et surtout habitée par des colons allemands. Charles IV la développe et fait édifier des remparts tout autour. À la suite de plusieurs incendies, dus notamment aux guerres hussites, les vieilles maisons de bois partent en fumée pour laisser la place à de beaux palais Renaissance, édifiés par des artistes italiens qui, eux-mêmes, céderont le pas à la folie du baroque au XVIIIe siècle. Ce qui est formidable à Malá Strana, c'est que tout resta architecturalement bloqué à la période baroque. Et ce style avait déferlé avec une telle force que tout Malá Strana est aujourd'hui d'une incroyable cohérence. Dès qu'une famille était riche, elle faisait construire son petit palais baroque. La ville fut rattachée aux autres communes à la fin du XVIIIe siècle pour créer Prague sous Joseph II.

★ **Le Karlův most** (pont Charles ; *plan général, C3*) **:** l'une des merveilles de Prague, trait d'union entre la Vieille Ville et Malá Strana. Pont piéton, c'est l'un des rares exemples en Europe de continuité urbaine harmonieuse. Avant le pont Charles, il y en eut un premier (le pont Judith), en bois, édifié dès le Xe siècle. Il fut arraché en 1342 par les eaux tumultueuses de la Vltava. Charles IV, le grand bâtisseur, entreprit alors la construction d'un nouvel ouvrage et en confia en 1347 la responsabilité à l'architecte de la cathédrale Saint-Guy, Petr Parléř. On l'appela alors le pont de Pierre. Il prit le nom de « Charles » bien plus tard, au XIXe siècle, pour rendre hommage à l'illustre personnage qui aima tant sa ville et la para de tant de merveilles qu'elle devint l'un des principaux joyaux d'Europe. Long de plus de 500 m et large de 10 m, le pont s'appuie sur seize énormes piliers de grès cassant le courant. D'ailleurs, savez-vous que les énormes troncs qui sont au pied du pont, dans l'eau, sont là pour protéger le pont Charles des blocs de glace qui pourraient s'écraser sur les piliers en hiver ? À force, ça use, et il vaut donc mieux prévenir que guérir ! De part et d'autre, c'est un paysage urbain sublime qui s'ouvre à vos yeux. On dit que pour consolider le mortier entre les pierres, les bâtisseurs utilisèrent du jaune d'œuf. On demanda à la population de faire parvenir les œufs et ce sont des charrettes remplies d'œufs qui arrivèrent en ville, venues de toute la Bohême. On raconte qu'un des villages apporta des œufs... durs, de peur qu'ils ne se cassent durant le trajet. Les Pragois en rient encore. Il va sans dire que le pont Charles, c'est un peu les Champs-Élysées (en beaucoup plus charmant, évidemment) et la place du Tertre réunis. Brosseurs de profil, peintres du dimanche, marionnettistes, gratteurs de guitares... toute la panoplie artistique est là. Le public est à la fête... tout comme les pickpockets. Certaines fins de semaine et en été, il faut parfois une bonne demi-heure pour achever la traversée du pont. Cette débauche touristico-commerciale en énervera plus d'un. Alors un conseil, venez au lever du soleil. Promis, vous aurez le pont pour vous seul et une lumière d'une douceur infinie. De même en soirée, avec en arrière-plan les illuminations du château : sublime !

Les tours

De chaque côté du pont s'élèvent des *tours* magnifiques :

➤ *La tour côté Staré Město* : édifiée par Petr Parléř et son atelier dans un style gothique superbe. Elle faisait partie d'une ceinture de remparts qui protégeaient la Vieille Ville. Elle traversa les siècles pratiquement sans dommages ni transformations, bien qu'elle ait eu chaud aux fesses lors de l'invasion suédoise au XVIIe siècle. La guerre de Trente Ans fut pourtant aussi l'objet de rudes batailles et Malá Strana paya un lourd tribut. Sur la partie extérieure, on trouve les statues de saint Venceslas à droite, Charles IV à gauche et au centre saint Guy, patron de la Bohême. Également tous les écussons des différents royaumes et des martins-pêcheurs, symbole de saint Venceslas. On considère cette tour comme l'une des réalisations gothiques les plus achevées d'Europe. Elle servit de modèle à la tour poudrière de la Republiky náměstí. On peut grimper tout en haut de 10 h à 18 h tous les jours (17 h en hiver). Entrée : 30 Kcs (1 €). Vue exceptionnelle, évidemment. L'ensemble est décoré avec finesse et élégance, sans surcharge.

➤ Côté *Malá Strana*, c'est l'enchantement, il faut admirer ici l'intelligence de l'architecture pragoise. Dans l'échancrure des deux tours (une à chaque extrémité du pont), s'inscrivent clochers, clochetons et dômes de l'église Saint-Nicolas, précédés d'une cascade de toits. Le tout encadré de merveilleuses demeures baroques, statues, etc. En toile de fond, l'altier château royal et la gracieuse silhouette de la cathédrale Saint-Guy. Les tours du côté Malá Strana : la plus petite des deux tours date de l'époque du pont Judith, le premier pont que fit élever la femme de Vladislav Ier. Elle accuse un style roman marqué. Ouvert de 10 h à 18 h tous les jours, d'avril à octobre. Entrée : 30 Kcs (1 €). Pour guider votre visite, une documentation en français est disponible. Au premier étage, vous découvrirez une petite exposition sur la construction de l'actuel pont Charles. L'autre tour fut élevée plus tard, en 1464, et ne possède pas la pureté des lignes de celles côté Staré Město.

Les statues du pont

On commença à élever des statues au-dessus de chaque pilier du pont au XVIIe siècle, d'abord quelques-unes puis beaucoup plus au siècle suivant. Sur une structure parfaitement gothique, on a donc posé un style éminemment baroque. Le mélange ne plut pas à Rodin en visite à Prague. Mais ça semble être au goût de millions de touristes... L'ensemble retrace toute l'histoire religieuse de la ville. Une légende raconte que la nuit venue, quand le pont n'est plus occupé que par ces personnages de pierre, les statues conversent discrètement sur de graves sujets théologiques. Cette boulimie de soutanes et de crucifix était en fait un véritable écran publicitaire permanent au moment le plus fort de la Contre-Réforme. Le protestant qui traversait le pont à cette époque devait se sentir mal dans ses baskets. Une véritable galerie de personnages, un musée Grévin de pierre et de bronze qui accueille notamment (on ne cite que les plus marquantes), dans l'ordre d'apparition à l'image en partant de la Vieille Ville et sans souci hiérarchique, le groupe de sainte Barbe (2ᵉ sur la gauche), le groupe de la Sainte-Croix (3ᵉ sur la droite), saint François-Xavier qui baptise un prince converti (5ᵉ sur la gauche), le groupe de saint Norbert avec saint Venceslas et saint Sigismond des Burgondes (7ᵉ sur la droite), la célèbre statue de saint Jean-Népomucène (8ᵉ sur la droite) qui fera l'objet d'un commentaire particulier ci-dessous, le calvaire où figure en lettres hébraïques trois fois le Kadosh (Saint, Saint, Saint). Son inscription sur cuivre fut financée en 1695 par un juif condamné à cette réparation pour avoir marqué du mépris en passant devant la Croix, le beau groupe de saint Jean de Matha (14ᵉ sur la gauche), et enfin saint Venceslas (15ᵉ sur la gauche). Il y en a d'autres évidemment, comme saint Yves, le patron des juristes, ou sainte Lutgarde, la religieuse cistercienne aveugle qui reçoit du Christ en croix la permission de baiser ses blessures, mais si vous vous recueillez auprès de toutes celles déjà indiquées, vous avez du boulot pour toute la journée. Un certain nombre d'entre elles fut fondu par Matyáš B. Braun et l'atelier de Brokoff. Pour la plupart, elles sont des copies. Les originales commençaient à drôlement s'user.

➤ Quelques mots sur le *groupe de saint Jean-Népomucène*. Ce fut la première statue du pont. Tout d'abord, sachez que l'existence même de ce personnage n'est pas vraiment certaine. En fait, beaucoup de documents semblent concorder pour admettre la thèse que le prélat exista, mais bien avant l'époque à laquelle la légende lui prête vie. Reste que les attachés de presse de l'époque ayant bien fait leur boulot, l'histoire vint jusqu'à nous et, en majorité, les Tchèques ne mettent pas en doute l'existence de saint Jean-Népomucène. L'Église, à la fin du XVIIᵉ siècle, avait le chic pour sortir des martyrs et des saints de son chapeau, comme d'autres sortent des lapins. Peu importe, voici la légende.

Le saint devint le symbole du sacrifice des jésuites pour soutenir la ferveur des catholiques au moment le plus dur de la Contre-Réforme. Au XIVᵉ siècle, Jean-Népomucène aurait été prélat à la Cour et confesseur de la reine. On raconte que le roi Václav IV prit ombrage du fait que celui-ci refusait de lui relater les secrets de la confession de sa femme. Il fut battu par des hommes à la solde du roi, traîné sur le pont et jeté mourant à la rivière. Son corps flotta quelque temps entouré d'étoiles dansantes. Symbole de résistance et de fidélité à l'Église, il représente la vérité éternelle face aux excès du pouvoir politique. Tu parles !... La vraie raison était qu'il fallait absolument trouver à cette époque un autre Jan pour contrecarrer la popularité de Jan Hus, la figure de proue de la Réforme. Il se serait appelé Alfred qu'on en n'aurait plus jamais entendu parler... Dans la partie basse de la statue, un bas-relief de bronze montre à droite ce qui advint du prélat. Les touristes, sans trop savoir pourquoi, touchent le corps du saint. Sur la gauche, on voit la reine à confesse. En 1719, on exhuma son corps pour s'apercevoir que sa langue était restée rouge et bien viandue. Gravée en latin une belle formule : *tacui* (je me suis tu). Il fut bien entendu canonisé en grande pompe et, depuis, tous les ponts d'Europe centrale ont un saint Jean-Népomucène pour gardien.

★ Au pied des tours, en contrebas sur la droite, l'**hôtel U Tří Pštrosů** *(Aux Trois Autruches ; plan général, C3, 68)*, un des plus chic de la ville.

Remarquable édifice Renaissance où l'on voit encore en façade trois autruches peintes. C'était une ancienne boutique de plumes d'autruche, élément de décoration très à la mode dans la bonne bourgeoisie sous Rodolphe II. Le proprio fit peindre un troupeau d'autruches sur sa façade (il n'en reste que trois), réalisant ainsi le premier mur peint publicitaire de la ville.

★ **L'île Kampa** *(plan général, C3)* **:** à l'entrée de Malá Strana, au bout du pont sur la gauche, descendre les escaliers. Vous aurez noté *Na Kampě*, cette élégante place bordée de nobles demeures anciennes. Elle se prolonge par un beau parc menant au pont Legií (ex-pont du 1er-Mai). Une petite rivière, la *Čertovka*, enlace amoureusement l'île, et un beau moulin retapé tourne doucement. D'autres sont à l'état de vestiges. De nuit, nous vous conseillons de commencer la balade au pont Legií, de traverser ce parc si poétique pour déboucher sur Na Kampě. C'est une placette d'un charme fou, bordée de maisons simples, avec des toits de tuiles. On se croirait vraiment à mille lieues de la capitale active d'un État moderne. L'hiver, c'est tout simplement l'endroit le plus romantique de la ville. L'été, de petits artisans font une gentille animation. Sur la place Na Kampě, au n° 1, une maison de 1664 avec une belle porte décorée d'une enseigne *Au Renard Bleu*. Cet animal est lié à une fable tchèque où il vaut nourrir un jars irrespectueux à son égard. Le renard tient une rose dans sa bouche. Aujourd'hui, cette maison abrite l'ambassade d'Estonie.

★ **La rue Mostecká** *(plan général, C3)* **:** c'est le prolongement du pont Charles. Juste au début de la rue, côté droit, série de maisons Renaissance avec des pignons tous différents, ornés de mascarons, masques, potiches... Au n° 4, un ours enchaîné. Dans l'enfilade de la rue, au bout, apparaît l'église Saint-Nicolas. Toute cette portion est éminemment touristique et commerciale. Au n° 15 de Mostecká, beau *palais Kaunitz* abritant l'ambassade de l'actuelle république de Yougoslavie.

★ **La Malostranské náměstí** *(plan général, C3)* **:** en haut de Mostecká, c'est la grande place de Malá Strana. M. : Malostranská (ligne A). Tram n° 12, 18, 22 ou 23. Cette vaste place se présente en deux parties : la partie basse et la partie haute, où l'on trouve l'église Saint-Nicolas. C'est de fait la construction de l'église qui divisa la place en deux. Animée par le passage des tramways et par une circulation assez dense, elle fut d'ailleurs de tout temps un point de rencontre puisqu'un grand marché s'y tenait autrefois. Au n° 21 de Malostranské, le long édifice plein d'élégance avec ses arcades abritait l'ancien Hôtel de ville de Malá Strana à l'époque où Prague était encore composée de quatre villes bien distinctes : Staré Město, Malá Strana, Hradčany et Nové Město. Aujourd'hui, au 1er étage, on y trouve un excellent lieu pour écouter du jazz, le *Malostranská Beseda*, qui accueille aussi des formations rock, latino, dixie... (voir « Où sortir ? »). Juste sur la droite, au n° 22, ravissante maison avec une élégante lucarne centrale et des fresques où apparaît le Couronnement de la Vierge. Au n° 25, la maison *Kaiserštejn* avec ses sculptures baroques. Au n° 18, le *palais Smiřický* (XVIIe siècle). Il abrita le complot de la célèbre « défenestration de Prague ».

★ **L'église Saint-Nicolas** *(plan général, B3)* **:** Malostranské náměstí, Prague 1. Accès par la partie haute de Malostranské. Ouvert à partir de 9 h et jusqu'à 16 h 30 (17 h d'avril à septembre). Entrée : 45 Kcs (1,50 €). Malgré sa façade assez quelconque, très large, qui se caractérise essentiellement par son élégante ondulation, l'église Saint-Nicolas est l'un des chefs-d'œuvre du baroque fou qui enflamma les jésuites, véritable triomphe arrogant de la Contre-Réforme. Même Paul Claudel fut ébahi quand il la vit, c'est tout dire. C'est donc entre 1673 et 1755 qu'on édifia cet ambitieux ensemble sous la responsabilité notamment (il y eut plusieurs architectes) de Christoph Dientzenhofer puis de son fils (nom qu'on retrouve très souvent dans le baroque pragois). On retiendra la forme ovale des trois nefs culminant au niveau de l'immense coupole à 70 m. Tout dans la décoration va dans le sens de la richesse, de l'exubérance, de l'excès. Rappelons, pour bien comprendre l'état d'esprit de l'époque, que les jésuites avaient choisi le baroque pour symboliser la richesse, les privilèges et les avantages de l'Église catholique sur l'Église réformée. Du brillant et du clinquant. C'était réussi. Un peu d'autodérision, tout de même : repérez en haut du côté gauche de la nef le jésuite en noir, qui caché derrière une colonne surveille le bon déroulement des travaux.

– *La voûte de la nef* représente l'apothéose de saint Nicolas. La fresque se poursuit par un trompe-l'œil fort réussi qui fait le lien avec les piliers de l'église.

– *Les colonnes*, contrairement à ce que l'on pourrait croire, ne sont pas en marbre mais en marbre artificiel très utilisé à cette époque où l'apparence seule comptait.

– *La chaire rococo*, sur la gauche, est également en marbre artificiel. Elle semble attaquée par une colonie d'angelots.

– *La coupole :* on y distingue l'apothéose de la Sainte-Trinité. Au bas des colonnes, noter ces quatre statues gigantesques. Elles sont en bois recouvert de craie. On trouve saint Basile, placide bon enfant ; saint Cyrille, qui tient en respect le mal avec sa crosse ; saint Jean Chrysostome, doctement représenté, et saint Grégoire, en train de prêcher au peuple.

Voir encore le *maître-autel*, bien protégé par les saints jésuites Ignace de Loyola et François-Xavier, sous le regard impassible de saint Nicolas couvert d'or.

– *L'orgue* à 2 500 tuyaux mérite également sa petite mention, pour sa beauté d'une part, mais aussi pour le fait que Mozart y jouait quand il était de passage en ville. On y donna d'ailleurs son *Requiem* trois jours après sa mort (alors que Vienne le boudait) et on le joue toujours aujourd'hui. Au-dessus de la tribune, fresque sur la vie de sainte Cécile.

– *Le clocher :* il est accessible d'avril à octobre de 10 h à 18 h.

– Avant de sortir, la dernière *chapelle* sur la droite (ou la 1re à gauche en entrant) est dédiée à sainte Barbe, la patronne de la Mort heureuse. Tout en finesse et délicatesse, ce qui change du reste de l'église. On peut monter aux balcons derrière sainte Barbe.

★ Au milieu de la place, une **colonne de la peste**, plutôt vilaine, indique la fin de l'épidémie du début du XVIIIe siècle.

★ **Le palais Liechtenstein** *(plan général, C3) :* face à l'église Saint-Nicolas. Vaste palais dont la façade classique et banale (fin XVIIIe siècle) occupe une bonne partie de la place. Il abrite aujourd'hui l'Académie de musique. Le palais doit son nom au proprio, connu dans l'histoire du pays pour avoir été chargé, comme mon copain Valdštejn, de confisquer les biens protestants. Il en conserva une bonne partie. Ben voyons ! Sur le trottoir, devant la façade, un curieux alignement de poteaux que l'on prend d'abord pour de curieux parcmètres : il s'agit en fait d'un rappel commémoratif des vingt-sept protestants décapités sur ordre de Liechtenstein.

★ **L'église Saint-Thomas** *(kostel Svatého Tomáše ; plan général, C2) :* sur Letenská. Ouvert du lundi au samedi de 10 h 45 à 13 h et de 14 h à 16 h 30. Entrée payante. Église petite par la taille mais délirante par sa déco. D'origine gothique, sa baroquisation est l'œuvre du célèbre Dientzenhofer dont le problème était de faire du grandiose dans un espace étroit. Délaissée par les touristes, elle possède pourtant plein de choses notables. Composée de trois nefs dont la principale fut décorée par V. V. Reiner. Sculptures de F. M. Brokoff, illustre artiste de l'époque, tandis que la toile du maître-autel, représentant le *Martyre de saint Thomas et de saint Augustin*, est attribuée à Rubens *himself*. Rassurez-vous, c'est une copie. Chaque pilier de la nef abrite un autel baroque et profite d'une décoration très recherchée.

Beaucoup de stucs et de dorures. Deux d'entre eux possèdent des tombes de verre où le squelette du noble défunt est recomposé et rhabillé. Macabre vitrine. Gagner ensuite le cloître auquel on accède par une porte à gauche de la chaire. Il appartient à ce qui était autrefois un couvent. On aperçoit là les vestiges gothiques de l'église précédente.

★ *La rue Tomášská* *(plan général, C2)* : au n° 1, la bâtisse qui fait angle avec la place Malostranské nám. possède sur ses murs deux cadrans solaires, l'un côté rue, l'autre côté place. Ainsi, vous avez l'heure solaire toute la journée. À l'angle, belle tourelle avec des motifs floraux. On trouve au n° 4 la belle enseigne *Au Cerf d'Or* où l'on découvre un cerf orné d'une croix entre ses bois. Le thème du cerf et de la croix est lié à une légende tchèque. Un jour, un chasseur voit apparaître ce cerf dans une forêt. Paniqué, considérant cette vision comme une apparition divine, il quitte sa maison, perd sa femme et ses enfants et se fait ermite. Cette sculpture, réalisée par le célèbre Ferdinand Maximilián Brokoff, est encore un symbole fort de la présence jésuite au XVIII° siècle et de la volonté de réhabilitation de l'Église catholique. Au n° 2, l'auberge *U Schnellů*, célèbre pour avoir accueilli le tsar Pierre le Grand. Poursuite du circuit pour atteindre Valdštejnské náměstí où l'on voit le palais Valdštejn (entrée par Letenská 10). Festival de fenêtres et de lucarnes.

★ *Le jardin du palais Valdštejn* ou **Wallenstein** *(Valdštejnský palác; plan général, C2)* : entrée par Letenská 10, Prague 1. Ouvert tous les jours de 9 h à 19 h de juin à août et de 10 h à 18 h en avril, mai, septembre et octobre. Entrée gratuite. Caché derrière un long mur d'enceinte, il est difficile d'imaginer l'existence de ce beau palais baroque édifié par un haut dignitaire de l'armée au service des Habsbourg après avoir trahi la cause nationale. Valdštejn s'enrichit au nom des Habsbourg en confisquant tous les biens des nobles tchèques qui ne se ralliaient pas à l'empereur. Celui-ci laissa faire. Ainsi put-il faire construire ce palais qui est en surface l'un des plus grands de la ville puisque 23 maisons furent détruites pour faire de la place. Jouant un double jeu contre les Suédois, encore une fois traître à sa nouvelle cause, l'empereur décida son assassinat. Comme quoi il y a parfois une morale en politique ! On ne visite pas l'intérieur, puisque c'est le siège du Sénat, mais les jardins à l'italienne et la *sala terrena* au fond sont un ravissement. Cette gracieuse loggia de style Renaissance tardive fait merveilleusement la liaison avec le tout début du baroque, style dans lequel est édifié le reste du palais. L'été, c'est un lieu de concert divin mais on y joue également des pièces de théâtre, gentiment rythmées par le doux ronron du tramway qui circule non loin. Admirer la délicate série de statues en bronze de dieux antiques, petits formats pour une fois. C'est un lieu adorable et calme pour prendre un brin de repos. Curieux mur creusé en forme de grotte dans un coin.

★ *L'église Saint-Joseph* *(plan général, C3)* : dans la Josefská. Accuse un style baroque primitif (1698). Les trois statues de la façade représentent saint Joseph, sainte Thérèse et saint Jean de la Croix. Bel éclairage intérieur par la coupole. Messe en français tous les dimanches à 11 h et présentation perpétuelle de l'hostie.

★ Tout ce quartier est truffé de *palais* transformés aujourd'hui soit en ambassades, soit en administrations. Pour la plupart baroques, baroquisants ou fin Renaissance, chacun possède au moins un petit quelque chose de notable : une lucarne, une façade, une sculpture... On ne les décrit pas tous, vous risqueriez la crise de foie architecturale.

★ *U Lužického semináře* *(plan général, C3)* : retour vers le fleuve par cette charmante place prolongée par la rue Míšeňská. Au n° 24, jolie façade avec fenêtres ouvragées. Belles maisons aux n°s 4, 10 et 12. On arrive à nouveau à l'hôtel *Aux Trois Autruches*, au pied du pont.

★ **La rue Nerudova** *(plan général, B3)* : l'une des voies les plus prestigieuses de Malá Strana. Longue succession de palais, porches remarquables, enseignes pittoresques. Chaque numéro se révèle digne d'intérêt. C'est dans cette rue qu'on se rend le plus compte de l'importance de l'enseigne de porte. Jusqu'à la fin du XVIII⁵ siècle où l'on entreprit un début de numérotation des rues, c'était le seul moyen d'identifier les maisons. Ainsi, pratiquement toutes avaient un élément de reconnaissance sur la façade, qui permettait au visiteur de s'y retrouver. Noms bizarres, expressions imagées, les enseignes sont pour la plupart liées à des légendes et sont tout droit sorties du bestiaire alchimique. Qu'y a-t-il derrière le signe du « Cupidon Noir », de la « Pierre d'Or », du « Soleil Noir » ? Voici quelques indices, quelques incitations à lever le museau, pour le plaisir des yeux. Le nom de la rue rend hommage au grand écrivain Jan Neruda qui vécut au n° 47, à la maison *Aux Deux Soleils d'Or*.

– Au n° 5, le *palais Morzin* du début du XVIIIᵉ siècle, réalisé par un Italien, surtout notable pour ses deux Maures, atlantes colossaux qu'on trouve fréquemment sous une forme ou une autre dans les palais des nobles ayant participé à des guerres. En effet, les « métis et les Noirs » étaient très utilisés comme chair à canon à l'époque. Ici, les Maures ne se contentent pas de soutenir le beau balcon tout en rondeur (lourde tâche) mais ont tout simplement donné leur nom au palais. Toute la statuaire de la façade est de F. M. Brokoff. La façade tout entière est richement décorée. Sur la partie supérieure, quatre statues figurant les quatre parties du monde. C'est aujourd'hui l'ambassade de Roumanie.

– Au n° 12, trois violons : ancienne boutique d'un fameux luthier, fondateur de l'école de Prague. Beethoven y vint lors de son séjour à Prague. Et comme cette enseigne s'avérait trop limpide, une légende prit corps : on dit que les nuits de pleine lune, les spectres de Malá Strana y viennent pour donner un concert. On ne sait pas si l'entrée est payante. Autre interrogation : pourquoi un des violons nous tourne-t-il le dos ?

– Au n° 18, un autre édifice baroque avec masques et pots en corniche. Au n° 20, le *palais Thun-Hohenstein* abrite aujourd'hui l'ambassade d'Italie. Ce palais aux rondeurs féminines a été élevé par un comte dont l'emblème était l'aigle. Oiseau diurne que l'on retrouve au porche de cet édifice en guise d'atlantes impossibles. On les doit à Matyáš B. Braun qui, avec Brokoff, a sculpté une bonne moitié de Malá Strana. Au n° 11, un mouton rouge. Face au n° 15, juste après l'ambassade d'Italie, une porte ouverte de 7 h à 19 h 30 (mais souvent fermée) donne accès à une volée d'escaliers qui grimpe, qui grimpe, pleine de mystère vers le château. Au n° 27, superbe enseigne *À la Clé d'Or (U Zlatého Klíče)*, stylisée à souhait, qui indique vraisemblablement la présence d'un serrurier. Au n° 33, balcon baroque chargé en fer forgé à motifs végétaux et mascaron religieux encadré d'angelots. Au n° 32, voir l'ancienne pharmacie Lékárna, dont le meuble de bois suit les contours de la pièce. Belle pièce de menuiserie. Au n° 34, saint Venceslas sur son cheval, patron de Bohême. Autrefois, il n'y avait que le cheval. Il indiquait la présence d'un maréchal ferrant. Le propriétaire d'après, maire de la ville de Hradčany, y fit ajouter le saint sur le cheval. C'est ce qu'on appelle de l'opportunisme artistique. Au n° 39 bis, blason avec lion et coupe d'or. Au n° 47, beaux pignons et enseigne *Aux Deux Soleils d'Or* où vécut l'écrivain Neruda. Et puis ça continue par un cygne, puis un cerf... on vous laisse poursuivre tout seul.

– De la dernière rampe, *Ke Hradu*, avant l'accès au château, belle plongée sur les admirables façades de Malá Strana et sur le jeu des toits.

★ **La rue Úvoz** *(plan général, B3)* : c'est le prolongement de Nerudova. Elle grimpe jusqu'à la place Pohořelec. Sur la gauche, elle offre une splendide vue sur la campagne et la colline de Petřín. Atmosphère incroyablement bucolique à 5 mn du pont Charles.

★ **La rue Thunovská** *(plan général, B-C2) :* parallèle à la rue Nerudova, elle mène directement au château et finit en escalier. Vous y longerez le *palais Rádce Slavata*, de style Renaissance. Belle série de pignons et pinacles rythmant la pente.

★ **La rue Vlašská** *(plan général, B3) :* une rue qui mène au *couvent de Strahov*, moins fréquentée et romantique en diable. À l'entrée de la rue, le *palais Schönborn-Colleredo* qui possède de belles portes de bois et, plus haut, le *palais Lobkowicz* (ambassade d'Allemagne), l'un des édifices baroques les plus prestigieux. Malheureusement, la plus belle façade donne sur le jardin. Essayez de l'apercevoir par-derrière, en contournant les maisons. Celle donnant sur la rue masque la richesse intérieure et la grandeur du lieu par une curieuse banalité.

La partie sud de Malá Strana

L'un des itinéraires les plus romantiques que l'on connaisse (surtout de nuit). À savourer modérément, sous peine d'âme douloureuse...

★ Par la Mostecká, prendre la petite **rue Lázeňská** qui abritait autrefois des hôtels où descendaient d'illustres personnages. Au n° 6, la maison *Aux Bains (Dům V lázních)* où séjournèrent Chateaubriand et le tsar Pierre le Grand. Le lieu ne vaut que pour l'anecdote car il est banal. Au n° 11, l'hôtel baroque où descendait Beethoven (il y a une plaque).

★ **La Maltézské náměstí** *(place de Malte ; plan général, C3) :* l'une de nos places préférées la nuit. Largement utilisée par Miloš Forman pour son film *Amadeus*. Voir notamment, au n° 6, le *palais Turba* (ambassade du Japon) de style rococo. Au n° 1, le *palais Nostic* (ministère de la Culture) au splendide porche.

★ **L'église Notre-Dame-de-la-Chaîne** *(kostel Panny Marie pod Řetězem ; plan général, C3) :* à l'angle de Lázeňská et de Velkopřevorske náměstí. Son nom provient du fait qu'une chaîne, semble-t-il, régulait autrefois l'accès au pont Judith (celui d'avant le pont Charles). La plus ancienne église de Malá Strana. Elle fut commandée pour l'ordre des Chevaliers de Malte. Modifiée au cours des siècles, elle n'en présente pas moins toujours une allure romane massive, avec ses deux gros clochers carrés. Le parvis est encore gothique, mais l'intérieur a été entièrement refait en baroque par l'Italien Carlo Lurago, dont on retrouve le travail dans de nombreuses églises de Prague. Sur le maître-autel, une intéressante *Bataille de Lépante*, qui vit, rappelons-le, la victoire de don Juan d'Autriche sur les Turcs au XVIᵉ siècle.

★ **Le palais de l'ordre de Malte** *(Maltézského Velkopřevora palác ; plan général, C3) :* au n° 4 de la rue Lázeňská, à deux pas de la place de Malte. Façade équilibrée et harmonieuse qui abrite encore aujourd'hui l'ordre des chevaliers de Malte. Sculptures de l'atelier de Matyáš B. Braun.

★ Au centre de la place de Malte, sculpture de saint Jean-Baptiste de F. M. Brokoff.

★ **La Velkopřevorské náměstí** *(plan général, C3) :* accès également par l'île Kampa. Secrète et ombragée. Côté île, au n° 1, on découvre le *palais Hrzán*, en partie Renaissance. Portail avec masques. Puis, au n° 2, le *palais Buquoy-Valdštejn*, qui abrite l'ambassade de France, long édifice aux lignes très harmonieuses. Maintenant, retournez-vous. Le long mur face à l'ambassade est couvert de graffiti. En les observant, on arrive à reconnaître, grâce aux lunettes rondes si caractéristiques, qu'ils sont dédiés à John Lennon. Depuis sa mort, c'est ici qu'à chaque date anniversaire, le 8 décembre, des centaines de jeunes viennent se recueillir. Certains anniversaires furent l'objet de rudes bagarres avec les forces de l'ordre, surtout avant la révolution de 1989. Maintenant, on vient honorer le symbole parfait de la liberté de pensée, dans une sérénité retrouvée. La police tolère le rassemblement et le mur est devenu intouchable. D'ailleurs, en accord avec l'ordre des chevaliers de Malte à qui le mur appartient, la fresque a été refaite sur un fond vert mais avec des visages moins artistiques.

★ **L'église Notre-Dame-de-la-Victoire** (kostel Panny Marie Vítězné ; plan général, C3) : Karmelitská 9-13, Prague 1. L'église est ouverte de 8 h 30 à 18 h 30 et jusqu'à 20 h le dimanche. À l'intérieur, un musée ouvert tous les jours de 10 h à 17 h 30 et le dimanche de 13 h à 17 h. Droit d'entrée : 40 Kcs (1,30 €). C'est un tout petit musée mais il renferme quelques objets de culte et une collection de vêtements de la statue de l'Enfant Jésus dont une tunique rouge offerte à l'époque par le Nord-Vietnam. La visite ou plutôt le pèlerinage à cette église est surtout conseillé à nos lecteurs d'origine espagnole. En effet, elle abrite une statuette de cire de l'Enfant Jésus. Elle fut offerte à Maria Manrique de Lara, une Espagnole, le jour de son mariage avec un noble tchèque. Rapportée et placée dans cette église, la population hispanique lui voue depuis un culte particulier car, dit-on, elle fait des miracles. Messes en français le dimanche à 17 h.

★ Au n° 18 de Karmelitská, entrée de l'ensemble baroque et croquignolet des **jardins** en terrasses **Vrbovský**. Ouvert d'avril à octobre de 10 h à 18 h. Entrée : 35 Kcs (1,20 €).

★ En face, sur l'angle au n° 25, vous verrez un exemple de maison cubiste à côté d'une demeure néo-baroque.

★ **La colline de Petřín** (plan général, B3) : lieu de promenade extrêmement agréable. C'est un grand parc qui offre un calme parfait et l'une des plus belles vues sur la ville. Accès par un funiculaire (qui fonctionne de 9 h 15 à 20 h 45) face au n° 36 d'Újezd (un peu plus haut que le pont Legií). Accessible également par les hauteurs depuis le couvent de Strahov. Du *belvédère* (un pastiche de la tour Eiffel édifié à la fin du XIXe siècle), très belle vue sur Prague et les environs. D'avril à octobre, ouvert tous les jours de 10 h à 19 h (18 h en septembre et octobre) et uniquement le week-end, de 10 h à 17 h de novembre à mars. Entrée : 30 Kcs (1 €). Cette tour, réalisée en 1891 sur la copie de celle de Paris, mesure 60 m et ce n'est pas par hasard. Là où elle est située, compte tenu de l'altitude de Prague et de l'élévation du terrain, son sommet est exactement au même niveau que sa grande sœur parisienne. La colline de Petřín constitue une véritable forêt de hêtres, de marronniers et de chênes. Autrefois, le bas de la colline était occupé par de belles vignes. C'est aussi par là que Charles IV avait fait édifier « le mur de la faim ». Durant la famine qui touchait son royaume au XIVe siècle, il employa les plus miséreux à construire ce mur (un peu inutile) afin de leur donner un travail, donc un salaire pour nourrir leur famille. Un « mur d'utilité publique » en quelque sorte. Il n'en reste pas grand-chose aujourd'hui mais les Pragois gardent l'image d'un bon roi, généreux et humaniste. Tous les soirs à 21 h, d'avril à novembre, selon les conditions météorologiques, spectacle de musiques diverses avec ballet de jets d'eau dont les couleurs varient selon des jeux de spots. Le spectacle dure environ 45 mn.

★ **Bludiště** (labyrinthe de Petřín ; plan général, B3) : d'avril à octobre, ouvert tous les jours de 10 h à 19 h (18 h en septembre et octobre) et le reste de l'année seulement le week-end, de 10 h à 17 h. Entrée : 30 Kcs (1 €). Situé à quelques dizaines de mètres de la tour, ce pavillon construit pour l'Exposition de 1891 a été déplacé par la suite. Il renferme aujourd'hui un labyrinthe de glaces pour les petits et grands ainsi qu'un diorama représentant la lutte des Pragois contre les Suédois en 1648 sur le pont Charles.

★ **L'observatoire Štefánikova** (Štefánikova hvězdárna ; plan général, B3) : on y accède par le funiculaire. D'avril à septembre, ouvert du mardi au vendredi de 14 h à 19 h et de 21 h à 23 h, les samedi et dimanche de 10 h à 12 h ; d'octobre à mars, ouvert de 18 h à 20 h en semaine, et le week-end de 10 h à 12 h et de 14 h à 20 h (fermé le lundi). Entrée : 15 Kcs (0,50 €). Descendre au terminus du funiculaire. Après l'ineffable vue sur Prague, le choc est rude. Cette fois, l'observation est planétaire. Il vous sera permis, si le temps l'autorise, d'observer Vénus et ses copines. De nuit, la lune et les étoiles sont également de la partie. En pleine journée, le télescope de 650 mm vous permettra de découvrir les « taches de rousseur » du soleil. Dans les salles voisines, des anciens instruments d'observation et de calcul, des photographies du ciel, des éphémérides du XVIIIe siècle et, bien sûr, des explications sur l'horloge astronomique de la Vieille Ville. La balade et le tandem funiculaire-observatoire méritent incontestablement le détour pour les images romantiques et galactiques qu'ils proposent, le tout pour une poignée de centimes. Les étudiants aiment venir réviser leurs cours... et surtout conter fleurette, sur les pelouses environnantes.

★ **L'église Saint-Laurent** (plan général, B3) : toujours sur la colline de Petřín, enfouie dans la verdure. Encore une église baroque. Dans une autre partie de Petřín, allez jeter un œil à cette curieuse église orthodoxe russe, dédiée à saint Michel de Petřín.

★ HRADČANY

L'une des anciennes cités à l'origine de Prague, Hradčany, sur son promontoire, est le quartier le plus bucolique, le plus campagnard. On se croirait dans une petite ville oubliée de province. En outre, il est probablement celui qui propose le plus de palais au mètre carré. Au centre de cette colline, le **château royal**, véritable ville dans la ville avec ses ruelles, ses cours, ses passages, le tout dominé par la célèbre **cathédrale Saint-Guy**. Cet ensemble de monuments et musées demande facilement une bonne demi-journée de visite (le ticket d'entrée est d'ailleurs utilisable pendant plusieurs jours), et une autre pour le quartier autour du château. Il faut venir tôt à Hradčany, surtout l'été, pour bien profiter du site avant l'arrivée des cars qui déboulent par dizaines. À vous de bien choisir votre heure. Consulter le petit plan du château au dos de notre carte dépliante.

Un peu d'histoire

On voit se profiler l'idée d'un château dès le IXe siècle, quand régnaient les Přemyslides. À cette époque, une petite forteresse s'organise. Une église s'élève, puis une autre, autour d'un embryon de château. Venceslas Ier fait édifier une rotonde pour abriter des reliques de saint Guy. Le XIe siècle voit la naissance d'un vrai château, entouré de fortifications. Une vaste basilique romane remplace la modeste rotonde qui sera la future cathédrale Saint-Guy. C'est évidemment le grand Charles IV, au XIVe siècle, qui donnera toute sa plénitude au château (et à Prague en général). Un siècle plus tard, le château acquiert sa dimension presque définitive avec l'élévation des principaux monuments. Évidemment, à cette époque et jusqu'à la fin du XIXe siècle, la cathédrale et le château qui lui sert d'écrin n'ont cessé de se modifier par petites touches. Certaines périodes furent plus fastes que d'autres : les guerres hussites, par exemple, mirent un frein à sa construction mais le XVe puis le XVIe siècle voient les styles se succéder. La Renaissance chasse le gothique, et sera elle-même en partie estompée par l'éclosion du baroque. Il en résulte un mélange de styles, un manque d'homogénéité gênant, malgré le travail réalisé au XVIIIe siècle par un architecte de la Cour, Niccolo Pacassi, dont précisément le boulot fut de donner un grand lifting baroque et de la cohérence à l'ensemble. Le jardin accolé au château ne fut réalisé qu'au XVIe siècle, dans un beau style Renaissance italienne. Les Habsbourg y habitèrent au début de leur règne, puis le délaissèrent bien vite, et pendant deux siècles le reléguèrent à l'état de résidence secondaire (si l'on peut dire). On y accueillit plus tard les hôtes de marque et les rois en exil (comme Charles X, par exemple). Le peu regretté Husák aimait, dit-on, dominer Prague de sa baignoire. Il devint le palais du président dès l'avènement de la Ire République en 1918, mais Václav Havel fut le premier dignitaire de l'État à refuser d'y séjourner, préférant sa nouvelle maison sur la colline.

Renseignements pratiques

■ *Centre d'information du château de Prague :* dans la 3e cour, face à la cathédrale Saint-Guy. ☎ 2-24-37-33-68 ou 2-24-37-24-34. ● www.hrad.cz ● Édite une revue trimes-trielle avec le calendrier des manifestations culturelles et des concerts organisés au château. Visites guidées sur réservation.

– *Pour l'accès, quatre entrées (plan général, B2) :* par la place du Château (la principale), par Prašný most (tram n° 22), par les escaliers des jardins Na Valech (au n° 3 de la place Valdštejnské) et par les escaliers Staré zámecké schody (M. : Malostranská, ligne A).

– *Heures d'ouverture :* accès à l'enceinte du château tous les jours de 5 h à minuit d'avril à octobre et de 5 h à 23 h de novembre à mars. Les sites à voir à l'intérieur sont ouverts de 9 h à 17 h et jusqu'à 16 h en hiver. Les jardins du château sont ouverts tous les jours de 10 h à 18 h (entrée gratuite). Les jardins royaux et les jardins du sud (Paradis, Remparts, Hartig) sont fermés d'octobre à mars.

– *Entrée :* 120 Kcs (4 €). Ce billet, valable durant 3 jours, vous donne accès à *la cathédrale Saint-Guy, l'ancien palais royal, la basilique Saint-Georges* et *la tour poudrière.* Pour les autres visites, un supplément vous sera demandé.

– *Relève de la garde :* tous les jours à midi avec musique et échange d'étendard ; sinon, toutes les heures de 5 h à 23 h. Václav Havel fit redessiner l'uniforme des gardes par le costumier du film *Amadeus* de Forman. Aujourd'hui bleus à fourragères azur et rouge (manteaux marine et chapka en hiver), véritables costumes de théâtre, ils ont remplacé les affreuses vareuses kaki du régime communiste. Les musiciens sont installés aux fenêtres.

– Tous les ans, un jour du mois de mai, opération *portes ouvertes.* Inutile de vous préciser que la file est longue...

La visite

★ *La première cour (plan Le château royal, 1) :* on y accède par Hradčanské náměstí. Son entrée est fermée par une grille monumentale du XVIIIe siècle, sur laquelle apparaît le monogramme de Marie-Thérèse. Au-dessus de chaque gros pilier qui encadre la grille, deux Maures gigantesques prêts à tout pour défendre le château. À l'aide de poignard et gourdin, ils terrassent l'ennemi. Dans la cour, le drapeau qui flotte sur le toit indique si le président est dans le pays ou pas. Élégants et modernes porte-drapeaux. Cette première cour ne possède pas de caractère notable. Elle est surtout utilisée pour les parades. Niccolo Pacassi, lorsqu'il refit toutes les façades au XVIIIe siècle, rendit cet ensemble particulièrement ennuyeux à notre goût. Pour accéder à la deuxième cour, on passe sous *la porte Mathias* (plan général, Le château royal, *2),* édifiée sous le règne de l'empereur Mathias dans un style baroque du début du XVIIe siècle. C'est une ancienne porte de rempart incluse dans les fortifications et réinsérée là au moment de la reconstruction.

★ *La deuxième cour* *(plan Le château royal, 3)* : pas beaucoup plus belle que la première, elle est entourée d'édifices qui furent entièrement retapés fin XVIIIᵉ siècle en baroque tardif, prélude au classicisme ennuyeux, ôtant toutes traces des architectures successives qui en firent la richesse. En fait, ces deux cours sont l'opposé de la ville de Prague elle-même qui a si bien su conserver, transcender et souvent dépasser son passé architectural pour faire toujours plus beau. Là, on a uniformisé. Au milieu de la cour, fontaine baroque du XVIIIᵉ siècle, un élégant puits en fer forgé et une galerie de peinture.

★ *L'ancienne chapelle de la Sainte-Croix* *(plan Le château royal, 4)* : abrite un office du tourisme et le *trésor* de la cathédrale. Ouvert tous les jours de 9 h à 17 h (16 h l'hiver). On peut y acheter les tickets d'entrée pour tous les monuments. Pour un trésor, c'est un trésor : calices, vases, ostensoirs, croix de couronnement, reliquaires. Tous les objets liturgiques à travers les siècles mais surtout des XIVᵉ et XVᵉ siècles. Superbe. Voir aussi les belles fresques néo-baroques du plafond et le maître-autel.

★ *La galerie du Château* *(Obrazárna Pražského Hradu ; plan Le château royal, 5)* : ouvert tous les jours de 10 h à 18 h. Entrée : 100 Kcs (3,40 €). Rouverte à la visite après plusieurs années de rénovation. Le lieu connut au fil des années un destin architectural varié (église au IXᵉ siècle et écuries au XVIᵉ siècle, salles de réception au cours de la deuxième moitié du XXᵉ siècle avant d'être définitivement transformé en galerie de peinture au début des années 1960). Ces salles voûtées, aux murs de couleur, abritent aujourd'hui une partie de la collection des toiles de maîtres du château, remontant jusqu'au XVIᵉ siècle. Vous y admirerez des œuvres acquises par l'empereur Rodolphe II, de la peinture baroque (tchèque, allemande, flamande) et des tableaux de la Renaissance italienne, allemande ou flamande. Une mention spéciale pour la qualité de l'exposition : l'accent a été mis sur la présentation des tableaux, le mobilier et l'éclairage. Les amoureux de belles toiles contempleront donc avec plaisir des œuvres du Titien, de Lucas Cranach le Vieux, Hans von Aachen et Rubens, mais aussi Ignac Raab, Antonin Müller ou encore Peter Brandl pour les Tchèques.

– Sous les arcades, on accède à une longue allée qui mène (sur la droite) aux jardins, à la salle du Jeu de paume et au belvédère (voir plus loin).

★ *La troisième cour* *(plan Le château royal, 6)* : on y trouve la cathédrale Saint-Guy, le bâtiment dit « municipal » et le vieux palais royal.

★ *La cathédrale Saint-Guy* *(Katedrála sv. Víta ; plan Le château royal, 7)* : l'entrée dans la partie néo-gothique de l'édifice est gratuite, l'accès à la partie historique (le chœur et les chapelles, les tombes des rois de Bohême et enfin la belle tour du sud avec une vue imprenable sur Prague) est payant (inclus dans le billet général du château). Pas de visite pendant les offices. Suivre le parcours sur le plan de la cathédrale au dos de notre carte détachable. La toute première église, au Xᵉ siècle, était déjà consacrée à saint Guy. On débuta la construction de la cathédrale en 1344, sous le règne de Charles IV, le grand bâtisseur, et elle se termina en... 1929. Entre-temps, elle subit bien des vicissitudes : incendies, guerres, bombardements, pillages protestants, foudre...

C'est sur le plan des grandes cathédrales françaises que travaillèrent les architectes, Mathias d'Arras, un Français, suivi par Petr Parléř. C'est à eux qu'on doit son admirable harmonie générale. Les guerres hussites (1421), le feu (1541) et l'occupation du château ralentirent la construction, mais c'est surtout son pillage par les calvinistes en 1619 qui lui fit le plus grand mal. La construction s'arrêta jusqu'en 1861, date à laquelle une fondation fut créée pour réunir la somme nécessaire à son achèvement. Avec une histoire aussi tordue, pas étonnant que la dernière pierre ne fut posée qu'en 1929, soit près de six siècles après la première.

À VOIR
HRADČANY

La façade

C'est en fait la partie la plus récente, néo-gothique (incroyable, non ?), mais dont la réalisation se fond bien dans l'ensemble. Surtout notable pour son énorme rosace flamboyante (près de 100 m²) qui relate la création du monde, et les portails de bronze de 1927. Le portail central narre les vicissitudes de la construction de la cathédrale. Sculptures de saints et rois en façade. Sur le flanc sud pointe une haute tour accrochée à la cathédrale et qui s'élève à 100 m dans le ciel. Bien que gothique, elle se caractérise par son clocher à bulbes encadré de tourelles. Le chevet est constellé d'aiguilles et arcs-boutants sculptés. Juste en face de la cathédrale, vente de tickets pour l'ensemble des sites (cathédrale, vieux palais royal, basilique Saint-Georges...).

L'intérieur

D'aspect classique, avec ses trois nefs, son déambulatoire et ses chapelles tout autour. Il y a plein de choses à voir mais la plupart des éléments décoratifs furent ajoutés pêle-mêle au cours des siècles. Il y en a pour tous les styles. En fait, il y a un petit côté bric-à-brac là-dedans. Une sorte de poème à la Prévert, mais avec un fond religieux. Voici une petite sélection des points les plus importants.

➤ *La nef (plan La cathédrale, 1)* : on dit que le contremaître responsable des travaux, devant la hardiesse de l'œuvre accomplie et terrorisé qu'elle ne s'effondre, se suicida. Petr Parléř et sa bande de tailleurs de pierre ont conçu une voûte à nervures d'une rare élégance, particulièrement légère. L'ensemble s'élance à 33 m de hauteur pour une profondeur de 125 m sur 60 m de large. Une vraie cathédrale, quoi !

On commence la visite par le dessert ; comme ça, ceux qui ont peu de temps éviteront les mises en bouche et les hors-d'œuvre.

➤ *La chapelle Saint-Venceslas (plan La cathédrale, 2)* : dans la nef de droite, au niveau du centre. Le chef-d'œuvre de la cathédrale, dédié au patron de la Bohême et qu'on doit à Petr Parléř. C'est une chapelle fermée sur ses quatre côtés, comme une salle privée. Les murs sont une vraie bande dessinée où apparaissent en bas les scènes de la vie du Christ, réalisées dans un beau style gothique, et sur la corniche la vie de saint Venceslas, chef-d'œuvre de l'art Renaissance. Décoration époustouflante de richesse et de vérité dans le souci du détail. Elle date du début du XVIe siècle. Mais ce n'est pas tout car chaque surface non peinte est occupée par des pierres semi-précieuses (près de 1 500), grosses comme des pavés, de toutes les couleurs et enchâssées dans le mortier du mur, essentiellement des agates de Bohême et des chrysoprases. Au centre, le tombeau du saint qui apparaît en costume de chevalier, avec sa lance, son bouclier et sa couronne sur la tête. Il a une bonne tête débonnaire. À la porte est fixé l'anneau auquel se serait raccroché le saint lorsqu'il fut assassiné par son frère Boleslav. Lustre admirable en forme de couronne. Cette chapelle donne accès à la chambre du Trésor (pas visitable), où l'on conserve la célèbre couronne impériale ainsi que l'épée, chef-d'œuvre du XIVe siècle.

➤ *La chapelle de la Sainte-Croix (plan La cathédrale, 3)* : dans la nef de droite, deux chapelles plus hautes que la chapelle Saint-Venceslas. C'est de là qu'on accède à *la crypte* (au sous-sol), où l'on voit les vestiges de l'ancienne rotonde romane, premier embryon de ce que sera la cathédrale. Déjà, à l'époque, cette rotonde accueillait le corps du saint. On en voit le plan. Quelques colonnes et chapiteaux. Une salle de la crypte regroupe de nombreux tombeaux et sarcophages de rois tchèques, notamment Charles IV, qui eut quatre femmes (dont Blanche de Valois), Venceslas IV, Georges de Poděbrady et Rodolphe II. Le seul tombeau ancien est celui de Rodolphe II, roi Habsbourg ; les autres datent des années 1930, mélange d'Art déco et de « Star Treck ». On remonte dans la nef pour poursuivre la visite.

➤ *L'oratoire royal (plan La cathédrale, 4)* : tout en gothique flamboyant avec des soubassements imitant les branchages d'arbres. Les rois assistaient à la messe de cet oratoire, directement relié au palais par une passerelle qu'on voit de l'extérieur.

➤ *La chapelle Wallenstein (plan La cathédrale, 5)* : où l'on trouve les tombeaux des deux principaux architectes de la cathédrale, Mathias d'Arras, qui en dessina les plans, et Petr Parléř, qui réalisa la nef et la plupart des sculptures.

➤ *La chapelle et le tombeau de Saint-Jean-Népomucène (plan La cathédrale, 6)* : on ne peut le louper celui-là, véritable pièce montée dégoulinante d'argent, sommet du baroque prétentieux, soutenu par des angelots repus et satisfaits. Rappelons que le nom du saint est lié à une légende qui fait de lui un pauvre martyr. Au-dessus, encore un baldaquin tenu par des anges.

➤ *Le triforium* : en levant la tête, dans l'épaisseur des murs, on aperçoit les bustes de tous les personnages ayant œuvré pendant la construction. Ils furent ajoutés au XVIIIe siècle.

➤ *Le bas-relief de bois (plan La cathédrale, 7)* : dans la nef de gauche, sur la paroi au dos du chœur réalisé en 1625. On y voit la fuite de Prague de Friedrich de Pfalz après la bataille de la Montagne Blanche, qui vit les Habsbourg prendre le pouvoir. On l'appela « le roi d'hiver » car il ne régna qu'un seul hiver. Admirable vision de la ville d'avant 1630, où apparaît le pont Charles embouteillé par l'exode, mais sans ses statues qui n'étaient pas encore installées. En explorant l'horizon, on distingue Notre-Dame-du-Týn, l'Hôtel de ville, le château... Un vrai reportage photo.

➤ *La chapelle de la Vierge-Marie (plan La cathédrale, 8)* : derrière le chœur. Abrite les beaux tombeaux des premiers rois de Bohême, dans un style gothique particulièrement réussi.

➤ *La chapelle Saint-Jean-Baptiste (plan La cathédrale, 9)* : surtout notable pour son chandelier de Jérusalem de style roman.

➤ *La tribune d'orgue (plan La cathédrale, 10)* : de style Renaissance (1557).

➤ *Les vitraux (plan La cathédrale, 11)* : certains sont dignes d'intérêt. Pour la plupart, notamment ceux du chœur, ils datent du milieu du XXe siècle. Dans la nef de gauche, la troisième chapelle abrite une magnifique réalisation peinte par Mucha, évoquant la célébration de saint Cyrille et saint Méthode.

➤ *Le mausolée royal (plan La cathédrale, 12)* : au centre de la nef, juste en face du maître-autel, le mausolée de Ferdinand Ier de Habsbourg, de sa femme et de son fils, tout en marbre blanc et entouré d'angelots.

➤ *La porte d'Or (plan La cathédrale, 13)* : c'était en fait l'entrée principale de la cathédrale au temps des rois. À l'extérieur, un des clous de la cathédrale, une mosaïque du XIVe siècle en verre de Bohême occupe le dessus des voûtes et évoque le Jugement dernier. Malheureusement, elle est très endommagée. On y voit l'effigie des saints de Bohême. Saint Jean est complètement recouvert d'argent. Cette vaste mosaïque fut réalisée par des artistes italiens. Elle a été restaurée par les soins du *Paul Getty Conservation Institute* qui finance les travaux.

À l'extérieur

Au niveau de la porte d'Or, on se retrouve sur une place. Sur la gauche, un édifice à la base duquel on devine des voûtes romanes. Ce sont en fait les *vestiges de la rotonde*, ancêtre de la cathédrale.

– À côté, l'*obélisque* élevé en l'honneur du 10e anniversaire de l'avènement de la République. On l'appela la colonne maudite car elle se brisa lors de son transport. L'officier responsable se suicida. Ça c'est de la conscience professionnelle !

– À droite de la porte d'Or, le *passage aérien* qui permettait aux rois de passer directement du palais à l'oratoire royal de la cathédrale.

★ Face à la porte d'Or s'étend le long **bâtiment municipal** *(plan Le château royal, 8)*. Les fenêtres au-dessus du beau balcon de fer forgé correspondent au bureau du président Václav Havel. Noter le petit porche des années 1920 et la fontaine du même style. Le porche donne accès à de charmants petits jardins dominant la ville et que fit rouvrir Havel en 1990. Constitue une agréable pause après la visite de la cathédrale et avant celle de l'ancien palais royal.

★ **L'ancien palais royal** *(Starý Královský palác ; plan Le château royal, 9)* **:** entrée payante, incluse dans le billet général du château. Sa construction commença au XIIᵉ siècle. Habité du XIIIᵉ au XVIᵉ siècle par les rois de Bohême, il fut déserté par les Habsbourg qui préférèrent s'installer dans les bâtiments ouest des deux premières cours. Aujourd'hui restauré, le palais est utilisé pour certaines occasions, notamment la proclamation des élections présidentielles, dans la salle Vladislav.

La salle Vladislas

Le chef-d'œuvre gothique flamboyant du palais. Construite par Benedikt Ried entre 1493 et 1502. L'immense salle aux murs massifs contraste singulièrement avec la voûte faite de nervures entrelacées comme des lianes. Jouant ici le rôle d'ornement en vue d'une dynamique spatiale, ce travail sur les nervures est baroque avant la lettre. La salle Vladislas servait autrefois aux banquets royaux ou même aux tournois de chevalerie. De la terrasse, très belle vue sur la ville. On remarque aussi les fenêtres du palais inspirées du style Renaissance.

La chancellerie de Bohême

Première salle à droite. Ici eut lieu l'historique « défenestration de Prague » (1618) qui déclencha la guerre de Trente Ans. Parchemins, sceaux, maquette en plexiglas du château, vieux poêle en faïence. Dans la salle au fond, graffiti médiévaux.

La salle du Conseil Aulique

Au premier étage, belle vue sur le pont Charles. Document édifiant sur les exécutions perpétrées au XVIIᵉ siècle, place de la Vieille-Ville. Noter un certain raffinement dans la gravure en bas à gauche.

La chapelle de Tous-les-Saints

Au fond de la salle Vladislas, on la voit depuis le jubé d'où une jolie vue s'ouvre sur l'intérieur de la chapelle. Maître-autel de style baroque dont un tableau de Reiner.

La salle de la Diète

À droite en sortant de la chapelle. Là aussi, belle voûte gothique aux nervures pareilles à des lianes entrelacées. Dans cette salle où étaient traitées les affaires publiques, la disposition des meubles est restée la même. À la droite du trône royal, le siège de l'archevêque. Derrière, le banc des prélats. Face au trône, le banc des seigneurs et des chevaliers. Aux murs, portraits des Habsbourg en grande tenue.

La salle des Nouveaux Registres Provinciaux

Au 1er étage ; accès par l'escalier à côté de celui des Cavaliers. Pas grand-chose à y voir, si ce n'est une belle collection de blasons peints sur les murs et le plafond.

L'escalier des Cavaliers

À droite en sortant de la salle de la Diète. Entrée avec porte Renaissance. Au milieu de l'escalier, élégante arche en accolade. Cet escalier permettait l'accès direct des cavaliers pour les tournois qui se déroulaient dans la salle Vladislas. Noter l'admirable voûte à nervures, de Benedikt Ried toujours, devenu le maître dans le travail des nervures en liernes et tiercerons.

Le palais gothique

En descendant l'escalier des Cavaliers, on accède au *palais gothique* sous la salle Vladislas. Rien d'exceptionnel. Enfouie au sous-sol, la salle romane Soběslav mérite le coup d'œil. Les voûtes en plein cintre sont renforcées par des arcs en doubleaux.
– Sortie *place Saint-Georges*, qui fut le centre de la vie sociale du château durant tout le Moyen Âge.

★ **La basilique Saint-Georges** (plan Le château royal, 10) **:** située derrière la cathédrale, sur une charmante place. Entrée payante, incluse dans le billet général pour la visite du château. La remarquable façade baroque blanche et ocre rouge ajoutée là au XVIIIe siècle, où trônent le prince Vratislav et l'abbesse Mlada, ne doit pas faire oublier que c'est l'une des plus jolies églises romanes du pays et l'un des plus impressionnants vestiges de cet art à Prague. À droite de la basilique, chapelle Saint-Jean-Népomucène, ajoutée au XVIIIe siècle. À l'intérieur, trois nefs rythmées par de grosses arches. L'un des joyaux de la basilique est sans doute son escalier en fer à cheval menant à l'autel. Remarquable rampe en fer forgé. Devant, tombeaux des princes de Bohême : Vratislav Ier qui fonda l'église au Xe siècle, et Boleslav II. Vestiges de peintures du XIIe siècle. Galeries élégantes avec petites ouvertures à doubles colonnettes. À droite, chapelle gothique où repose le tombeau de sainte Ludmila qui baptisa Venceslas. On peut parfois y écouter d'excellents concerts de musique de chambre.
Sur la façade sud, un beau portail de style Renaissance qui montre saint Georges terrassant le dragon.

★ **Le musée du couvent Saint-Georges** (collection de l'Art ancien tchèque ; plan Le château royal, 11) **:** à gauche de l'église. Ouvert de 10 h à 18 h. Fermé le lundi. Entrée : 70 Kcs (2,35 €), séparée de celles des autres sites, car le musée dépend de la Galerie nationale. Là encore, de l'extérieur, nul ne pourrait soupçonner les richesses de ce musée remarquablement aménagé. Bâtiment d'une grande luminosité et plaisant enchaînement de toutes les salles. Accès par l'ancien cloître. On trouve ici tout ce qui concerne l'art religieux du XIVe au XVIIIe siècle. Malheureusement, peu d'explications en anglais, sauf au rez-de-chaussée.
– Section lapidaire et de primitifs religieux dont la *Madona Zbraslavská* de Český Mistr. *Martin et Jiří*, très beau bronze de 1373. Admirable statuaire médiévale en bois. Série assez rare de Mistr Vyšebrodského Oltáře, de 1350 (*Annonciation, Nativité, Rois mages, Crucifixion...*). Tableaux de Mistr Theodorik de la même époque. *Vierge en bleu* de Český Mistr. Vitraux du XVIe siècle. L'une des sections que l'on préfère, pour l'émotion et la lumière que dégagent les sculptures et les peintures.
– Au rez-de-chaussée : intéressant tympan de pierre, superbe *Passion*.
– Dans la galerie longeant le cloître : beau groupe en bois sculpté, *Marie et*

les apôtres. Descente de croix, avec personnages en vêtements médiévaux. Superbe triptyque, avec volets sculptés or et polychrome. Plafond très ouvragé.

– Dans une petite chapelle, un autre remarquable triptyque du XVe siècle. Délicatesse des scènes sur les petits panneaux *(Annonciation, Saint Georges terrassant le dragon, Les Rois mages).*

– Vers la fin de la visite : Vierge, sainte Anne et l'Enfant Jésus, du XVIe siècle (curieuses disproportions des personnages). Belle série de bois sculptés. Puis composition très réaliste (Christ, la Vierge, personnage en décomposition). Belles toiles de Bartholomeus Spranger, Hans von Aachen, Karel Škréta, Michael Leopold Willmann. *Assomption* assez ténébreuse de Jan Kryštof Liška. Œuvres de Petr Brandl, grand « ténébriste » du XVIIIe siècle. Très jolies gravures de Václav Hollar (XVIIe siècle) et Václav Vavřinec Reiner. Section de peinture japonaise... Ouf, c'est fini ! On vous l'avait dit, à ne pas manquer.

★ **La ruelle d'Or** *(Zlatá Ulička ; plan Le château royal, 12)* : petite rue extrêmement pittoresque, bordée de maisons de poupées du XVIe siècle. Elle s'adosse à la muraille d'enceinte du château et fut percée pour abriter les gardes du château sous Rodolphe II. Puis les magiciens, scientifiques et alchimistes de la Cour, très appréciés par le souverain, y habitèrent. C'est d'ailleurs pour cela qu'on l'appela « ruelle d'Or ». Quand le château fut abandonné par les Habsbourg, les pauvres envahirent les petites maisons. Enfin, au début du XXe siècle, artistes et écrivains mirent le lieu à la mode, le charme du quartier agissant comme un prodigieux facteur d'inspiration. Kafka travailla au n° 22 (en 1916 et 1917). Aujourd'hui, vous y trouverez nombre de boutiques d'art (gravures, estampes, bijoux, etc.). La ruelle est toujours bondée car tous les groupes la visitent. Attention donc aux pickpockets, qui ont fait de la ruelle d'Or un de leurs terrains de prédilection.

★ Au bout de la rue, sur la droite, une grille permet de voir une tour carrée. À gauche, une autre *tour*, ronde celle-là, appelée *Daliborka (plan Le château royal, 13)*, qui marque les fortifications est du château. Utilisée comme prison, elle eut comme premier visiteur le chevalier Dalibor (qui lui donna son nom). Dans cette prison, on affamait les prisonniers. Dalibor avait trouvé une astuce : il jouait du violon à sa fenêtre et il le faisait si bien que les Pragois montaient tout spécialement au château pour l'écouter. Il faisait alors descendre un panier où les gens déposaient de la nourriture. On finit par le relâcher. C'est en s'inspirant de cette histoire que le compositeur Smetana écrivit son célèbre opéra, tout simplement intitulé *Dalibor.*

★ **Le musée du Jouet** *(Muzeum Hraček ; plan Le château royal, 16)* : ouvert tous les jours de 9 h 30 à 17 h 30. Entrée : 40 Kcs (1,30 €). Parmi les plus importantes collections de jouets que l'on connaisse. Sur deux étages, on opère un véritable plongeon dans une enfance imaginaire. 150 années d'histoire du jouet réparties dans sept salles. Une soixantaine de vitrines où vous trouverez des jouets en bois de Bohême, en fer blanc, des peluches, des poupées de porcelaine. Les vitrines présentent la plupart du temps les jouets par thématique : les voitures de pompiers, les camions, les poupées, les robots, les trains, les bateaux, les avions, les aérostats, les animaux sauvages et ceux de la ferme ou de la forêt, les métiers, le cirque, le Far West, les jeux de construction... Quelques-unes sont de véritables mises en scène avec de somptueuses maquettes, comme « le Château sur la Montagne », « la Fête foraine » ou « la Maison de Poupée » (évitez de la montrer aux petites filles, vous seriez bien embêté si on vous la demandait pour Noël). Si vous rêviez de passer votre ours à la machine, ce sera chose faite grâce à l'une des vitrines animées. Au 2e étage, deux collections mythiques : Bild Lilli, créée en 1952 et qui fut d'abord une mascotte de camionneur avant d'être le chouchou des enfants, et donna naissance à la célèbre poupée Barbie dont on trouve une collection presque complète, des origines au début des années 1980. Quoi d'autre ? Une belle collection de jeux optiques, lanternes magiques, kaléidoscopes, praxinoscopes...

➢ On sort du château par un escalier au n° 12 de la ruelle, qui traverse la muraille. On redescend alors par l'escalier Staré žamecké schody qui rejoint le métro Malostranská (ligne A).

★ **La tour poudrière** (Prašná věž Mihulka ; plan Le château royal, **14**) : Vikárská. Entrée payante, incluse dans le billet général de visite du château. Ce bastion qui fut construit à la fin du XVe siècle faisait partie des fortifications du château. En dépit d'une situation stratégique, la tour ne servit à l'époque que de dépôt de munitions... et bien sûr de poudre ! Salles voûtées, en pierre naturellement, qui abritent au premier étage une exposition dédiée à l'artisanat et aux connaissances du Moyen Âge (astronomie, astrologie et alchimie), et au second étage, une exposition sur la culture et la vie à Prague pendant la Renaissance et le règne de Rodolphe II. Quelques portraits pittoresques de jeunes princes et princesses.

➢ Retour dans la **deuxième cour** pour une balade dans les jardins.

★ **Les jardins royaux** (Královská Zahrada ; plan Le château royal, **15**) : on y accède par le porche voûté de la deuxième cour. Ouvert de 10 h à 18 h. Grands jardins de style Renaissance italienne, réalisés par Ferdinand Ier au milieu du XVe siècle. Ils s'étendent tout en longueur, de l'autre côté de la fosse aux Cerfs, ce grand trou protégeant le flanc nord du château et où un jour il y eut certainement des cerfs. Au-delà de l'agréable balade, il y a trois édifices remarquables à voir.

La salle de Jeu de paume

100 m après l'entrée, sur la droite. Admirable réalisation du plus pur style Renaissance, à la façade couverte de sgraffites. Malheureusement bien endommagée par la Seconde Guerre mondiale, elle a subi une rénovation totale. Elle servit de salle de jeux avant d'être un entrepôt militaire. On y organise désormais des réceptions officielles et des concerts.

La fontaine chantante

Au milieu du jardin. Réalisée par un Italien. L'eau qui s'en écoule dégage une gentille sonorité quand elle tombe dans la vasque.

Le belvédère

Tout au fond du jardin, il répond également parfaitement aux canons du style Renaissance italienne. C'est d'ailleurs la première œuvre de ce style à Prague. Il se présente comme une sorte de longue loggia à arcades. Noter aussi le toit en forme de bateau renversé. La Galerie nationale y organise des expos temporaires.

★ LE QUARTIER DU CHÂTEAU

Autour de la Hradčanské náměstí (plan général, B2)

Devant l'entrée principale du château s'étend un autre des quartiers les plus romantiques de Prague. Bien lui consacrer une journée entière au minimum (en comptant la visite du château et de nombreux musées et balades). Déjà, sur Hradčanské náměstí, chaque mètre propose quelques découvertes fascinantes... Sur la place, la désormais habituelle colonne de peste (1726).

Beau lampadaire au centre de la place, en forme de chandelier et statue de Jan Mazaryk à l'angle face au château.

★ **Le palais archiépiscopal** (Arcibiskupský palác ; plan général, B2) : Hradčanské náměstí 16. Il ne se visite pas, on se contente d'en apprécier la riche façade rococo. Cet édifice fut réalisé plus haut que les bâtiments de la première cour du château pour montrer la suprématie du religieux sur le pouvoir politique.

★ **La Galerie nationale** (Šternberský palác ; Národní galerie ; plan général, B2) : Hradčanské nám. 15. ☎ 2-20-51-46-34. ● www.czech.cz/ng ● Dans la ruelle courant à gauche du palais archiépiscopal. Ouvert de 9 h 30 à 18 h. Nocturne le jeudi jusqu'à 21 h. Fermé le lundi. Entrée : 70 Kcs (2,35 €). Plaquette en français à disposition. La Národní galerie est historiquement en Europe le deuxième musée ouvert après le Louvre. Les collections françaises des XIXᵉ et XXᵉ siècles et européennes du XXᵉ siècle sont désormais exposées au musée d'Art moderne de Prague (Veletržní palác), situé à la périphérie de la ville. Une partie des collections est progressivement réinstallée dans différents musées. L'autre est en cours de restauration. En principe donc, voici ce que l'on peut trouver dans la Galerie nationale, mais soyez indulgent, le temps de mettre sous presse la valse des collections aura chamboulé notre descriptif.

– Les primitifs religieux. Italiens des XIVᵉ et XVᵉ siècles, icônes et art ancien, peinture flamande des XVᵉ et XVIᵉ siècles. Exécution de sainte Barbara de Hans Schüclin, Christ et pécheurs de Hans Raphon, L'Aveugle de Brueghel le Jeune. Au 2ᵉ étage, beaux portraits de Lucas Cranach, notamment Sainte Catherine et sainte Barbara, Adam et Ève et portrait de Lady Elizabeth Vaux de Hans Holbein. Puis Palma le Vieux, Éléonore de Tolède de Bronzino, Bassano, Christ du Greco, Saint Jérôme du Tintoret ; également des œuvres de Tiepolo et Guardi. Superbes Canaletto, Rubens, Ruysdael. L'Annonciation et Philosophe dans son cabinet de Rembrandt, Ambroggio Spinola et L'Expulsion du Paradis de Rubens, Abraham et Isaac de Van Dyck, etc. Somptueux Saint Martin de Brueghel l'Ancien. Tout est dans les détails du tableau : saint Martin est face à un nombre considérable de pauvres alors qu'il n'a qu'une moitié de manteau à donner. La Fête du Rosaire de Dürer représente le premier grand portrait de groupe dans l'histoire de la peinture au nord des Alpes. On remarque à droite Dürer lui-même tenant un papier avec sa signature. C'est une œuvre d'une importance exceptionnelle par laquelle le peintre essaya de dépasser les maîtres italiens en montrant que les apports de la Renaissance étaient fondamentaux. Il fait ressentir en profondeur les nouveaux principes de la peinture, notamment la perspective.

– Et dans une autre salle, art allemand et autrichien du XIVᵉ au XVIIIᵉ siècle ainsi qu'italien, français et espagnol... de tous les siècles.

★ **Le Musée militaire historique** (plan général, B2) : Hradčanské nám. 2, Prague 1. ☎ 2-20-20-20-23. Ouvert d'avril à octobre de 10 h à 18 h. Fermé le lundi. Entrée : 40 Kcs (1,30 €). Fermé jusqu'en 2002 pour restauration. Installé dans l'admirable palais Schwarzenberg-Lobkowicz, chef-d'œuvre de la Renaissance tchèque. On y distingue, bien entendu, certaines influences italianisantes. Architecture d'une totale originalité : la façade et sa curieuse corniche, les créneaux des murs et, surtout, les remarquables sgraffites en forme de pointes de diamant et de décors floraux. Même les salles possèdent de belles fresques au plafond.

Le musée intéressera surtout les amateurs d'armes anciennes. Présentation plaisante. Chaque salle est réservée à une époque précise. Il est ainsi aisé de suivre l'évolution de l'armement et des uniformes depuis la fin du Moyen Âge jusqu'au XXᵉ siècle, mais pas plus loin que la guerre 1914-1918. Aucune explication autre qu'en tchèque. Dommage.

– *Au rez-de-chaussée :* exposition d'armes diverses allant du canon du XVe siècle à la pointe de lance, en passant par tous les objets contondants originaires de cette époque. Également plusieurs maquettes et plans rappelant les réalités du pays du XIIIe au XVe siècle.

– *Au 1er étage :* splendides fusils incrustés, épée géante de 1584 fabriquée à Milan, bouclier peint du XVIe siècle avec scène de bataille sur la face intérieure (sans doute pour motiver le guerrier) et une formation musicale très apaisante sur la face extérieure (sans doute pour endormir l'ennemi). Par ailleurs, magnifiques fusils de bois, bouclier français de 1742 avec une inscription géante : « L'art de vaincre est perdu sans l'art de subsister. » Tout un programme. Vitrine évoquant la révolution de 1848, la Révolution française, la guerre de 1914 et la révolution russe.

★ *Le palais Thun-Hohenstein (palais Toscan ; plan général, B2) :* Hradčanské náměstí 5. C'est le gros édifice qui ferme la place face au château. Surmonté de deux pavillons et d'une balustrade ornée de statues évoquant les arts.

★ *Le palais Martinic (plan général, B2) :* Hradčanské 8 (à l'entrée de la rue Kanovnická). Son propriétaire fut l'un des célèbres défenestrés du château de Prague (1618). Fort beaux sgraffites illustrant des scènes de la Bible. La façade suit la courbure de la rue. Très élégant fronton. Au n° 6, une maison dont Forman se servit beaucoup pour filmer son *Amadeus*. Au bout de la Kanovnická, l'église Saint-Jean-Népomucène.

★ *L'église Saint-Jean-Népomucène (plan général, B2) :* Kanovnická. On la doit à Kilian Ignac Dientzenhofer tandis que les fresques (partie la plus intéressante) sont de Václav Vavřinec Reiner. On rappelle que le tombeau du saint est dans la cathédrale Saint-Guy.

Autour de la place Loretánské *(plan général, B2)*

De Hradčanské náměstí, on emprunte la Loretánské, l'une des plus jolies rues de Hradčany, pour aboutir à cette délicieuse place organisée au début du XVIIIe siècle. Bucolique avec ses espaces de verdure, elle est aussi monumentale et solennelle, grâce aux deux importants édifices qui la cernent, le palais Černín et surtout l'église Notre-Dame-de-Lorette.

★ *Le palais Černín (plan général, B2) :* Loretánské nám. Face à Notre-Dame-de-Lorette s'élève cet imposant palais de la fin du XVIIe siècle, de 150 m de long, ayant appartenu à un comte dont l'ambition était de rivaliser avec le château. Base en pointes de diamant, forme de bossage qu'utilisèrent plus tard les architectes cubistes au début du XXe siècle. Cet élément très géométrique contraste fortement avec le long balcon qui ondule gracieusement. De nombreuses colonnes corinthiennes rythment la façade et lui donnent une allure très palladienne. Il devint en 1919 le siège du ministère des Affaires étrangères. Après la Seconde Guerre mondiale, son ministre n'était autre que le fils du premier président de la République, Jan Masaryk. On retrouva son corps inerte devant le palais un beau matin du printemps 1948. Suicide ou assassinat imputable aux communistes ? L'affaire ne fut jamais élucidée, comme tant d'autres...

★ *L'église Notre-Dame-de-Lorette (plan général, B2) :* Loretánské náměstí. Ouvert de 9 h à 12 h 15 et de 13 h à 16 h 30. Fermé le lundi. Entrée : 80 Kcs (2,70 €) ; réduction étudiants. Notre-Dame-de-Lorette est le symbole typique de la Contre-Réforme (ou « recatholicisation » forcée) de la Bohême. En effet, sa construction débuta en 1626, peu après la défaite de la Montagne Blanche, sur l'ordre de la princesse Catherine de Lobkovic, autour de son élément principal, la « Santa Casa ».

La façade

Tout à fait monumentale. Le célèbre architecte Christoph Dientzenhofer et son fils Kilian Ignac Dientzenhofer la remodelèrent complètement en 1721 et n'hésitèrent pas à laisser déborder son style baroque. Angelots sur la balustrade, statues de saints autour du portail et sur la corniche. Le beau clocher à bulbe date de la première construction. Les 30 cloches, fondues à Amsterdam, sonnent toutes les heures.

Le cloître

Il fut édifié autour de la Santa Casa pour lui donner un bel écrin baroque. Les voûtes des arcades s'ornent de fresques du milieu du XVIIIe siècle sur les litanies de Lorette. Chapelles, autels, confessionnaux et tableaux sous verre décorent le pourtour. Une chapelle notable, celle d'une Santa Liberata crucifiée. Il s'agit d'une Espagnole martyre affublée d'une vraie barbe. On dit qu'elle refusa d'épouser un homme choisi par son père. Elle pria pour que quelque chose arrive qui empêche le mariage. Un matin, elle se réveilla avec une barbe. De colère, son père la fit crucifier. Au milieu du cloître, dans la courette, deux splendides fontaines baroques.

La Santa Casa

La maison de la Vierge fut réalisée au début du XVIIe siècle par des artistes italiens ; réplique de celle de Loreto en Italie, à une période où le culte de la Vierge avait le vent en poupe. Selon la légende du XVe siècle, la maison de Nazareth où naquit la Sainte Vierge et où l'archange Gabriel lui annonça la naissance prochaine de Jésus fut miraculeusement transportée en Italie après le passage des Sarrasins. De soi-disant recherches scientifiques tendraient à prouver que les restes proviendraient effectivement de Nazareth ! On n'a pas vérifié. Dès le XIVe siècle, la Santa Casa était un lieu de pèlerinage important. Devenue de plus en plus célèbre, plusieurs dizaines de copies parsemèrent le pays. Décoration extérieure de sculptures et bas-reliefs, très chargés, également dus à des artistes italiens. À l'intérieur, fresques évoquant la vie de la Vierge elle-même, enchâssée dans un écrin d'argent.

La basilique Notre-Dame-de-Lorette

Tout en baroque, juste derrière la Santa Casa. Elle l'écrase malheureusement un peu. Noter la chaire prise d'assaut par les *putti* et autres chérubins dans une débauche d'or. D'ailleurs, il y a des chérubins partout. Belles loggias de nobles sur le côté. Fresques de V. V. Reiner. Squelettes de part et d'autre de l'autel.

Le trésor

Le premier étage du cloître est organisé en musée qui abrite un extraordinaire trésor religieux, le plus riche du pays. Voilà de quoi vous mettre l'eau à la bouche. Petit autel domestique autrichien du XVIIe siècle. Superbe calice des Lobkowicz incrusté de diamants, ainsi qu'un missel d'Anvers. Reliquaires du XVIIIe siècle, crucifix filigrané en argent, magnifique ostensoir orné de 6 000 diamants et pierres précieuses (1699) figurant l'exceptionnel rayonnement du corps du Christ, c'est le plus riche qu'on connaisse au monde. Calices d'époque gothique, écuelles décorées de corail du XVIIe siècle, collection de couronnes pour les statues de la Vierge.

★ En sortant, par la Černínská, vous parvenez à la délicieuse **rue Nový Svět** *(Nouveau Monde ; plan général, A-B2),* la plus secrète du quartier. L'ombre de Mozart y flotte encore... On se croirait dans un petit village de

Bohême du Sud. Perdez-vous au cœur de ces ruelles à flanc de colline, c'est un vrai bonheur. Un vrai voyage dans le passé sans avoir besoin d'une machine à remonter le temps.

★ *L'abbaye de Strahov* *(Strahovský klášter; plan général, A3)* : aux confins de Hradčany, sur une colline dominant la ville, découvrez ce merveilleux édifice, fondé au XIIe siècle. Petit escalier d'accès par la place Pohořelec, entre les nos 7 et 9, mais il vaut mieux l'aborder par le monumental portail baroque. Il compose, avec le chevet de la petite église et les maisons attenantes, un ensemble architectural de grande qualité, entouré de jardins sauvages. Le couvent fut fondé en 1140 pour y abriter des prémontrés, qui y séjournent encore aujourd'hui après une petite interruption durant le passage des communistes au pouvoir, pendant laquelle on les délogea.

Le couvent possède trois parties visitables, dans trois édifices distincts : l'église Notre-Dame, la bibliothèque (constituée des salles théologique et philosophique) et la galerie Strahov. Ils sont tous à deux pas les uns des autres, dans la grande cour.

L'église Notre-Dame

Lumineuse façade baroque avec ses deux gros clochers. D'abord romane puis refaite en gothique après un incendie, elle fut redécorée au XVIIe siècle en baroque. L'intérieur n'est visible que de derrière la grille barrant l'entrée. Elle est rarement ouverte. Cette église possède une harmonie exceptionnelle avec ses trois nefs d'une grande élégance, ses quarante médaillons peints au plafond, la richesse des stucs, l'ornementation chargée des piliers (or et marbre), les bancs sculptés et la chaire croulant sous les dorures. Les médaillons sont posés là comme des nuages. Superbe orgue où joua Mozart. Au-dessus de l'entrée, buste de saint Pierre, les clés de l'Église en main. Une grille tout en finesse ferme l'accès à la nef.

Les salles de la bibliothèque

Au 1er étage, des bâtiments conventuels. Ouvert de 9 h à 11 h 45 et de 13 h à 16 h 45. Entrée : 50 Kcs (1,70 €). L'accès dans les salles est interdit, mais elles sont visibles depuis le pas de la porte. Entre les XIIe et XVIIIe siècles, la riche bibliothèque subit bien des vicissitudes mais une bonne partie du patrimoine survécut. Les deux salles principales qui la composent constituent un must du baroque à Prague. L'ensemble abrite 130 000 livres dont 5 000 incunables et plus de 25 000 manuscrits, certains sont de véritables chefs-d'œuvre. À l'entrée, dans les vitrines du couloir, sorte de cabinets de curiosités animalières, espèce de mini-muséum d'histoire naturelle. Cherchez-y le dodo de l'île Maurice. Voir la belle salle philosophique, de plus de 30 m de long sur 10 m de large, dont les murs sont couverts de livres installés dans d'admirables rayonnages de bois. Fresque au plafond retraçant l'histoire de la connaissance. Au fond du couloir, la salle théologique. La merveille de Strahov ! Décorée en style baroque exubérant en 1671. Riche décor du plafond en stuc. Fresques du début du XVIIIe siècle qui s'enchâssent dans des médaillons aux formes peu orthodoxes, vantant l'amour de la connaissance, la passion de l'instruction et de l'étude. Elle abrite plus de 15 000 ouvrages. Beaux globes géographiques. Dans les vitrines, vénérables ouvrages dont une bible couverte de pierres précieuses du IXe siècle. Autant la première salle est haute et étroite, autant la salle théologique possède une voûte très basse et large, presque écrasante.

La galerie Strahov *(Strahovská obrazárna)*

Ouvert de 9 h à 12 h et de 13 h à 17 h. Fermé le lundi. Entrée : 40 Kcs (1,20 €). L'entrée se situe derrière l'église, en passant sous un porche. Dans le hall d'entrée, superbes fresques au plafond. La salle du rez-de-chaussée est réservée à des expositions temporaires. Dans la galerie du 1er étage du cloître, musée consacré à la peinture gothique et jusqu'à la période romantique, à savoir du XVe au XVIIIe siècle. C'est l'une des plus importantes collections conventuelles, non seulement en Bohême mais aussi en Europe. Seul un dixième de la collection est exposé. Essentiellement des toiles religieuses et des paysages. Dans une des premières salles sur la droite, remarquez le Christ sur une surprenante croix torsadée.

Les jardins

Des jardins au fond de l'abbaye, on bénéficie de l'un des plus beaux panoramas de Prague et de la seule vision, dans le même plan, des deux rives de la Vltava.

★ LA NOUVELLE VILLE (NOVÉ MĚSTO; plan général, de E2 à D4)

Ne vous laissez pas abuser par cette dénomination. La Nouvelle Ville date quand même du XIVe siècle. Déjà, à l'époque, la Vieille Ville craquait aux jointures. C'est ainsi qu'on envisagea son extension suivant un nouveau plan d'urbanisme, qui apparaît aujourd'hui comme l'un des plus anciens et l'un des plus remarquables du Moyen Âge européen. Par contre, elle ne prit son visage contemporain qu'au XIXe siècle, avec la disparition de nombre d'anciennes demeures et leur remplacement par des édifices plus modernes (le plus souvent de prestige). Lorsque Staré Město (la Vieille Ville), Nové Město (la Nouvelle Ville), Hradčany et Malá Strana fusionnèrent à la fin du XVIIIe siècle pour former Prague, les anciennes murailles, devenues désuètes, furent démolies et leurs fossés comblés. C'est ainsi qu'à leur emplacement furent créées les rues Národní et Na Příkopě, les deux artères les plus commerçantes de Prague.

À VOIR

★ **La rue Na Příkopě** (zoom centre) : rue piétonne, le théâtre de rue permanent de Prague. Bordée de quelques édifices intéressants, principalement de style « Sécession » (l'Art nouveau pragois). Entre autres, à l'angle avec Václavské náměstí, la maison Koruna (avec sa tourelle). Au n° 5, noter les atlantes fatigués de la porte de la Komerční Banka qui semblent sortis d'une BD de Moebius. Vous pouvez y entrer, grimper les escaliers et admirer la somptueuse décoration. Au n° 10, le palais Sylva-Taroucca à la riche et harmonieuse façade avec un pignon garni de statues. Au n° 18, l'agence Čedok est notable pour ses belles mosaïques Art nouveau. Au n° 20, intéressant dessous de corniche de la Živnostenská Banka.

★ **La rue Národní** (plan général, D3) : prolongement de la rue Na Příkopě après avoir traversé la place Venceslas. C'est là que se déroula le « 17 novembre sanglant », déclencheur de la « révolution de velours ». On y trouve un grand nombre d'immeubles dignes d'intérêt. Entre autres, au n° 37, un très long édifice Renaissance orné de masques au-dessus de chaque porche. Au n° 31, un édifice néo-baroque. Au n° 21, au-dessus du portail, quatre énormes bébés. Original ! Au n° 9, la maison Topic (1910) en style Sécession, avec son balcon de fer forgé et ses guirlandes au fronton. Cela dit, elle est moins riche, plus timide que l'édifice du n° 7, superbe exemple Sécession dont on doit la façade à Ladislav Šaloun, le sculpteur du monument dédié à Jan Hus sur la place de la Vieille-Ville.
– À l'angle de Národní et Jungmannova, on trouve le seul édifice qui réponde à l'appellation « rondocubisme », mélange d'éléments cubistes et de rondeurs, d'où son nom. Réalisé en 1923, il ne semble pas que ce style ait fait fureur. Il faut dire que c'était la grande époque du renouveau archi-

tectural, que les recherches étaient multiples et que certaines n'eurent pas de suite. L'édifice abrita longtemps le théâtre de la *Lanterne Magique* et fut l'un des hauts lieux de la « révolution de velours ». En décembre 1989 s'y tenaient les grandes réunions du Forum Civique avec Václav Havel.

★ **Le *Národní divadlo*** (*Théâtre national ; plan général, C3*) **:** Národní třída (à l'angle avec le pont Legií). ☎ 2-24-91-26-73 et 2-24-91-34-37. Parking gardé payant. Imposant édifice de style néo-Renaissance classique construit de 1868 à 1881. Un grand élan du peuple tchèque contribua à sa création. On donna bijoux, objets de valeur pour le financer. Les pierres employées pour la construction arrivaient dans des charrettes décorées et tirées par des bœufs couverts de fleurs. Deux ans après l'inauguration, il brûla en partie, mais fut reconstruit très rapidement. Cela démontra, à l'époque, le profond attachement des Tchèques à leur culture. Splendide décoration intérieure, mais ne se visite pas, sauf quand on assiste à une représentation.

★ À côté, le ***Nová Scéna*** (*Nouveau Théâtre national ; plan général, C3*) **:** édifié à la fin des années 1970. C'est ici que vous pouvez assister aux représentations de la *Lanterne Magique*. Immense bloc de verre, stupéfiant de lourdeur, censé équilibrer en volume celui du Théâtre national. À notre avis, c'est magistralement raté, plutôt le symbole d'une architecture stalinoïde en déclin définitif !

★ **Le *Masarykovo nábřeží*** (*quai Masarykovo ; plan général, C4*) **:** à gauche du Théâtre national, superbe alignement d'immeubles néo-baroques, Art nouveau, néo-Renaissance, pour la plupart construits au début du XXe siècle et de plusieurs couleurs pastel (vert, rose, ocre...), qui s'étend avec une rare beauté jusqu'à la Jiráskovo náměstí. Voir, notamment, les immeubles des n°s 32 (l'ancien édifice des Assurances tchèques), 28 et 26. Édifices de style Art nouveau. Même chose au n° 16. Plus bas encore s'élève une tour d'aspect sévère, surmontée d'un clocher à bulbe. C'est l'ancien château d'eau (de la fin du XVe siècle). Au pied de la tour, le pavillon Mánes, tout blanc, illustre représentant de l'architecture « fonctionnaliste » de l'année 1928. C'est une salle d'expo réputée. Elle se caractérise par des lignes sobres et des espaces lumineux.

★ **L'église *Notre-Dame-des-Neiges*** (*zoom centre*) **:** Jungmannovo nám. Place donnant sur Národní. Église du XIVe siècle qui ne fut jamais achevée. À cause des guerres successives, vous n'en découvrirez que le chœur et la voûte, la plus haute de Prague (40 m). Immense autel baroque.

★ **La *Václavské náměstí*** (*place Venceslas ; plan général, D-E3*) **:** à l'emplacement de l'ancien marché aux chevaux du XIVe siècle s'étendent les « Champs-Élysées » de Prague, centre de la Nouvelle Ville. M. : Můstek (lignes A et B). On l'appelle « place » mais c'est en réalité une sorte de large artère, piétonne sur sa partie basse, et qui accueille la plus grosse concentration de boutiques, agences de voyages, boîtes, cafés avec terrasses, grands hôtels... En la remontant, vous pourrez lever les yeux sur quelques édifices particulièrement dignes d'intérêt.

– À l'angle avec Na Příkopě, le palais *Koruna* est l'un des exemples les plus significatifs de la transition entre Art nouveau et Art déco (1914). Très majestueux. Au n° 12, séduisant immeuble Sécession.

– Au n° 25, l'hôtel *Europa*, le chef-d'œuvre de ce style. Prodigieuse façade où toute l'ornementation s'équilibre de façon totalement harmonieuse. Frontons, fenêtres et balcon particulièrement remarquables, d'ailleurs inspirés par la déco du *Titanic*. À l'intérieur, ne pas manquer de jeter un coup d'œil aux grands salons et au resto de style Sécession. L'hôtel n'est pas si cher que cela, comparé à ses voisins. On peut aller boire un verre au café.

– Au n° 34, à l'angle de Vodičkova, la maison *Wiehl*, construite en 1896 dans un élégant style néo-Renaissance, avec sa façade couverte de fresques et son clocheton.

À VOIR

– Au n° 36, c'est au balcon du journal *Svobodné Slovo* (La Libre Parole) qu'apparurent Alexandre Dubček et Václav Havel devant la foule rassemblée en nombre en novembre 1989.

– À voir aussi, la façade de l'hôtel *Yalta*, représentative du style soviétique, autrefois lieu de concentration de la prostitution pragoise. On disait d'ailleurs d'une fille qui gagnait bien sa vie qu'elle « allait au *Yalta* ».

– D'ailleurs, faisons un petit crochet par cette rue Vodičkova qui propose au n° 30 un petit chef-d'œuvre de l'Art nouveau, l'édifice *U Nováků*, qui allie grâce, équilibre... et humour. C'est l'une des constructions qui rappelleront le plus aux Français le style d'Hector Guimard (et Horta aux Belges), digne représentant de cet art en France. Balcons à motifs floraux tarabiscotés, profusion de fleurs, mosaïque champêtre (où l'on boit et où l'on danse), balcons en pointe pour changer de rythme, large verrière... jusqu'aux gouttières en forme de fleurs. Sous les fenêtres, des grenouilles enrubannées tentent de gravir la façade. Un chef-d'œuvre, on vous dit !

– Revenons sur Václavské náměstí où trône la statue équestre de saint Venceslas, patron de la ville et quatrième souverain tchèque, à une époque (X° siècle) où l'État tchèque cherchait encore ses marques. Il tient dans l'Histoire la place du premier grand souverain du pays, et symbolise tous les grands rassemblements pour la liberté. C'est là que l'étudiant Jan Palach s'immola par le feu, le 16 janvier 1969, pour protester contre l'occupation soviétique. Lui aussi, à son tour, devint l'un des martyrs de la liberté et de la résistance à l'oppression.

★ **Le Národní muzeum** (*Musée national ; plan général, D3*) **:** en haut de la place Venceslas, au n° 68, au-delà de l'invraisemblable autoroute qui s'est égarée là. ☎ 24-49-71-11. Ouvert tous les jours, de 9 h à 17 h d'octobre à avril et de 10 h à 18 h de mai à septembre. Fermé le 1er mardi du mois. Entrée : 70 Kcs (2,35 €) ; gratuit le 1er lundi du mois. Créé en 1893, il fut réalisé en style néo-Renaissance et étale sa masse sur 104 m de long pour 74 m de large. Il constitue le sommet de l'art pompier, symbolisant le retour aux valeurs fondamentales nationales, véritable réveil d'un peuple à la recherche permanente de son identité. Au centre, une sculpture représentant la Bohême portant la couronne de saint Venceslas. L'intérieur est impressionnant par la prolifération des ors, marbres et stucs. C'est le sommet du kitsch. S'ajoutent à cela l'escalier monumental et les bustes des figures tchèques ayant marqué l'histoire du pays (artistes et écrivains).

Au 1er étage

– *La salle du fond :* salle d'histoire. Manuscrits médiévaux, vieux sceaux, vitrines sur la littérature, la musique, le théâtre. Nombreux documents, affiches, photos, etc. Histoire des deux guerres mondiales, de la naissance de la République, des luttes sociales, etc. Salles d'art : l'art nouveau, vêtements, etc.

– *La section préhistoire :* bateau du X° siècle sculpté dans un seul arbre, poteries, bijoux, outils, tombes reconstituées. Riches sections de l'âge du bronze et de l'âge de pierre.

– *La rotonde :* du sol au plafond, une belle décoration qui ne laisse pas un centimètre carré de libre (carrelages, dorures, fresques). Importante section minéralogique et de pétrologie, avec des tonnes et des mégatonnes de roches et minéraux. Il ne doit pas manquer un seul caillou. Pierres précieuses brutes, taillées, cristaux... (attention, cette petite salle ferme à 16 h 30), et même une salle entière de météorites. Prévoyez de rester plusieurs siècles à Prague si vous voulez tout voir, c'est sûrement l'une des plus importantes collections que l'on connaisse.

Au 2e étage

Zoologie, ornithologie, animaux sauvages d'Europe : tous les passionnés d'histoire naturelle adoreront cette riche collection d'animaux naturalisés. En tout sept grandes salles. La section des singes compte au moins 50 spécimens. Chauve-souris-vampire de près d'un mètre d'envergure (brrrr!!) et autruche géante pour les amateurs d'insolite. Poissons géants, insectes, papillons, squelette de baleine suspendu au plafond. Par ailleurs, cinq salles sont réservées à l'exposition paléontologique et à l'évolution des espèces animales et végétales de la planète pendant les périodes géologiques passées. C'est le moment d'aller voir un *Pterygotus Buffaloides*.
L'ensemble du musée peut paraître affaire de spécialistes mais le tout est plutôt pédagogique, malgré l'absence totale de traduction. Et compte tenu du prix d'entrée, vous serez largement comblé.

★ *Le Musée historique de la ville de Prague (plan général, E2) :* Na Poříči 52, Nové Sady J. Švermy, Prague 8. ☎ 2-24-81-67-72. M. : Florenc (lignes B et C). Ouvert de 9 h à 18 h. Fermé le lundi. Entrée : 40 Kcs (1,30 €). Situé juste derrière la station de métro, au bord de l'autopont, dans un bel édifice de la fin du XIXe siècle. À l'époque, le sous-sol n'était rien d'autre qu'une salle de torture et ce, jusqu'en 1918. En façade, les rois de Bohême. Un document commentant l'ensemble des collections est disponible contre caution à l'entrée et permet une meilleure compréhension des collections, qui se rapportent évidemment à l'évolution de la ville à travers le temps. Excellent musée, parfaitement organisé pour comprendre le cheminement architectural de cette ville qui n'a jamais perdu la moindre parcelle de sa beauté. Dans le hall du 1er étage, calèche utilisée pour le couronnement de Léopold II.
– Le *1er étage* se consacre à la période du Moyen Âge et présente de nombreux objets de culte et de la vie quotidienne.
– En montant au *2e étage*, dans le hall, extraordinaire vue panoramique de Prague du peintre Sacchetti qui imposa à l'architecte du musée la conception d'un escalier demi-circulaire éclairé par une verrière pour en permettre l'observation. Ne surtout pas manquer, dans la salle centrale, la remarquable maquette de la Vieille Ville, signée Antonin Langweil, ancien fonctionnaire de la municipalité à qui nous adressons ici notre reconnaissance éternelle puisque sa hiérarchie ne l'a pas fait. Plus de 200 maisons y sont représentées, mais hélas, l'extension de la Ville Nouvelle n'a jamais pu être achevée. Dans cette même salle se trouve la plaque originale du calendrier de l'horloge astronomique de l'Hôtel de ville de la Vieille Ville, réalisée au XIXe siècle par le peintre Josef Mánes.

★ *L'Hôtel de ville de la Nouvelle Ville (plan général, D4) :* Karlovo nám., à l'angle du Vodičkova. Il date du XIVe siècle. La façade fut modifiée au XVIe siècle dans le style Renaissance mais la tour est gothique. C'est là qu'eut lieu la première « défenestration de Prague » en 1618, point de départ de la révolution hussite. On peut monter à l'intérieur. Ouvert de 10 h à 18 h, tous les jours sauf le lundi de mai à septembre. Entrée : 20 Kcs (0,70 €). Le panorama sur Prague vaut le coup d'œil.

– Autour de Karlovo náměstí, d'autres monuments qui méritent un coup d'œil :

★ *L'église Saint-Ignace (plan général, D4) :* à l'angle de la rue Ječná. Belle façade baroque jésuite dotée d'un gros portique sombre, orné de statues. Intérieur baroque également. Lourde chaire sur la gauche et autel monumental. Fresques de Carlo Lurago.

★ *L'église Saint-Jean-Népomucène-sur-le-Rocher :* un des chefs-d'œuvre de Kilian Ignac Dientzenhofer, auteur des façades de Notre-Dame-de-Lorette et de Saint-Nicolas (celle de la Vieille Ville). Elle présente une architecture originale (nef octogonale). Belle harmonie de la façade et de son escalier, en fer à cheval.

À VOIR

★ *La maison Faust* *(plan général, D4) :* sur Vyšehradská, non loin de Karlovo náměstí. Maison baroque dont le hasard (mais est-ce bien le hasard ?) fit qu'elle a appartenu successivement à plusieurs alchimistes. Une légende soutient qu'elle aurait pu être la demeure du docteur Faust. C'est ici que Méphistophélès aurait enlevé le docteur une fois leur pacte expiré.

★ À l'angle de Spálená et de Lazarská, la *maison Diamant*, intéressante construction cubiste de 1912.

★ *Le musée Dvořák* *(museum Antonína Dvořaka ; plan général, D4) :* Ke Karlovu 20, Prague 2. ☎ 2-29-82-14. Rue donnant dans Ječná. M. : I.P. Pavlova (ligne C). Ouvert de 10 h à 17 h. Fermé le lundi. Entrée : 30 Kcs (1 €). Vente de disques et cassettes du maître, ainsi que de places pour les concerts. Installé depuis 1932 dans une grande villa complètement baroque du début du XVIIIe siècle. D'avril à octobre, les mardi et vendredi, concert théoriquement à 20 h. Pour se mettre dans le bain, la visite est agrémentée de morceaux du maître. Chaque vitrine possède une excellente légende en français, et un document est disponible à l'accueil. Accès par le jardin où l'on peut observer plusieurs statues attribuées à l'atelier de Matyáš Bernard Braun. Belles fresques originales dans la salle au 1er étage. L'endroit peut sembler réservé aux inconditionnels du compositeur, tant il confine au fétichisme. Au rez-de-chaussée, reconstitution chronologique des événements ayant jalonné la vie de l'artiste depuis ses études jusqu'aux dernières années de sa vie. Documents officiels, affiches de l'époque, photographies, mais aussi le bureau, la chaise et le portrait de Ludwig van Beethoven. Tout provient de l'appartement de Dvořák, rue Žitná. Manuscrits du compositeur et son piano. Au 1er étage, encore de nombreux documents et puis ses lunettes, son porte-monnaie, sa montre, sa plume et son encrier... Tiens, il n'y a pas ses pantoufles !

★ *DANS LE QUARTIER DE HOLEŠOVICE*

★ *La galerie nationale de Prague d'Art moderne* ou *centre d'Art moderne et contemporain* *(Veletržní palác ; plan général, E1) :* à l'angle des rues Dukelských hrdinů et Veletržní, Prague 7. ☎ 2-24-30-10-24. M. : Vltavskà (ligne C). Tram : lignes n°s 5, 12 et 17, arrêt Veletržní. Ouvert de 10 h à 18 h ; nocturne le jeudi jusqu'à 21 h. Fermé le lundi. Construit dans les années 1920 dans le style « fonctionnaliste », cet immense bâtiment, situé dans le quartier de Holešovice (à l'écart de la Prague touristique) abrite depuis décembre 1995 les collections contemporaines et modernes de peinture autrefois exposées au Šternberský palác. L'édifice, construit dans un premier temps pour abriter les expositions industrielles, fut réquisitionné en 1939 par les nazis comme lieu de détention provisoire pour les juifs. Après la guerre, une centrale d'exportation occupa les locaux jusqu'en 1974, date du sinistre incendie qui réduisit le bâtiment à l'état de squelette et qui ne fut par ailleurs jamais officiellement expliqué. Après 10 ans de travaux d'un coût estimé à environ 30 500 euros, 5 ans de pause postcommuniste, faute d'argent, l'immeuble devint un véritable musée d'Art moderne. Pour chaque salle, excellente plaquette explicative. Travaux en cours jusqu'à la fin 2002.
– *Le 1er étage* est consacré habituellement aux expositions temporaires.
– *Le 2e étage* s'ouvre sur un *Jeune Homme nu*, exceptionnel de pureté, réalisé par Rodin. En ce qui concerne les peintres réalistes, on trouve des Courbet, des Monet, des Pissarro et des Delacroix, dont *Le Jaguar attaquant un cavalier*, symphonie de couleurs dans une situation on ne peut plus dramatique.
On assiste ensuite à la naissance du cubisme en 1907 lorsque Braque et Picasso découvrent une nouvelle manière de tracer des portraits en simplifiant les objets et en leur rendant leurs formes géométriques élémentaires.

En outre, ils excluent de l'espace toute perspective et utilisent un champ de couleurs réduit. Cela donne l'*Autoportrait* de Picasso et *Le Violon et la Clarinette* de Braque.

Quelques beaux exemples d'impressionnisme et de post-impressionnisme avec *La Maria à Honfleur* de Seurat, *Joaquina* de Matisse, portrait touchant de sincérité et d'affection d'une belle Ibère. On trouve également des œuvres de Dufy, de Le Corbusier, de Fernand Léger, et des sculptures de Bourdelle.

Plus loin, collection d'art contemporain européen avec Paul Klee, Miró et une œuvre angoissante d'Ivan Kafka, symbolisant le temps qui passe au travers de 30 potences sur lesquelles on trouve des trotteuses.

– Plongez ensuite dans l'art moderne tchèque de 1900 à 1960 : le *3ᵉ étage* lui est consacré, avec le peintre symboliste Jan Preisler, le précurseur de l'art abstrait František Kupka, les surréalistes Toyen et Štýrský, Joseph Šíma et Jan Zrzavý. Tout cela mérite une petite visite avec un œil amusé pour les néophytes.

★ DANS LE QUARTIER DE SMÍCHOV

★ **La maison de Mozart** *(villa Bertramka ; plan général, B5)* **:** Mozartova 169, Prague 5. ☎ 2-54-38-93 ou 2-57-31-67-53. ● bertramka@come nius.cz ● Au sud de Malá Strana. M. : Anděl (ligne B), puis tram n° 4, 6, 9, 12 ou 14, arrêt : Bertramka. Ouvert de 9 h 30 à 18 h (17 h en hiver). Entrée : 90 Kcs (3 €). Petit dépliant en français à la caisse. Située dans les faubourgs de Prague en pleine reconstitution, vous maudirez le quartier jusqu'au passage du portail ouvrant sur le magnifique jardin abritant la villa. Accrochée à une colline, cette demeure fut reconstruite après un incendie au début des années 1870. Elle était habitée par le pianiste tchèque František Dušek qui y accueillit Mozart de nombreuses fois. En 1787, Mozart y composa *Don Giovanni*. Aujourd'hui, l'ombre du génie hante toujours la villa, au travers d'un nombre considérable de souvenirs qui lui sont rattachés : objets, instruments de musique... notamment le clavecin sur lequel il jouait, l'affiche originale de *Don Giovanni*, des gravures, estampes, tableaux, partitions, documents rares, etc. Son œuvre y est recensée avec la plus grande précision et la villa est devenue un lieu de passage obligé pour les amoureux de sa musique. À ce propos, un concert y est donné les mercredi, jeudi et samedi à 17 h, d'avril à octobre. Réservations : ☎ 2-55-14-80-83. Pendant les mois de juillet et août, le jardin devient le théâtre de superbes concerts les mardi et vendredi à 17 h et 19 h 30. Un moment exceptionnel qui vaut sans hésitation le détour.

★ LE QUARTIER DE VYŠEHRAD *(plan général D5-6)*

Au sud de Nové Město *(plan général, D5)*, au bord de la Vltava, s'élève la très verdoyante colline de Vyšehrad. Ce fut le premier site du pouvoir à Prague (XIᵉ-XIIᵉ siècles), avant d'être détrôné par Hradčany. On situe ici le premier palais roman au XIᵉ siècle, édifié par le prince Vratislav II. Mais très rapidement, Hradčany prend le dessus et Vyšehrad perd tout pouvoir. La colline est délaissée, le vieux palais tombe en ruine pendant les guerres hussites. Bref, Vyšehrad ne sera jamais Hradčany. Aujourd'hui, c'est un bout de campagne à deux pas du centre. Transformé en parc, on y trouve encore quelques vestiges romans, une église, un superbe cimetière... et quelques courts de tennis. Et puis, c'est une des plus belles vues qu'on connaisse sur la Vltava. Le dimanche, les Pragois y viennent en famille.

➢ **Balade sur la colline :** pour y aller, prendre la ligne C du métro et descendre à Vyšehrad. On sort près du palais de la Culture. La colline est à environ 10 mn à pied. L'accès principal est la rue V. Pevnosti qui passe sous les portes Táborská (XVIIIe siècle) et Léopold (portail monumental baroque). Si vous venez en voiture, essayez de vous garer près du petit café sur la droite. On fait tout le reste à pied. Ce n'est pas bien grand et les quelques sites se trouvent sans problème.

– **La rotonde Saint-Martin :** premier édifice qu'on rencontre sur la droite. C'est la seule construction romane de Vyšehrad encore debout provenant du haut Moyen Âge, à l'époque de Vratislav II, quand Vyšehrad était le royaume des Přemyslides. Elle fut évidemment copieusement restaurée au XIXe siècle.

– Avant l'entrée du cimetière, en face, on trouve un petit parc. Avez-vous vu cette curieuse colonne brisée en trois parties ? C'est la **colonne de Zardan**, la colonne du diable. Son nom provient d'une curieuse légende racontant que saint Pierre ordonna au diable d'apporter les pierres pour bâtir une église. Arrivant trop tard, furieux, il jeta la pierre qui se brisa en trois sur la colline de Vyšehrad.

– **Le cimetière :** ouvert de 8 h à 19 h de mai à septembre, jusqu'à 18 h en mars, avril et octobre et jusqu'à 17 h de novembre à février. Entrée gratuite. Accolé à l'église Saint-Pierre-Saint-Paul, ce superbe petit cimetière accueille les tombes de nombreux illustres personnages. Dès l'entrée, sépulture du célèbre poète Jan Neruda. En prenant l'allée sur la droite, celle du compositeur Smetana. Non loin, un grand tombeau abrite Alfons Mucha, le pape de la peinture et de l'affiche Art nouveau, et Jan Kubelík, grand violoniste. Sous les arcades repose Dvořák, tandis que Karel Čapek, l'écrivain inventeur du mot « robot », est sous une dalle un peu plus loin. Pour les amateurs, la tombe de Heyrovsky, chercheur qui reçut un prix Nobel pour la mise au point du laser. Les arcades, qui entourent une partie du cimetière, tout comme certaines tombes, sont étonnantes par leur décoration composée de statues mais aussi de mosaïques superbes. Bref, de beaux et originaux monuments funéraires.

– **L'église Saint-Pierre-Saint-Paul :** ouvert de 9 h à 12 h et de 13 h à 17 h (le dimanche, à partir de 10 h). Fermé le vendredi après-midi et le lundi. À l'origine basilique romane, aujourd'hui tout en néo-gothique, sur une ancienne base gothique. Tellement transformée au cours des siècles qu'elle ne possède plus de caractère particulier, et pourtant on ne peut rester indifférent à son aspect actuel. Les premières pierres datent du XIe siècle et les dernières du XXe siècle. Que ce soit dans sa structure ou dans sa décoration, les influences de dix siècles d'architecture sont toujours présentes. Bon, on ne va pas vous faire une interrogation écrite, mais essayez donc de les retrouver. Tout commence à l'entrée, le portail central en style gothique possède un tympan très travaillé, les tympans des entrées droite et gauche sont, quant à eux, décorés d'une mosaïque. Des blasons sur les portes complètent l'ensemble. L'intérieur vaut largement le détour pour les peintures qui recouvrent entièrement les murs, sa superbe chaire en bois et les vitraux dignes d'intérêt. Vous y trouverez des décorations en style Art nouveau inspirées des travaux d'Alfons Mucha, les peintures gothiques, un sarcophage roman, des vitraux néo-gothiques...

– En poursuivant la balade, on aboutit forcément aux anciens **remparts** qui cernent la colline. Panorama exceptionnel sur la rivière, un petit port de plaisance et le sud de la ville. Sur le rocher même de Vyšehrad, en contrebas, quelques ruines.

★ **Les maisons cubistes :** autour ou au pied de la colline, on trouve quelques beaux spécimens de maisons cubistes de Prague, réalisées par Josef Chochol. À l'époque, elles furent considérées comme révolutionnaires. L'élément principal de ce style est l'utilisation du bossage en pointes de diamant et de la rupture incessante des angles, jamais droits. Les façades sont en ondulations saccadées, ce qui donne un rythme permanent. Les quelques demeures visibles datent de 1912-1913.

– À l'angle du Rašínovo nábř. (quai Rašínovo) et de la rue Vnislavova, juste au pied nord de la colline de Vyšehrad. Superbe, mais malheureusement laissée à l'abandon.

– À l'angle de Přemyslova et Libušina ulice, 3 : immeuble gris typique de la technique des « pointes de diamant ».

– Au n° 6 de Rašínovo nábř. : malheureusement mal située devant les quais bruyants, elle ne manque pourtant pas d'élégance. Sur la façade, des scènes de la mythologie tchèque sont sculptées.

★ LES QUARTIERS DE ŽIŽKOV (plan général G3) ET DE VINOHRADY (plan général E-F4)

Vinohrady et Žižkov, deux quartiers en marge du flot touristique, à l'est du centre, ne demandent qu'à se laisser découvrir. À la recherche de la Prague perdue, celle du calme et de l'authenticité.

Vinohrady, comme son nom l'indique, était jadis planté de vignes sous l'impulsion de Charles IV. Au XIXe siècle, les vignobles ont disparu au profit de demeures résidentielles toutes plus splendides les unes que les autres. Élevé au rang de ville en 1879, ce qui lui donne une personnalité à part, Vinohrady est intégré à Prague dans les années 1920, au moment de son apogée. Aujourd'hui, habiter Vinohrady est très en vogue chez les expatriés. Les noms de rues évocateurs, Francouská, Italská, Anglická ou Americká, sont sans nul doute la raison cachée et un brin nostalgique de cette présence cosmopolite.

Žižkov est dominé par le maître des lieux, l'imposant Jan Žižka, génial héros des guerres hussites, perché sur la colline d'où il commanda son armée. Il reste le symbole de la défense du pays contre l'invasion catholique. Il repoussa cinq croisades en incendiant sans discernement églises et couvents, moines et curés. D'un abord plus difficile que Vinohrady. Les constructions en béton côtoient les immeubles Art nouveau de manière anarchique et insensée. Ce quartier de logements de masse tient une place à part dans le cœur des Pragois, avec ses cours intérieures et ses ruelles emmêlées. Aussi la rénovation voulue par l'État soulève-t-elle bien des réprobations. Milieu sensible également, avec une forte population tsigane désœuvrée et sédentarisée. Après 1945, le gouvernement tchèque accueille quelque 100 000 tsiganes persécutés pendant la guerre. À l'époque, les habitants de Žižkov déménagent en banlieue dans les cités du bonheur, qui semblent offrir un meilleur confort (eau chaude, chauffage central...). Les tsiganes sont alors sédentarisés à Žižkov, avec interdiction de partir sur les routes, dans l'espoir d'en faire des citoyens assimilés, « tchéquisés ». Aujourd'hui, la réalité est tout autre et les « gens du voyage », refusant l'assimilation, se retrouvent marginalisés dans la société pragoise, en proie à toutes les délinquances. Alors Žižkov, enfer ou paradis ? Pas de réponse toute faite, venez voir vous-même !

★ *Le théâtre Na Vinohradech* (plan général, E4) : Míru náměstí 7 ; entre les rues Slezská et Řimská. M. : Náměstí Míru (ligne A). Un bel exemple de bâtiment de style néo-baroque du début du XXe siècle, présentant déjà des ornementations Jugendstil (l'Art nouveau des pays germaniques) d'inspiration symboliste ou végétale. Essayez d'entrer à l'intérieur, la salle de spectacle est superbe.

★ *L'église du Sacré-Cœur* (plan général, E4) : Jiřího z Poděbrad náměsti. M. : Náměsti Jiřího z Poděbrad (ligne A). En plein cœur de la place, si vous ne la remarquez pas, on ne peut plus rien pour vous. Évidemment, on adore ou on déteste mais impossible de rester indifférent. Cette église en briques vitrifiées et à l'horloge démesurée est une création de l'architecte Plečnik dans les années 1930. Cet artiste, en marge des mouvements modernes, ne fait ni du néo-baroque ni du néo-quelque chose, il crée son propre style empreint de grandeur et d'intériorité. L'église est souvent fermée. Si vous y passez à l'heure d'un office, jetez un coup d'œil à la nef, conçue sans appui intérieur, et à la crypte.

★ De la place Jiřího z Poděbrad, remonter en flânant le long des rues Mánesova, Polská, Krkonošská, Chopinova. De superbes façades style Art nouveau, classiques ou « fonctionnalistes ». Au n° 4 de la **rue Chopinova**, la maison de l'éditeur Laichter annonce l'architecture des années 1920. L'utilisation de la brique, horizontalement, en biais ou verticalement, crée une décoration originale. La **rue Na Švihance** est un autre régal pour les yeux avec, aux n°s 1, 9 et 14, trois beaux immeubles style Mucha. Après ces déambulations architecturales, pause ou sieste dans le parc Riegrovy tout proche.

★ **La tour de Télévision** (plan général, F-G3, 275) : M. : Náměstí Jiřího z Poděbrad (ligne A). Ouvert de 10 h à 23 h. Entrée : 60 Kcs (2 €). C'est le dernier édifice construit par les cocos de 1985 à 1992 et c'est aussi la plus haute tour de Prague. Son style n'est ni baroque, ni gothique et encore moins Art nouveau, il est tout simplement futuriste. Elle est posée là, comme un vaisseau spatial, avec ses 11 800 t et ses 216 m de haut, et domine la ville. Elle vous invite à décoller vers les toits de Prague : au 8e étage, trois nacelles panoramiques à plus de 90 m du sol vous permettent d'obtenir une vue unique sur Prague et ses environs. Dans chaque nacelle une table d'orientation avec explications en français. Au 5e étage, un bar-restaurant avec vue imprenable. Plus terre à terre, le petit cimetière juif où furent enterrés les juifs morts de la peste au XIXe siècle. Situé au pied de la tour, il a été en partie détruit pour l'élévation de cette dernière ; étonnant avec son bric-à-brac de tombes à moitié enfouies sous le lierre. Malheureusement, il ne se visite pas.

★ **Le nouveau cimetière juif** (Novýžidovský ňbitov) et **le cimetière d'Olšany** : M. : Flora. À l'est de la ville. Dans un superbe parc arboré rempli de lierre, le cimetière juif (kippa obligatoire) qui succéda à celui de Žižkov en 1881 et où l'on peut se recueillir sur la tombe de Franz Kafka (parcelle 21). Il est enterré en compagnie de sa famille. Dans le cimetière voisin d'Olšany, la tombe de Jan Palach, immolé par le feu en 1969, fait toujours l'objet d'une grande vénération : des bougies s'y consument en permanence.

★ **Le Mémorial national** (plan général, F3) : dans le quartier de Žižkov, sur les hauteurs du parc Vítkov. Accessible par la rue U Památníku, donnant sur Husitská. M. : Florenc (lignes B et C). Sur la colline qui porte son nom, Jan Žižka domine les lieux sur son cheval. Et pour cause, la statue érigée par Bohumil Kafka mesure près de 10 m de long ! Son mémorial se dresse à l'endroit d'où il dirigea son armée pendant les guerres hussites dont il sortit vainqueur. À l'arrière, le monument constructiviste est un mémorial à la nation, fortement influencé par l'idéal socialiste révolutionnaire et témoin d'une époque aujourd'hui révolue. Dès l'entrée, on découvre une couronne de laurier posée sur un cube en marbre : symbole du communisme. Au 1er étage, les salons servent encore pour des réceptions présidentielles. Les belles mosaïques du 2e étage, dans un style révolutionnaire, retracent les grandes heures de l'histoire nationale, notamment l'arrivée de l'armée soviétique en 1945... Déception en arrivant au mausolée du Parti, il ne reste que des caveaux vides depuis 1989. En sous-sol y étaient embaumés les présidents et personnalités communistes dont Klement Gottwald. Premier président communiste, il met le pays sous la coupe de l'URSS staliniste en 1948. Ironie de l'Histoire, Gottwald meurt trois jours après Staline, des suites d'un coup de froid attrapé à Moscou à l'enterrement du maître. Ce mémorial regorge de statues expressionnistes intitulées Bravoure ou Passion, dédicacées aux légionnaires. Tout un pan de l'art socialiste révolutionnaire qui rappelle aux touristes un peu oublieux que Prague a vécu cinquante ans de régime communiste. Il devrait devenir un centre culturel. Aujourd'hui, il abrite des expositions temporaires.

★ À LA PÉRIPHÉRIE

★ **Le Musée technique national** (*Národní technické muzeum*) : Kostelní 42, Prague 7. ☎ 2-20-39-91-11. M. : Hradčanská (ligne A) puis tram n° 1, 8, 25 ou 26 ; station Náměstí Letenké. Au nord-ouest du centre. Ouvert de 9 h à 17 h. Fermé le lundi. Entrée : 40 Kcs (1,30 €). Petit dépliant en français à la caisse. Installé dans un immeuble à la laideur difficilement égalable, le musée réserve cependant d'intéressantes surprises et quelques raretés.
– *Au rez-de-chaussée*, dans un immense hangar rempli d'avions, de locomotives, d'automobiles et de motos, voir surtout les engins volants de 1910 à 1917, dont certains ne sont pas trop rassurants. Bel ancêtre de l'hélico. Rayon voiture, une belle *Bugatti*, une *Ford Lotus*, une *Škoda* de course (ou pour aller faire les courses, on ne sait pas) tout à fait méconnue de 1968. On pourra encore apprécier les modèles officiels de 1935 (Tatra 80) ou 1952 (ZIS 110 B). Également, de nombreux objets relatifs à la mesure du temps (cadrans solaires, horloges...), dont certains fonctionnent toujours. Et puis une salle réservée à l'évolution des techniques photographique et cinématographique avec une multitude d'appareils dont quelques caméras énormes.
– *Au 1er étage*, on développe le thème de l'acoustique avec la mise en pratique de certains principes physiques. Nombreux appareils exposés.
– *Au 2e étage*, collection consacrée à l'astronomie, avec force cadrans solaires, sextants, globes terrestres du XIXe siècle, outils de mesure...

★ **Le quartier Baba :** voici une petite excursion qu'apprécieront les étudiants en architecture. À 4 ou 5 km au nord-ouest de Malá Strana, un peu au-dessus du quartier résidentiel de Dejvice (il faut avoir le temps d'y aller). Prendre le bus n° 131 à partir du métro Hradčanská (ligne A, direction nord). Dans les petites rues Matějská, Na Ostrohu et Na Babě, on découvre une concentration de villas des années 1920 et 1930 assez étonnantes : cubes de béton géométriques, décochements, verrières, avancées, hublots, escaliers extérieurs métalliques, promontoires d'angles, ruptures incessantes des rythmes... Pour les matériaux, béton, verre, carrelage et fer sont à l'honneur. Du rigoureux, du fonctionnel mais toujours ce souci de la différence et de la recherche. On y trouve les influences de Le Corbusier pour la dureté des lignes et la froideur des matériaux, mâtinées du style de l'Américain Franck Lloyd Wright pour l'originalité de l'organisation des volumes. Ami dessinateur et architecte, c'est un vrai cours *in situ*.

QUITTER PRAGUE

En voiture

Depuis le 1er janvier 1995, l'accès aux autoroutes est payant. La vignette autoroutière coûte 800 Kcs (27 €), 200 Kcs (7 €) pour un mois ou 100 Kcs (3,40 €) pour 10 jours, et est disponible à la frontière, dans certaines stations-service et bureaux de poste. Elle permet l'accès à tout le réseau autoroutier. Elle est valable 1 an.

Vers l'ouest

➤ *Pour Plzeň :* E50/route 5.
➤ *Pour Karlovy Vary, Bayreuth :* E48.
➤ *Pour Chomutov* (aéroport) *:* route 7.

Vers le nord

➤ *Pour Teplice, Dresden (Dresde)* : E55/route 8.

Vers l'est

➤ *Pour Mladá Boleslav, Wroclaw* : E65.
➤ *Pour Hradec Králové, Wroclaw* : E67.
➤ *Pour Kolín, Kutná Hora* : route 12.

Vers le sud

➤ *Pour Brno, Bratislava, Wien (Vienne)* : E50/E55/E65.
➤ *Pour Tábor, České Budějovice* : E55.
➤ *Pour Strakonice* : route 4.

En bus

Plusieurs gares routières se partagent les destinations intérieures ou internationales. Pour planifier une excursion vers les châteaux ou la suite de votre voyage, le mieux est d'aller prendre les renseignements concernant les horaires et la gare de départ directement au terminal de bus principal, c'est-à-dire à celui de Florenc. Le serveur Internet suivant peut aussi vous aider à organiser vos déplacements en bus à l'intérieur de la République tchèque (numéro de ligne, fréquence...) : ● infos.eunet.cz ●

▭ Terminal de bus Praha-Florenc *(plan général, F2)* : Křižíkova 5, Prague 8. ☎ 2-24-21-10-60 ou 2-22-14-45 (mais personne ne décroche...). M. : Florenc (lignes B et C). Destinations internationales et nationales, assurées par *ČSAD*, la compagnie de bus tchèque. Facile de s'y retrouver. Dans la gare et à l'extérieur, les horaires sont affichés : sur l'un des tableaux (« Abecedni zeznam zahraničních měst ») figurent en regard les noms des villes européennes, les numéros des lignes de bus (en général 000 + 3 autres chiffres) et la gare routière ou, pour Florenc, la plate-forme de départ. Un autre tableau d'affichage (« Abecedni zeznam zástavek ») donne également le numéro de plate-forme et le numéro de ligne (6 chiffres) pour les destinations à l'intérieur de la République tchèque, au départ de ce terminal. Des bornes interactives (en tchèque ou en anglais) permettent aussi de retrouver les horaires des liaisons internationales et nationales.
➤ Pour les destinations internationales : bus (1 à 2 départs par jour) pour Amsterdam, Berlin, Bruxelles, Copenhague, Londres, Munich, Paris, Vienne, Zagreb, Zurich. Bus vers l'Italie, la Suède, la Norvège, la Pologne. Bus pour Bratislava plusieurs fois par jour.
➤ Pour les destinations nationales : bus pour Tábor, Jihlava (5 départs par jour), České Budějovice (4 départs par jour), Český Krumlov (2 départs par jour), Plzeň, Mariánské Lazně, Karlovy Vary (5 départs par jour), Třeboň, Telč...
Les autres terminaux de bus concernent essentiellement les destinations à l'intérieur de la République tchèque :
▭ Holešovice : Prague 7. M. : Holesovice (ligne C). Juste à la sortie de la station.
▭ Smíchov *(plan général, C6)* : Prague 5. M. : Nádražní Smíchovské (ligne B). Pour les villes de l'ouest et du sud-ouest en général.
▭ Želivského : Prague 3. M. : Želivského (ligne A). C'est ce terminal qu'utilisent les bus *Eurolines*.
▭ Roztyly : Prague 4. ☎ 2-795-04-81. M. : Roztyly (ligne C).
▭ Palmovka : Prague 8. M. : Palmovka (ligne C).
▭ Hradčanská : Prague 6. M. : Hradčanská (ligne A).

QUITTER PRAGUE

Anděl *(plan général, C5)* : Prague 6. M. : Anděl (ligne C), sortie « Na Knížecí ». Pour certaines villes du sud.

■ *Eurolines (CK firmy JUDr. Jan Hofmann) :* Opletalova 37, Prague 1. ☎ 2-22-89-52-29 ou 2-24-21-34-20. Fax : 2-24-21-08-35. ● www.euro lines.cz ● booking@eurolines.cz ● Le bureau, situé juste en face de la gare principale, est ouvert du lundi au vendredi de 8 h à 17 h (pour tout renseignement et pour les réservations). Le week-end, s'adresser au bureau de la gare routière Želivského, d'où partent les bus pour la France.

■ *Bohemia Euroexpress International (BEI)* : Koněvova 126, Prague 3. ☎ et fax : 2-27-74-51 ou 2-27-03-67. Comme son nom l'indique, il effectue des liaisons internationales à destination de l'Europe. Départs vers les villes de Minsk, Naples, Liège, Istanbul, Stuttgart, Londres... Les bus partent du nouveau terminal Černy most, situé au bout de la ligne B du métro.

En train

Comme pour les bus, pas vraiment de points de repère pour savoir de quelle gare part tel ou tel train. Se renseigner avant la gare principale (Hlavní nádražní). Sinon, tous les horaires et les gares ferroviaires correspondantes se trouvent dans la brochure intitulée *Jízdní řád*. Certains hôtels ou agences la possèdent, ou alors adressez-vous à *Čedok* (voir « Adresses et infos utiles »). Pour mieux préparer toutes vos liaisons en train au départ de Prague (horaires, prix...), vous pouvez consulter le site web : ● idos.datis. cdrail.cz ●

Voici quand même de quoi vous y retrouver dans les quatre gares majeures.

Gare principale, Hlavní nádraží (plan général, E3) : Wilsonova, Prague 2. ☎ 2-24-21-76-54 (24 h/24) ou 2-24-61-11-11. M. : Nádraží Hlavní (ligne C). Point de départ des lignes internationales : pour Berlin (5 h de trajet, 2 départs par jour), Bucarest (1 départ par jour), Copenhague (13 h de trajet, 1 départ par jour), Hambourg (9 h de trajet, 2 départs par jour), Munich (6 h de trajet, 1 départ par jour), Nuremberg (6 h 30 de trajet, 1 départ par jour), Paris (14 h 30 de trajet, 2 départs par jour), Vienne (6 h de trajet, 2 départs par jour), Varsovie (10 h de trajet, 3 départs par jour), Venise (14 h de trajet, 1 départ par jour), Zurich (11 h de trajet, 1 départ par jour), etc. Certaines lignes nationales : Plzeň, Ostrava, Hradec Králové, Tábor, Brno, České Budějovice, départ plusieurs fois par jour.

Gare Holešovice : Vrbenského, Prague 7. ☎ 2-24-61-58-65. M. : Nádraží Holešovice (ligne C). Au nord de la ville. Gare internationale pour les départs vers Budapest (8 h 30 de trajet, 2 trains par jour), Berlin (5 h de trajet, 2 trains par jour), Bucarest, Stockholm, Hambourg, Bratislava... Et gare nationale pour les départs vers Karlovy Vary, Brno également.

Gare Masarykovo (plan général, E3) : Hybernská, Prague 1. ☎ 2-24-22-42-00. M. : Náměstí Republiky (ligne B). Gare régionale desservant les villes en direction de Kolín, Chomutov, Lovosice, Pardubice, Děčín, Kladno... à raison de 4 à 10 trajets par jour.

Gare Smíchov : Nádražní, Prague 5. ☎ 24-61-50-86. M. : Nádraží Smíchovské (ligne B). Généralement pour les villes situées à l'ouest ou au sud-ouest (Beroun, Karlštejn, Plzeň).

■ *Wasteels (plan général, E3)* : Hlavní nádraži, Wilsonova 80, Prague 1. ☎ 2-24-61-74-54. Situé dans la gare principale, juste en face d'*AVE* (voir « Où dormir ? »). Ouvert en semaine de 7 h 30 à 20 h, le samedi de 8 h à 11 h et de 12 h à 15 h. Billets de train toutes destinations à tarifs préférentiels pour les moins de 26 ans. Accueil en français. Propose également des hébergements peu onéreux, du change, un tableau pour vos petites annonces...

En avion

➤ **Pour l'aéroport :** bus *ČEDAZ* toutes les 30 mn environ de la Republiky náměstí. M. : ligne B. Le billet coûte 90 Kcs (3 €). Autre arrêt sur la ligne A du métro à Dejvická. Le billet coûte 60 Kcs (2 €). Environ 20 à 30 mn de trajet. Informations : ☎ 2-20-11-42-96 ou 2-20-11-42-86.

✈ **ČSA** *(Compagnie nationale tchèque ; plan général) :* V Čelnicí 5, Prague 1. ☎ 2-20-10-41-11 ou 2-232-43-05 et 2-24-81-10-15 pour les réclamations. ● www.csa.cz ● M. : Náměstí Republiky (ligne B). Ouvert du lundi au vendredi de 7 h à 18 h et le samedi de 7 h 30 à 15 h. *ČSA* possède aussi un bureau à l'aéroport. ☎ 2-20-11-37-43.

✈ **Air France** *(plan général, E3-4, 4) :* Václavské nám. 57, Prague 1. M. : Muzeum (lignes A et B). ☎ 2-21-66-26-79. Fax : 2-24-22-12-03. Ouvert du lundi au vendredi de 9 h à 17 h.

LES ENVIRONS DE PRAGUE

Dans un rayon de 50 km autour de Prague, une multitude de châteaux et de lieux historiques à découvrir, pour des excursions d'une demi-journée à deux jours. Profiter de l'occasion pour folâtrer dans la forêt ou dans la campagne tchèque parsemée de pavots blancs en fermant les yeux sur les sites industriels de la région. Pour les marcheurs, la République tchèque est un vrai paradis. Des chemins de randonnée très bien fléchés et entretenus, à ne plus savoir qu'en faire. Pour vous y retrouver, procurez-vous la carte touristique *Okolí Prahy n° 9* ; vous pourrez ainsi relier tous les sites à pied.

Les châteaux de la République tchèque, de la ruine médiévale à l'édifice rénové au XIXe siècle, vivent au rythme des péripéties de l'Histoire. En 1948, les sites furent confisqués par l'État communiste dans le cadre de lois anticapitalistes ou pour cause de collaboration avec les nazis. Aujourd'hui, suite à la libéralisation, les anciennes familles propriétaires récupèrent leurs biens ancestraux. Ces aristocrates de la nouvelle vague, s'ils vivent parfois dans une partie du château, cherchent à développer leur patrimoine touristique. Le droit d'entrée dans les châteaux reste correct, avec des réductions pour les étudiants et enfants. Par contre, ne vous attendez pas à déambuler à votre guise dans les couloirs du château. La visite guidée est automatique avec le droit d'entrée, en tchèque, anglais, allemand, parfois en français. Sinon, on vous proposera un document traduit.

VERS LE NORD

LE CHÂTEAU DE TROJA (TROJSKÝ ZAMEK)

Au nord de Prague, Praha 7. ☎ 689-07-61. M. : Nádražní Holešovice (ligne C) et bus n° 112 jusqu'au terminus « Troja Zoo ». D'avril à octobre, ouvert du mardi au dimanche de 10 h à 18 h ; de novembre à mars, ouvert le samedi et le dimanche de 10 h à 17 h ; le dernier tour de visite commence toujours une heure avant la fermeture. Visite guidée : 100 Kcs (3,40 €).

Visite très recommandée aux amateurs de belles demeures. Construit à la fin du XVIIe siècle par le comte Venceslas Adalbert de Sternberg à la façon d'une villa Renaissance romaine. Œuvre architecturale de Jean-Baptiste Mathey, un Bourguignon, située dans le cadre d'un remarquable parc organisé en jardins à la française, lieu de promenade très prisé des Pragois, d'autant plus que le zoo est en face. L'escalier extérieur baroque est un pur chef-d'œuvre, avec ses statues de Johann Georg et Paul Heermann et les vases céramiques de Bombelli sur la terrasse. Afin d'apprécier l'ingéniosité et la finesse de la composition d'ensemble, il est indispensable d'accéder au château par la face sud, de la Vltava et l'enclos royal de Stromovka. Il s'agit, en effet, de l'axe principal assurant la perspective la meilleure. Malheureusement, les transports en commun aboutissent à l'entrée opposée.

À l'intérieur, après avoir enfilé des sur-chaussures pour protéger les parquets du château, dans la salle principale, fresque impressionnante à la gloire de la dynastie des Habsbourg. Sa réalisation demanda six années de travail à Isaac Godyn. Le sens de chaque détail de cette œuvre est analysé dans la documentation disponible en français à l'accueil.

Par ailleurs, les salles rénovées du château proposent une collection d'art tchèque du XIXe siècle intéressante. Nombreuses toiles de Čermák et Brožík.

LE CHÂTEAU DE VELTRUSY

À 26 km de Prague, sur la rive droite de la Vltava. Pour s'y rendre en voiture, prendre l'E55 en direction de Teplice, Dresde. En bus, départ du terminal de Holešovice (M. : Nádražní Holešovice, ligne C) plusieurs fois par jour (45 mn de trajet) ; attention, tous ne s'arrêtent pas à Veltrusy ! Ouvert de 8 h à 17 h de mai à août, de 9 h à 17 h en septembre ; en octobre et avril, le week-end seulement, de 9 h à 16 h. Dernière visite une heure avant la fermeture. Fermé le lundi et de novembre à mars.

Au milieu d'un parc quelque peu laissé à l'abandon mais où gambadent encore quelques cerfs et biches, ce château du XVIIIe siècle révèle une conception baroque originale. Les bâtiments sont disposés en croix, surmontés d'un dôme, et entourent une cour d'honneur. Au rez-de-chaussée, la Salla Terrana vous offre sa fraîcheur : voûtes superbes, trompe-l'œil et scènes romantiques peintes sur les murs. Les figurines sur les colonnes sont inspirées de modèles français du XVIIe siècle.

Résidence d'été de la famille des chevaliers Chotek jusqu'en 1945, l'intérieur fut aménagé dans le goût romantique et exotique du XIXe siècle. Belle collection d'objets Art déco, européens et orientaux. Entre autres, un service en porcelaine de Saxe dite « porcelaine aux oignons » (observer les ornements), de la faïence de Delft, des tapisseries hollandaises et des miroirs vénitiens. Le cabinet du Japon et le salon de Chine renferment des collections de porcelaine originaires d'Asie ou d'imitation européenne, et les murs sont recouverts de papiers japonais ou de tentures de soie. La salle de Marie-Thérèse, meublée en style XVIIIe siècle, témoigne du passage de l'impératrice à Veltrusy lors de la première foire industrielle organisée dans le parc du château en 1754. Le parc alentour fut aménagé dans l'esprit du retour à la nature propre au XIXe siècle : ruine romantique, temple des Amis de la campagne, et même un cabinet égyptien (toujours l'exotisme). Belle balade, dommage que le parc soit si peu entretenu.

Où dormir ?

Camping

⚐ **Auto Camping Obora :** ☎ (0205) 78-11-95. Fax : (0205) 78-10-80. En venant de l'E55, tourner à gauche en face de l'embranchement vers Veltrusy et suivre les indications fléchées. Ouvert d'avril à octobre de 6 h à 22 h. Compter 105 Kcs (3,50 €) pour deux avec une tente et 35 Kcs (1,20 €) pour le véhicule. Location de bungalows pour 2, 3 ou 4 personnes à 240 Kcs (8 €) par personne. Camping ombragé et calme. Situé au bord de la Vltava et donnant sur le parc du château. Halte agréable si vous visitez les sites aux alentours, mais pas de quoi rester une semaine. Accueil en tchèque uniquement.

Bon marché

🛏 Sur la route du camping, nombreuses **chambres** à louer chez des particuliers.

Où manger ?

|●| **Zámecký Restaurant :** Ostrov 60, Veltrusy. ☎ (0205) 242-80. Dans le parc, à 100 m à gauche du château. Ouvert aux mêmes périodes que le château, de 10 h à 22 h. Fermé le lundi. Si vous vous sentez un petit creux à la fin de votre visite, n'hésitez pas, vous y trouverez des plats autour de 140 Kcs (4,70 €). L'extérieur du resto ne paie pas de mine, mais on prend plaisir à déjeuner dans la belle salle voûtée, en musique en plus ! Plats tchèques sans originalité mais corrects. Bon rapport qualité-prix. Attention, plein de bus de touristes s'arrêtent ici.

NELAHOZEVES
....

Situé à 5 km à l'ouest de Veltrusy. Continuer sur l'E55 après la sortie Veltrusy et tourner à gauche après le pont qui traverse la Vltava. De Prague en train, prendre la direction de *Kralupy* de la gare Masarykovo (M. : Náměstí Republiky, ligne B). Descendre au premier arrêt après la ville de Kralupy.
Petite bourgade célèbre pour avoir donné naissance au musicien Dvořák en 1841. Elle possède, en outre, un très beau château Renaissance.

À voir

★ **Le château :** ☎ (0205) 78-53-31. Ouvert du mardi au dimanche de 9 h à 16 h (17 h de juin à août). Fermé le jour de Noël et le Jour de l'An. Visite toutes les demi-heures en tchèque au prix de 70 Kcs (2,35 €), avec un texte traduit pour les étrangers ; également des visites avec des guides parlant l'anglais ou l'allemand, au prix de 350 Kcs (11,70 €). La visite dure environ 1 h.
Ce château, qui vient d'être restitué à la famille Lobkowicz, est rouvert au public depuis 1994. Édifiée de 1553 à 1564 par des architectes italiens, cette imposante construction Renaissance vaut le détour pour son aspect extérieur. Les façades sont ornées de sgraffites originelles, fresques grattées sur fond noir ou bistre ; la cour intérieure est entourée d'arcades sur deux étages.
L'intérieur du château renferme une collection d'objets d'art de la famille Lobkowicz, notamment, une ribambelle de portraits de diplomates et nobles tchèques, des tableaux européens allant du XVIᵉ au XIXᵉ siècle. À remarquer, la première salle des Chevaliers, décorée de personnages à l'air goguenard, un rien surréaliste. Beaucoup de portraits espagnols des XVIᵉ et XVIIᵉ siècles, et des toiles de maîtres (Rubens, Cranach, Véronèse, Spranger...). Il y a même un Bruegel, un paysage illustrant les mois de juin et juillet. Également une toile de Canaletto représentant une célébration sur la Tamise. On jurerait voir Venise ! Le tableau de l'infante Marguerite en vertugadin est un Velázquez. De nombreux instruments de musique et des partitions originales, comme celle de la *Troisième Symphonie* de Beethoven dédiée à Lobkowicz, font partie de l'exposition. Enfin, une salle à manger du XIXᵉ siècle est reconstituée. Par son raffinement, elle ravira les amoureux des arts de la table.

★ **La maison de Dvořák :** située au n° 12, juste en contrebas du château. ☎ (0205) 78-50-99. Ouvert toute l'année, du mardi au jeudi de 9 h à 12 h et de 14 h à 17 h, le vendredi de 9 h à 12 h et le week-end de 9 h à 12 h et de 14 h à 17 h. Entrée : 30 Kcs (1 €).

LES ENVIRONS DE PRAGUE

Étrange destin pour le jeune Dvořák, qui fut d'abord apprenti boucher dans la petite ville de Nelahozeves ! Cependant, membre de l'orchestre local avec son père et son oncle, il est remarqué par un professeur et on l'envoie faire des études musicales à Prague. La suite, vous la connaissez. Ce compositeur célèbre vouait une passion simple à sa région natale et... aux trains. Normal, la ligne Prague-Dresde passe devant la maison où il vécut. La visite de sa petite maison dure 10 mn et ne présente pas un intérêt majeur, mais si vous avez déjà vu le musée Dvořák à Prague, c'est un bon complément. Cependant, demandez à l'accueil qu'on vous diffuse quelques symphonies de Dvořák, ça égaie le lieu. Il en a laissé neuf, dont celle du *Nouveau Monde*, un *Stabat Mater* et une dizaine d'opéras. Quelques photos de la mission *Apollo 11* sont là pour rappeler que la *Symphonie du Nouveau Monde* a accompagné l'homme dans son épopée lunaire. Une statue grandeur nature du compositeur a été élevée ici en 1988.

LE CHÂTEAU DE MĚLNÍK

À 33 km de Prague et une dizaine de kilomètres de Veltrusy. Pour s'y rendre : en voiture, emprunter l'E55, direction Teplice, ou la route n° 9. Sinon, bus du terminal de Holešovice (M. : Nádražní Holešovice, ligne C), très nombreux départs quotidiens.

LE CHÂTEAU

☎ (0206) 62-21-21. • www.lobkowicz-melnik.cz • Ouvert de 10 h à 17 h. Fermé en janvier et février. Visite guidée en tchèque comme en anglais : 60 Kcs (2 €). Durée : 30 mn.

Surplombant le confluent de l'Elbe et de la Vltava, le château de Mělník domine la région et garde un œil paternel sur les vignes plantées en contrebas. En effet, dans ce pays de la bière, Charles IV (élevé en France, ça ne s'invente pas) importa des plants de vigne, dont un cépage de bourgogne. Le fruit de ces importations donne, entre autres, un délicieux vin blanc, le *Ludmila*, du nom de la grand-mère de Venceslas, sainte Ludmila, née au château au IXe siècle. Après la fin tragique de cette dernière, accusée d'avoir soutenu son petit-fils trop ouvertement, le château devint le bien héréditaire des reines veuves de Bohême. Au XVIIIe, le château et le domaine deviennent possession de la famille Lobkowicz, qui, après quelques tribulations historiques, vient de récupérer son bien.

À l'origine forteresse médiévale (on distingue dans la cour à droite la dernière porte gothique), Mělník fut converti en château Renaissance au XVIe siècle. Témoins de ce style, les arcades surplombant la cour, les murs ornés de sgraffites et même le cadran solaire. Les chambres des étages supérieurs abritent des tableaux et meubles anciens réunis depuis 300 ans, notamment une collection de tableaux baroques.

LES CHAIS ET LES CAVES

Si vous n'êtes pas féru de peinture, préférez la visite des *chais* du château et des *caves*, avec dégustation finale, cela va sans dire. Deux formules sont proposées en fonction du choix final des vins de dégustation. L'une dure 30 mn et coûte 80 Kcs (2,70 €), l'autre 45 mn pour 120 Kcs (4 €). Les amateurs apprécieront. Il faut dire que la tradition du vin à Mělník est vieille de mille ans. Après sa christianisation, sainte Ludmila commença à planter de la vigne pour produire du vin de messe. Quoi d'étonnant alors à ce que saint Venceslas, son petit-fils, soit le patron des viticulteurs ! Les celliers datent donc du XIIIe siècle et l'on vous montrera même des bouteilles (pleines !) datant de 1820, mais on n'y a pas goûté. Outre le vieux tonneau de

12 500 litres (ça fait combien d'hectolitres ?), un plancher fait de 30 000 bouteilles vaut le détour. Dernier détail, la température des caves est de 11 °C, toute l'année. Prévoyez la petite laine, même à la belle saison. Très belle vue sur l'Elbe et la Vltava réunies de la terrasse ou du restaurant panoramique.

Où manger ? Où boire un verre ?

|●| **Restaurant du Château :** ☎ (0206) 62-21-21 ou 62-21-27. Ouvert le midi seulement pour les particuliers, le soir pour les groupes. Plats autour de 200 Kcs (7 €). Verres de vin à 40 Kcs (2,30 €). Grandes salles voûtées à l'intérieur mais préférez la salle panoramique ou la terrasse pour le point de vue. Si ce n'est déjà fait, goûtez aux vins fabriqués sur place. Il est fort dommage que la cuisine ne soit pas à la hauteur du cadre et de ses vins.

🍺 **Zlatý Beránek :** sur la place principale, sous les arcades de l'hôtel du même nom. Ouvert de 9 h à 22 h (23 h les vendredi et samedi). *A priori*, les habitants de Mělník ne dédaignent pas la bière malgré les vignes alentour. Cette taverne aux voûtes de crépi blanc reste très couleur locale pour qui veut boire une *pivo* en bonne compagnie !

À voir encore

★ S'il vous reste un peu de temps, la *vieille ville* mérite un coup d'œil. La place principale aux arcades, les adorables petites maisons, la porte médiévale de la ville et, à côté du château, l'église Saint-Pierre-et-Saint-Paul, dont la tour baroque marque la silhouette de la ville en arrivant en vue de Mělník.

LE CHÂTEAU DE KOKOŘÍN

LES ENVIRONS DE PRAGUE

Au nord-est, à une quinzaine de kilomètres de Mělník. Pour venir de Prague vers cette région qui préfigure le « paradis de Bohême », situé plus au nord vers Turnov et Jičín, un bus quotidien part du terminal Holešovice (M. : Nádraží Holešovice, ligne C). Sinon, une poignée de bus y vont depuis Mělník. Bref, l'accès n'est pas des plus faciles en bus, dommage. En voiture, la balade est superbe au départ de Mělník. Suivre la direction Kokořín Důl ou Mšeno et traverser la voie ferrée. Quelques kilomètres après la sortie de la ville, vous voilà au milieu d'une forêt d'où surgissent des rochers en grès aux formes étranges ; puis vous passez devant le lac de Harasov, lieu de baignade un brin populaire, avant d'arriver en vue du château. N'y montez pas en voiture, les gendarmes vous attendent au tournant. Garez-vous plutôt au parking et allez jusqu'au château à pied. Montée de 15 mn.
Château ouvert du mardi au dimanche de 8 h à 17 h de mai à août, de 9 h à 17 h en septembre ; en avril et octobre, seulement les week-ends, de 9 h à 16 h. Shakespeare avait dépeint la Bohême comme une région côtière. Allez comprendre ! Eh bien si, on a compris en apercevant le château fort de Kokořín tel un navire flottant au milieu des forêts. Construit au XIVᵉ siècle et laissé en ruine, il fut restauré à la mode romantique au XIXᵉ siècle. L'intérieur ne présente pas d'intérêt, par contre, vous pouvez à loisir explorer les remparts et grimper à la plus grande tour.

Où dormir ?

Camping

⛺ ***Camping ATC Kokožín :*** à Kaninský Důl. Ouvert à la bonne saison. Situé en pleine forêt, vous pourrez y planter votre tente dans un cadre agréable, avec pour voisins quelques gentils écureuils.

LA FORTERESSE DE TEREZÍN

Située à 59 km au nord-ouest de Prague. Accès par l'E55, direction Teplice. Bus du terminal Florenc (M. : Florenc, lignes B et C). Plusieurs départs par jour. Compter 1 h à 1 h 15 de trajet. La forteresse de Terezín, comprenant la petite forteresse à l'entrée de la ville et la fortification de Terezín, est tristement célèbre à cause de sa transformation en camp de concentration par les nazis. Entrées payantes pour la petite forteresse et pour le musée du Ghetto : 100 Kcs (3,40 €) chacune. Possibilité aussi d'acheter un billet groupé (petite forteresse et musée) à un bien meilleur prix : 120 Kcs (4 €).

★ ***La petite forteresse :*** ☎ (0416) 78-22-25 ou 78-24-42. Ouvert de 8 h à 16 h 30 (18 h de mai à septembre). Fermé pendant les fêtes de fin d'année. Visite guidée sur demande ou seul avec un document. Le parcours est numéroté. Conçue de 1780 à 1790 contre d'éventuelles attaques prussiennes, cette forteresse fut très vite transformée en prison politique. En 1940, pendant l'occupation allemande, le lieu est réquisitionné par la Gestapo de Prague. 32000 détenus sont passés par cette prison politique, une majorité de Tchèques (résistants et communistes) et des prisonniers de 17 nationalités différentes. Les prisonniers juifs et russes y ont connu un sort pire que les autres. 8000 détenus de Terezín ont été déportés dans les camps de concentration.
Devant la forteresse, vaste cimetière où fut enterrée la plupart des victimes. À l'intérieur, visite des blocs et cellules où étaient entassés les prisonniers. Vous y verrez le sinistre slogan nazi « Arbeit macht frei » (« Le travail rend libre ») peint au-dessus de la porte. Dans l'un des blocs, la cellule où séjourna Gavrilo Princip qui tua l'archiduc François-Ferdinand à Sarajevo (avec quelques souvenirs de son incarcération).
Après les premières cours, emprunter un long couloir souterrain illustrant les fortifications primitives jusqu'au lieu d'exécution. Le massacre le plus important (52 victimes) s'est déroulé le 2 mai 1945, trois jours avant la libération du camp. Une salle de cinéma, aménagée pour les gardiens du camp, diffuse aujourd'hui des documents en français, en anglais et en allemand sur la tragédie de Terezín. La quatrième cour, construite en 1943, a accueilli des prisonniers de guerre, à près de 600 par cellule ! Les dernières cellules ont été transformées en salle d'exposition de peintures, dessins et photos liés à la vie du camp. Au monument commémoratif a été déposée de la terre provenant des camps où furent exterminés les détenus qui avaient transité par Terezín. Également une plaque commémorative dédiée au poète Robert Desnos. Échappé d'un transport de la mort, il fut interné à Terezín et mourut du typhus le 8 juin 1945. Rien qu'à la petite forteresse, 2500 prisonniers sont morts de maladie ou de mauvais traitements. Enfin, près de l'entrée, musée historique particulièrement émouvant.

★ ***Le ghetto de Terezín :*** la ville fortifiée de Terezín est devenue un ghetto juif en 1942. Près de 140000 juifs tchèques, allemands, autrichiens, slovaques et hongrois sont passés là. Plus de 87000 ont été déportés vers les camps de la mort et moins de 4000 en sont revenus. Terezín fut un lieu de transit, de décimation (un cinquième des habitants y périt) et de propagande. En fait, ce lieu devait apparaître comme le ghetto modèle destiné à tromper l'opinion publique internationale. Géré par un conseil autonome, avec une banque et un café sur la place principale, le ghetto était censé représenter un camp où il faisait bon vivre. Il subit à ce titre des travaux d'embellissement lors de la visite de la Croix-Rouge internationale en 1943. La population du ghetto tourna en sa faveur cette propagande nazie en profitant de cette liberté inespérée. Une formidable résistance artistique et intellectuelle vit le jour. De nombreux artistes, musiciens ou écrivains se produisirent officiellement ou clandestinement et contribuèrent à ranimer l'espoir.

– *Le musée du Ghetto* : situé près de la place principale. Ouvert tous les jours de 9 h à 17 h 30 (18 h de mai à septembre). Fermé fin décembre pour les fêtes. Il mérite vraiment qu'on s'y arrête, tant il dévoile de façon claire et sensible ce que fut la vie du ghetto. Expositions d'œuvres créées pendant la guerre par les habitants, nombreux dessins d'enfants. Au 1er étage, sur des panneaux explicatifs en anglais, en allemand et en tchèque, historique de la « solution finale », appliquée aux juifs et vie quotidienne du ghetto, notamment la vie culturelle intense qui permit de préserver le moral. Également un film vidéo où les survivants de Terezín racontent...

– *Le crématorium* : à la sortie de la ville. Ouvert de mars à octobre, de 10 h à 17 h. Fermé le samedi. Reste un bâtiment d'époque, avec ses installations intérieures (salles, fours...). C'est avant tout un mémorial.

VERS L'EST

KUTNÁ HORA

À 68 km à l'est de Prague, la ville de Kutná Hora rivalisait jusqu'au XVIe siècle avec... Prague. L'exploitation de mines d'argent et de cuivre explique l'épanouissement de la cité et sa richesse culturelle. Aujourd'hui quelque peu oubliée, elle demeure néanmoins un lieu d'excursion à ne pas dédaigner, d'autant qu'elle est inscrite sur la liste du patrimoine mondial culturel de l'Unesco. Pour s'y rendre : en voiture, prendre la route n° 12 en passant par Kolín, ou, plus direct, suivre la route Kutnohorská qui prolonge la rue Vinohradská à Prague. En bus, plusieurs liaisons par jour du terminal de Florenc (M. : Florenc, lignes B et C) ; compter 1 h 30 de trajet. En train, départ de la gare Hlavní nádražní (M. : Nádražní Hlavní, ligne C). De la gare de Kutná Hora, située à 3 km du centre, prendre une navette jusqu'à une station plus centrale ou le bus n° 2 ou 4.

Où dormir ?

Prix modérés

🛏 *Hôtel U Hrnčíře :* Braborská 24. ☎ (0327) 51-21-13. En plein cœur de la vieille ville, à proximité du Hrádek. Chambres doubles à 1 000 Kcs (3,40 €), petit déjeuner compris. Une petite pension privée qui propose 3 chambres doubles avec salle de bains commune, et de grandes chambres pour 4 personnes. Jolie vue sur le jardin et sur l'église Saint-Jacques. Petit déjeuner à prendre sur la terrasse.

🛏 *Hôtel Mědínek :* Palackého náměstí. ☎ (0327) 51-27-41 ou 42.

Fax : (0327) 51-27-43. L'hôtel « officiel », sur la place principale de la vieille ville. Chambres doubles à 1 100 Kcs (37 €) avec bains, sans charme particulier.

Où manger ?

Bon marché

|●| *U Hrnčíře* : Braborská 24. Ouvert le lundi de 17 h à 23 h et du mardi au dimanche de 11 h à 23 h. Chez « le potier » qui propose des chambres (voir « Où dormir ? »). Pour un repas à prix doux, un choix de viande et poisson assez varié, compter 80 à 100 Kcs (2,70 à 3,40 €) pour un plat. Vous pourrez déjeuner en terrasse ou dans la croquignolette salle voûtée.

Où boire un verre ?

♟ *U Tri pávů* (Aux Trois paons) : Palackého náměstí. Ouvert jusqu'à 17 h. Pour boire un café ou manger une glace dans un petit jardinet sympa, blotti derrière un porche.

À voir

★ *La cathédrale Sainte-Barbe* (chrám Sv. Barbory) : au sud-ouest de la ville. En voiture, s'arrêter sur la rue Kremnická en face de la cathédrale. Sinon, à pied du centre-ville (Palackého nám.), prendre la rue Braborská. Ouvert de 9 h à 12 h et de 13 h à 16 h. Fermé le lundi. Actuellement en réfection, les horaires ne sont donc pas toujours respectés. Visite : 40 Kcs (1,30 €), avec fascicule en français.

La construction de cette cathédrale de style gothique flamboyant, financée en partie par les mineurs, débuta vers 1388 et se termina 150 ans plus tard... Plusieurs générations d'architectes ont eu le temps d'y travailler. Les disciples de Petr Parléř commencèrent les travaux, puis Mathias Rejsek éleva la voûte au-dessus du presbytère. Enfin, avec Benedikt Ried, maître du genre, la voûte nervurée et le toit aux trois pavillons furent achevés. On note un air de famille entre la splendide voûte à nervures décorée de blasons et celle de la salle Vladislav du vieux palais royal de Prague. Normal, c'est le même architecte ! Les fresques médiévales dans les chapelles du fond sont assez bien conservées. On y voit une représentation des mineurs et des monnayeurs. Au centre de la cathédrale, adossé à un pilier central, ce n'est pas un moine mais bien un mineur en tenue de travail. La robe blanche permettait d'être mieux visible au fond de la mine. Le tablier de cuir servait de tapis pour descendre dans la mine en glissant sur le derrière ! En sortant de la cathédrale, emprunter la rue Braborská. Les statues sur la droite ressemblent étrangement à celles du pont Charles... La rivalité entre Prague et Kutná Hora a provoqué quelques imitations. Le bâtiment de style Renaissance sur la gauche, assez austère, est un cloître construit par les jésuites.

★ *Le Châtelet* (Hrádek) : aujourd'hui transformé en musée de Numismatique. ☎ (0327) 51-21-59. Ouvert en juillet et août de 10 h à 18 h, en mai, juin et septembre de 9 h à 18 h, en avril et octobre de 9 h à 17 h. Fermé le lundi. Muni d'une lampe, d'un casque et de la traditionnelle blouse blanche de mineur, vous pourrez descendre visiter les anciennes mines d'argent désaffectées depuis la fin du XVIe siècle. Impressionnant mais décevant quant au contenu.

★ *La cour des Italiens* (Vlašský dvůr) *:* Havlíčkovo náměstí 552. ☎ et fax : (0327) 51-28-73. En descendant la rue Ruthardská, à côté de l'église Saint-Jacques. Ouvert tous les jours, de 9 h à 18 h en saison et de 10 h à 16 h hors saison. Visite guidée en tchèque : 30 Kcs (1 €), en français : 50 Kcs (1,70 €). Durée : 30 mn. À l'origine lieu où était frappée la monnaie, la cour des Italiens est devenue, fin XIVe siècle, la résidence royale du roi Venceslas IV. Visite intéressante où vous passerez d'une démonstration de frappe de monnaie à la salle où se tenaient les audiences royales. Belle chapelle de style gothique. Au rez-de-chaussée, au-dessus de la porte, on peut lire « Ne me touche pas ». En effet, dans cette première banque tchèque, chaque pièce fabriquée était considérée comme propriété du roi ! Dans la cour, on distingue des portes et fenêtres murées. Ce sont les vestiges des ateliers des monnayeurs venus d'Italie.

★ *La chapelle de Tous-les-Saints* *:* à *Sedlec*, 2 km au nord-ouest de Kutná Hora. Ouvert de 8 h à 12 h et de 14 h à 18 h d'avril à septembre, de 9 h à 12 h et de 13 h à 17 h en octobre et novembre, jusqu'à 16 h de décembre à mars. Entrée : 30 Kcs (1 €). Petit fascicule d'explications en français à l'entrée. Cœurs sensibles s'abstenir : l'intérieur de la chapelle est orné d'ossements humains... c'est ce qui en fait l'attraction majeure. Tout commença au XIVe siècle, avec la construction de la chapelle gothique. Pendant la peste de 1318, au moins 30 000 corps furent enterrés dans le cimetière. Un incendie détruisit la chapelle en 1421. Mais le site ne fut pas abandonné, au contraire. Les combattants des guerres hussites y furent à leur tour enterrés. Au fil des années, la superficie du cimetière fut progressivement réduite pour construire de nouveaux bâtiments, et l'on raconte qu'en 1511 un moine avait déjà commencé à rassembler les os et les crânes en pyramides. Deux siècles plus tard, la chapelle de Tous-les-Saints fut restaurée par Jan Blažej Santini-Aichl, qui eut l'idée de cette décoration : des pyramides d'os, des ostensoirs et même un lustre composé de tous les os du corps humain. Au cours des décennies suivantes, plusieurs artisans contribuèrent à leur tour à cette œuvre qui rappelle aux visiteurs la réalité de la mort et des valeurs éternelles... Vous verrez, c'est macabrement très surprenant.

VERS LE SUD

LE PARC BOTANIQUE DE PRŮHONICE

Envie de se mettre au vert ? À 12 km du centre de Prague, le parc botanique de Průhonice est une véritable bouffée d'oxygène et de chlorophylle. Pour s'y rendre : en voiture, prendre l'E50 en direction de Brno, sortie Průhonice. En bus, de la station de métro Opatov (ligne C), départ toutes les heures, trajet de 20 mn. Le parc est ouvert toute l'année, de 7 h à 19 h. Le château ne se visite pas.

Botanistes en herbe, les 200 ha du parc créé au XIXe siècle sauront vous satisfaire. Roseraie, jardin alpin ou rocaille sont aménagés par les paysagistes dont le centre de recherche se situe dans le château. Les romantiques dans l'âme se pâmeront devant les rhododendrons, les magnolias ou tout simplement la vue admirable du château, en venant du lac.

Ce château, éclectique en diable, a été érigé au XIIe siècle puis totalement rénové fin XIXe dans la veine historiciste. Ce mouvement architectural, fortement imprégné de nationalisme tchèque, visait à réinterpréter les styles des époques précédentes. En clair, à faire du neuf avec de l'ancien. Ainsi la façade noire et blanche est-elle du néo-Renaissance tchèque. Par contre, les éléments végétaux en fer forgé ou les frontons du néo-baroques...

Sinon, la ville de Průhonice n'a rien d'exceptionnel. Quelques hôtels récents mais clinquants et sans charme.

L'ABBAYE CISTERCIENNE DE ZBRASLAV

À 12 km du centre de Prague, vers le sud. En voiture, route de Strakonice (n° 4), sortie Zbraslav. Bus n°s 129, 241 et 243 du terminal de Smíchov (M. : Nádražní Smíchovské, ligne B). ☎ 57-92-16-38. Ouvert de 10 h à 18 h. Fermé le lundi.

Abbaye cistercienne construite en 1291. Détruit pendant la guerre de Trente Ans, il est reconstruit au XVIIIe siècle par Santini et Kaňka dans un style « baroco-gothique ». Les bâtiments en U enserrent une cour d'honneur. Remarquez, au milieu de chacune des ailes, les pavillons couverts de toitures à la manière des pagodes. À l'intérieur, superbe cloître aux couloirs dédoublés. Jeux d'ombres et de lumière dans les mezzanines à échappées et ouvertures multiples. Depuis peu, l'ensemble des bâtiments de l'abbaye abrite la collection d'art asiatique et les archives de la Galerie nationale de Prague. C'est la première fois, depuis presque un demi-siècle, que les objets asiatiques possédés par la Galerie nationale sont présentés au public. On y admirera la complexité de chaque discipline artistique depuis les temps les plus anciens, avec une prédominance des arts japonais (par exemple, céramiques, armes, travail du métal, peintures et art graphique) et chinois (des figurines tombales aux poteries). Également des objets en provenance d'Inde, du Moyen-Orient et de l'Asie du Sud-Est, avec des peintures tibétaines uniques et une riche collection de tapis. Une promenade dans le parc pourra clore la visite.

LE CHÂTEAU DE ČESKÝ ŠTERNBERK

À 46 km au sud-est de Prague. Accès en voiture par l'E55 puis l'E65 en direction de Brno. En bus, départ du terminal Praha Roztyly (M. : Roztyly, ligne C), 1 h 30 à 2 h de trajet ; peu de bus quotidiens. Un peu plus long en train. Départ de la gare de Vršovice jusqu'à Čerčany. Ensuite, le parcours jusqu'à Český Šternberk est une très belle façon de découvrir le site, le long de la rivière Sázava. Petite marche pour atteindre l'entrée du château. ☎ (0303) 85-51-01. Ouvert tous les jours sauf le lundi de 9 h à 18 h en juillet et août, jusqu'à 17 h en mai, juin et septembre ; uniquement le week-end, de 9 h à 16 h, en avril et octobre. Il faut cinq personnes au moins pour que la visite ait lieu. La visite guidée coûte 40 Kcs (1,30 €) en tchèque et 100 Kcs (3,40 €) en langue étrangère. Certains jours, si vous avez de la chance, vous pourrez assister à une démonstration de fauconnerie dans la cour du château.

Forteresse gothique du XIIIe siècle dominant la vallée boisée de la Sázava, ce château est le fief de la famille Šternberk depuis 1241 et, après quelques péripéties historiques, il leur appartient toujours. Aussi ne vous étonnez pas d'entendre de la musique pendant la visite, la famille vit toujours dans une partie du château... Si vous y tenez, la visite vous plongera dans l'univers privé de la famille. Là, les trophées de chasse du grand-père ; ici, une multitude d'objets miniatures en argent de la bisaïeule. Beaucoup de photos de famille et de meubles baroques. Le fantôme du château ne manque pas à l'appel, sous forme d'un chien féroce, entouré de flammes. Dans la jolie chapelle, on vous montrera ses empreintes incrustées dans le sol ! Belle collection de gravures de la guerre de Trente Ans. Noter également l'étoile à cinq pointes sur les parquets, blason de la famille Šternberk (*Stern* signifie « étoile »).

➤ Aux alentours du château, possibilité de faire de belles excursions dans la forêt ou sur la Sázava en canoë.

Où manger ?

|●| *Restaurant du château :* dans l'enceinte même du château. Ouvert pour le déjeuner. Plats à moins de 100 Kcs (3,40 €). Carte en tchèque, mais on vous la traduira en anglais. En fait, le choix que vous ferez importe finalement peu, puisque la cuisine est familiale, simple et bonne. Spécialités de pâtisseries maison à prix extra-doux. Dans la salle, des grands bancs de bois avec pour dossier des lanières de cuir, sur les murs, quelques fusils et des peaux de bêtes. On est loin des hordes de touristes.

LE CHÂTEAU DE KONOPIŠTĚ

À 40 km au sud-est de Prague. En voiture, prendre l'E50 en direction de Brno, sortir à Benešov et suivre l'E55 en direction de Tábor. En train, se rendre à Benešov de la gare Hlavní nádražní. Sinon, bus pour Benešov du terminal Roztyly (30 mn de trajet) ; nombreux départs. De Benešov, le château de Konopiště est à 15 mn de marche ou accessible par le bus n° 7 ou 8. ☎ (0301) 213-66. Château ouvert de 9 h à 17 h (dernière visite à 16 h) de mai à août, de 9 h à 16 h en septembre, de 9 h à 15 h d'octobre à avril. Attention, les caisses ferment bien avant la dernière visite, ainsi qu'entre 12 h et 12 h 45 ; la dernière visite débute théoriquement une heure avant la fermeture. Fermé le lundi. Exposition temporaire d'art moderne dans la galerie d'Este.

Forteresse du début du XIVe siècle dont seule subsiste la plus haute tour, largement remaniée en résidence baroque dès la première moitié du XVIIIe siècle. Son heure de gloire commence en 1887, date à laquelle l'archiduc François-Ferdinand d'Este l'achète pour en faire sa résidence familiale. Il apportera des aménagements intérieurs modernes (eau chaude, ascenseur, etc.) et surtout donnera un soin tout particulier au parc de 225 ha. Après son assassinat en 1914, qui va déclencher la Première Guerre mondiale, le château devient propriété de l'État. Le parc est assez peu entretenu ; par contre, les intérieurs sont remarquablement bien conservés et reflètent véritablement la personnalité complexe de François-Ferdinand. Trois circuits de visite assez longs sont proposés : les salons de réception, les appartements privés et, depuis peu, les appartements du jeune Ferdinand. Vous ne les ferez peut-être pas tous (sauf si la journée est pluvieuse ?), alors voici quelques indications pour vous aider à choisir.

LES SALONS DE RÉCEPTION

La visite dure 45 mn et coûte 60 Kcs (2 €) pour un tour en tchèque, 110 Kcs (3,70 €) dans une autre langue (choisie en fonction de l'affluence).

★ *Le hall d'entrée :* âmes sensibles, passez votre chemin ! Les innombrables trophées de chasse de François-Ferdinand ont de quoi faire frissonner... Têtes de cerf et de sanglier, hiboux, rapaces... tout y passe. Ce chasseur invétéré accumula près de 300 000 trophées, dit-on. Soit environ 20 animaux tués par jour... et cette folle manie dura de l'âge de 10 ans jusqu'à sa 51e année.

★ *La chambre de femme :* mobilier d'époque. Au mur, le portrait de l'impératrice Marie-Thérèse entourée de ses proches, avec, dans le berceau, Marie-Antoinette bébé. Dans toutes les pièces se trouvent des poêles en faïence, alimentés par des niches de l'extérieur. Ce chauffage ingénieux permettait d'éviter les risques d'incendie dans les chambres et les oreilles indiscrètes des domestiques venus alimenter le feu.

★ *La salle à manger :* le plafond du XVIIIe siècle représente les quatre moments de la journée ; beaux Gobelins et lustre de Bohême pesant quelques 300 kg !

★ *Le cabinet et la chambre à coucher de l'Amiral :* celui-ci résida au château en 1914.

★ *Le petit salon :* collection de céramiques. L'installation électrique est d'époque, c'est-à-dire de 1900.

LES APPARTEMENTS PRIVÉS

Durée, prix et conditions identiques à la visite précédente.

★ Remarquer l'*ascenseur*, un des premiers en Europe, avec fauteuil intégré !

★ *Les chambres :* dans la première, celle du prince Rodolphe, les chaises en bois du XVe siècle sont de tailles différentes. Cela afin que chacun, au cours du dîner, puisse se voir dans les yeux. Dans la deuxième chambre, belle armoire Renaissance et mappemonde ou plutôt « mappe-voûte » céleste. Troisième chambre : crocodile, tigre, lustre en bois de cerf... celle-ci ne peut appartenir qu'à François-Ferdinand. Photos de famille.

★ *La chapelle :* dédiée à saint Hubert, patron des... chasseurs. Voûte remarquable.

★ *Le vestibule et la salle d'armes :* splendide ! même pour les néophytes. Collection de dagues, pistolets et arbalètes. Les épées au bout carré servaient au bourreau... Dans la salle d'armes, qui faisait office de théâtre au XVIIIe siècle, armures très différentes selon les jours (bataille, tournoi ou mariage). Jolis fusils pour femmes, incrustés d'ivoire et, près de la porte, deux armures pour enfants de 6 ans !

★ *La bibliothèque :* portrait de François-Ferdinand et toujours des carpettes animales...

★ *Le salon fumeur :* à gauche, Suzana, la dernière ourse apprivoisée du château. Le petit salon oriental, splendide, est aménagé en souvenir des voyages de François-Ferdinand.

LES APPARTEMENTS PRIVÉS DE L'ARCHIDUC (3e ÉTAGE)

Visite : 120 Kcs (4 €) en tchèque, 240 Kcs (8 €) dans une autre langue. Durée : 60 à 70 mn.

★ Pour ceux qui ont encore du temps et les fanas de visite, le *troisième étage* est maintenant ouvert au public. Il se compose d'un salon rose (décidément, cette couleur était à la mode !), de la chambre à coucher et de l'étude de François-Ferdinand, de la chambre à coucher des garçons et de celle de la princesse Sophie, de la nursery, de la chambre des gouvernantes... Comme il est bien difficile de tout décrire, on vous laisse la surprise.

À VOIR ENCORE

★ Pour mettre un point final à votre passage au château de Konopiště, il vous restera encore à visiter une *petite salle* recouverte de trophées, dont l'entrée se trouve de l'autre côté de la cour, en face des caisses ; entrée : 20 Kcs (0,70 €) ; ainsi que la *galerie Saint-Georges* située au-dessous de la terrasse sud. Y sont exposés tableaux et sculptures de saint Georges terrassant le dragon, l'un des héros préférés de l'archiduc.

Nul doute qu'au bout de cette journée, vous serez incollable sur François-Ferdinand.

Où dormir? Où manger?

Prix modérés

🏠 I●I *Pension Majama :* Jarkovice 0114. ☎ et fax : (0301) 240-24. Sur l'E55, en direction de Tábor, tourner à droite au niveau du *Motel Konopiště*; ensuite, suivre les indications fléchées sur environ 2 km pour atteindre la pension. Ouvert de mars à octobre. Chambres doubles à 1100 Kcs (37 €), petit déjeuner compris. Grandes chambres avec douche et w.-c. dans des chalets au bord de l'eau. Le matin, petit déjeuner sur la terrasse. Le soir, dîner à la table d'hôte. Tenue par Jaroslav Vrtiška, cette petite pension bien dissimulée est un havre de calme au cœur de la campagne tchèque. Réserver à l'avance car les habitués reviennent et... squattent !

Plus chic

⚐ 🏠 I●I *Motel et Autocamp Konopiště :* sur la E55 en direction de Tábor, à gauche après l'embranchement pour Konopiště. ☎ (0301) 227-32. Fax : (0301) 220-53. Camping ouvert de mai à septembre. Réserver pour les mois d'été. 120 Kcs (4 €) par personne, plus 120 à 250 Kcs (4 à 8,40 €) pour la tente et 120 Kcs (4 €) pour la voiture ; hébergement en caravanes pour 800 Kcs (27 €) en saison, 350 Kcs (11,70 €) hors saison. Chambres doubles à environ 2000 Kcs (70 €) en été. Hôtel assez moderne. Propose des chambres doubles avec salle de bains, TV et téléphone. Un peu kitsch américain à la sauce tchèque. Piscine, tennis et mini-golf. Restaurant traditionnel avec animation musicale. En contrebas, camping luxueux avec de beaux emplacements.

VERS L'OUEST

LE CHÂTEAU DE KARLŠTEJN

À une trentaine de kilomètres au sud-ouest de Prague. Pour s'y rendre : en train, départ de la gare de Smíchov toutes les 30 mn. À l'arrivée, en sortant de la gare, longer les voies, passer le pont et prendre à droite : le parking est à 500 m. Par la route, prendre l'E50 et sortir à Karlštejn. Après le parking, compter 2 km de marche. N'essayez pas de monter en voiture, c'est interdit et la police vous attend au tournant. Facile, le poste de police est dans le premier virage. La montée est jalonnée de magasins de souvenirs et de restos, tourisme oblige.

LES ENVIRONS DE PRAGUE

Le château est ouvert de 9 h à 18 h en juillet et août, jusqu'à 17 h en mai, juin et septembre, 16 h en avril et octobre, 15 h de novembre à mars ; les caisses ferment entre 12 h et 13 h. Fermé le lundi et les lendemains de fête. Visite guidée obligatoire (1 h) : 200 Kcs (7 €) ; en tchèque, français, anglais ou allemand, en fonction des groupes. Petits livrets de présentation en français en vente à l'entrée.

Ce château, réputé pour être le plus beau de Bohême, fut édifié par l'architecte Mathias d'Arras entre 1348 et 1356. Personnalité très pieuse, Charles IV fit bâtir, sur un éperon rocheux inaccessible, une forteresse-coffre-fort pour recevoir sa collection d'objets religieux et les joyaux de la Couronne (salle de la chapelle Sainte-Croix). Les femmes n'étaient pas admises dans le château. Endommagé pendant la guerre de Trente Ans, il fut restauré à la fin du XIXe siècle.

★ *La salle des Vassaux :* maquettes de la forteresse, boulets de canon d'origine !

★ *L'antichambre et la chambre :* une minuscule salle de bains. Belle statue gothique de sainte Catherine écrasant le paganisme, en l'occurrence le roi Maximilien.

★ *La salle d'audience :* lambris d'origine aux murs et au plafond. Remarquer les portes, elles mesurent 1,72 m, soit 12 cm de moins que la taille de Charles IV. C'est d'ailleurs une des raisons pour lesquelles il détestait cette salle.

★ *L'église de la Vierge-Noire :* assez bien conservée. Chaque 29 novembre, date de la mort de Charles IV, une messe est célébrée en ce lieu. Les fresques sur les murs du fond représentent le roi recevant les reliques des saints. Au fond, la chapelle Sainte-Catherine, aux murs incrustés de pierres polies, est une merveille de décoration médiévale.

★ *La chapelle Sainte-Croix :* la perle de Karlštejn, destinée à recevoir les joyaux de la Couronne. En effet, les pierres semi-précieuses décorant les murs avaient une fâcheuse tendance à disparaître, et des petits malins s'amusaient à graffiter sur les fresques... Dommage, c'est ce qui faisait l'intérêt majeur de la visite ! Elle abritait également une superbe exposition de peintures religieuses du XIVe siècle, œuvres de Místr Theodoricus, transférée pendant les travaux au couvent de Sainte-Agnès, à Prague.

Où dormir ?

Camping

⛺ *Camping de Karlštejn :* ☎ (0311) 68-12-63. Sur la route de Beroun, à 1 km du parking du château. Avec des prix tout doux, 40 Kcs (1,30 €) pour un emplacement et à peu près autant par personne. Au bord de l'eau. Ambiance cool et routarde.

Où manger ?

Karlštejn étant, on ne vous cache rien, une destination touristique très prisée, on trouve beaucoup de restos et de boutiques sans aucune originalité.

|○| *Koliba U Elišky :* à côté du parking. ☎ (0311) 943-26. Ouvert de 9 h 30 à 17 h. Fermé le lundi. Plats autour de 150 Kcs (5 €). Conducteurs, attention : le litre d'eau vous coûtera plus cher que le plat. Agréable resto uniquement pour sa terrasse au bord de la Berounka.

Touristique, mais qu'y a-t-il d'autre à Karlštejn ? Spécialités de grillades au feu de bois. Animations folkloriques.

➤ DANS LES ENVIRONS DU CHÂTEAU DE KARLŠTEJN

★ Jolis **villages de Srbsko** et **Řevnice**.

★ Les amateurs de stalactites et stalagmites peuvent faire une fraîche halte aux **grottes de Koněprusy**, à une quinzaine de kilomètres (de Karlštejn, suivre Srbsko, Tetín et Bítov jusqu'au village de Koněprusy). Mais ne vous attendez pas à quelque chose de grandiose. Assez décevant.

LE CHÂTEAU DE KŘIVOKLÁT

À 46 km à l'ouest de Prague. Pour s'y rendre en voiture, prendre la E55 vers Beroun ; sortir à Beroun et suivre la direction de Rakovnik. En bus, départ du terminal Hradčanská (M. : Hradčanská, ligne A). En train, depuis Beroun, quelques trains par jour en direction de Rakovnik. Château ouvert de 9 h à 16 h en avril et d'octobre à décembre, de 9 h à 17 h en mai et en septembre, de 9 h à 18 h en juin, juillet et août. Fermé le lundi. Durée de la visite : 40 mn. Křivoklát surgit tout à coup de la forêt et domine les alentours de son imposante stature. Au XIIe siècle, petit pavillon de chasse pour les souverains de Bohême, il est transformé en château fort au XIIIe puis rénové presque à chaque siècle tant il subit de dommages (guerre, incendies...). D'où un manque d'homogénéité architecturale. Au début de la visite, du reste assez décevante, des maquettes illustrent les différents liftings du château.

★ **La chapelle :** de style gothique tardif, elle possède un superbe autel du début du XVIe siècle, retraçant les différentes scènes de la vie du Christ. Les tailleurs de pierre de Benedikt Ried ont travaillé la voûte en croisée d'ogive. Remarquer, en bout de bancs, les animaux sculptés, censés représenter l'essence du Mal...

★ **La salle des Chevaliers :** exposition de tableaux religieux du XVIe siècle.

★ **La salle royale :** pas grand-chose à y voir, excepté les dessins d'enfants (XVe siècle) sur les murs de droite. À l'époque, les enfants de souverains s'exprimaient sur les murs ; aujourd'hui, on leur tape sur les doigts...

★ Belle **bibliothèque** de la famille Fürstenberg, qui reçut le château en dot au XIXe siècle. Près de 30 000 volumes en plusieurs langues.

★ Résidence d'été et de chasse, Křivoklát rime aussi avec prison, torture et oubliettes. Dans les **cachots**, instruments de torture, cages ou chapelets de la honte. Avis aux sadiques. Dans les oubliettes, le prisonnier était jeté par l'ouverture du haut, *ad vitam aeternam*.

Où dormir ? Où manger dans les environs ?

La région de Křivoklát est une invitation à la découverte à pied, grâce aux nombreux chemins de randonnée.

Camping

⚐ **Autocamp AERO, Višňová I :** Višňová U Roztok. ☎ (0313) 55-843. À 4 km du château. Sur la route pour aller à Křivoklát, après Roztoky, suivre à gauche vers Višňová les indications fléchées. Compter 55 Kcs (1,80 €) par personne, autant pour la tente et autant pour la voiture. Location de bungalows pour 3 ou 4 personnes à partir de 300 Kcs (10 €).

Au bord de la Berounka, un camping tout simple et assez ombragé. Ambiance très familiale. Sanitaires trop petits ! À côté, un deuxième camping, jumeau du premier.

Prix modérés

🛏 |●| *Villa U čtrnáctých :* Nižbor 0102. ☎ (0311) 933-91. Contact à Prague : Ivana Netuková. ☎ 43-19-335. À Nižbor, entre Beroun et Křivoklát. À la sortie du village, prendre la route à gauche au niveau du petit monument religieux, puis suivre la route, c'est l'une des dernières maisons sur votre droite. Ouvert de mai à octobre. Préférable de réserver pour cette agréable chambre d'hôte. Chambres doubles à partir de 1 100 Kcs (37 €). Une halte de rêve dans une demeure centenaire, pleine de charme. Appar-

tement idéal pour une famille, meublé à l'ancienne, avec une salle de bains originale. À l'étage, 5 chambres doubles spacieuses, plus modernes. Votre hôtesse s'occupera de vous mieux qu'une mère. Et la cuisine... Petit déjeuner, servi en terrasse aux beaux jours, avec de délicieuses pâtisseries. Table d'hôte le soir, uniquement à partir des produits de la ferme. On peut même finir la soirée à la cave, où un bar à vin a été récemment aménagé.

LE CHÂTEAU DE LÁNY

Si vous visitez Křivoklát, faites le détour par Lány (15 km au nord, direction Kladno) avant de rentrer sur Prague. Très belle route qui traverse la forêt. Sinon, l'excursion seule n'est pas justifiée. Jardins et parc du château ouverts les mercredi et jeudi de 14 h à 18 h et le week-end de 9 h à 17 h (sauf présence présidentielle).

Le château de Lány est, depuis le XVIIIᵉ siècle, une vaste demeure baroque. En 1918, l'État tchécoslovaque en fit la résidence d'été du président de la République. Lieu favori du premier président Tomáš Garrigue Masaryk, qui créa une démocratie progressive jusqu'en 1937, date de sa mort. Il est enterré dans le cimetière de Lány. De nombreux Tchèques font le pèlerinage pour saluer un de leurs présidents préférés. Aujourd'hui, le château continue à servir de résidence présidentielle, et l'intérieur ne se visite pas. Beaux jardins anglais, orangerie et parc avec des cerfs.

LIDICE

À 22 km au nord-ouest de Prague. On y arrive par la 7 (en direction de Kladno). Bus du métro Dejvická (ligne A). Mémorial ouvert toute l'année. Musée ouvert de 8 h à 16 h (17 h d'avril à septembre). C'est l'Oradour des Tchèques. Lidice fut rasé par les nazis, le 10 juin 1942, en représailles à l'attentat contre le *Reichsprotector* Heydrich. Tous les hommes furent tués, les femmes et les enfants déportés.

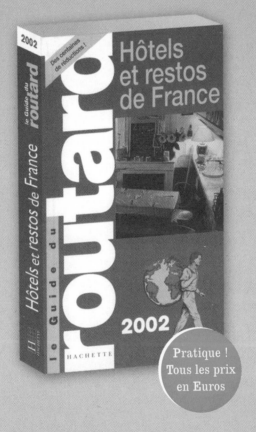

m'man, p'pa,
'faut pô
laisser
faire !

HANDICAP INTERNATIONAL

titeuf "totem" de nos 20 ans

Pour découvrir l'engagement de Titeuf et nous aider à continuer :

www.handicap-international.org